GILES BLUNT

Né en 1952 à Windsor (Canada) de parents anglais, Giles Blunt étudie la littérature à l'université de Toronto. Il vit ensuite à New-York pendant vingt ans ; il y écrit des scénarios pour plusieurs programmes de télévision, notamment pour la série à succès *Law and Order*, ainsi que son premier roman, *Le témoin privilégié* (Albin Michel, 1991). Deux ouvrages vont suivre : *Quarante mots pour la neige* (Le Masque, 2003), récompensé en Angleterre par le prestigieux Silver Dagger Award, et publié dans une douzaine de pays, puis *Sous un ciel de tempête* (Le Masque, 2005).

Giles Blunt vit actuellement à Toronto.

QUARANTE MOTS
POUR LA NEIGE

GILES BLUNT

QUARANTE MOTS POUR LA NEIGE

Traduit de l'anglais (Canada)
par Philippe Rouard

Éditions du masque

Titre original :
FORTY WORDS FOR SORROW
publiée par Random House of Canada Limited

© Giles Blunt, 2000.
© Éditions du Masque-Hachette Livres, 2003
ISBN 2-266-14129-5

À la mémoire de Philip L. Blunt
(1916-2000)

1

La nuit tombe tôt sur la baie d'Algonquin. Partez pour Airport Hill à quatre heures de l'après-midi en février et, quand vous revenez une demi-heure plus tard, les rues de la ville scintillent à vos pieds comme autant de pistes balisées. Le quarante-sixième parallèle ne remonte peut-être pas si loin dans le Nord ; on peut être à la fois plus au nord et toujours sur le sol des États-Unis, d'ailleurs Londres est plus proche de quelques degrés du pôle. Mais c'est de l'Ontario, Canada, qu'il est ici question, et la baie d'Algonquin en février est la définition même de l'hiver : la baie d'Algonquin, c'est la neige, c'est le silence blanc. La baie d'Algonquin, c'est le grand, le très grand froid.

John Cardinal revenait de l'aéroport où il avait accompagné sa fille, Kelly, qui allait aux États-Unis en passant par Toronto. Dans la voiture flottait encore le parfum définissant depuis peu sa présence : Rhapsodie ou Extase, il ne s'en souvenait plus. Après le départ de sa femme, et maintenant de Kelly, ce parfum, pour lui, s'appelait Solitude.

Il faisait plusieurs degrés au-dessous de zéro, et la froidure serrait la voiture dans une étreinte de glace. Les vitres de la Camry étaient blanches de gel des deux côtés, et Cardinal avait en vain tenté de les gratter avec un racloir en plastique. Il gagna la sortie sud de Airport Hill, tourna à gauche sur la bretelle, s'engagea encore à gauche pour Trout Lake Road, et maintenant il roulait vers le nord et la maison.

La maison, si ce terme avait encore un sens après le départ de Catherine et de Kelly, était une petite construction en bois dans Madonna Road, de loin la plus modeste d'un croissant de cottages embrassant la rive nord du lac. La bâtisse était parfaitement protégée du froid, du moins à en croire l'agent immobilier, mais cette isolation thermique tenait plutôt de la figure de style. Kelly affirmait qu'on pouvait conserver de la crème glacée dans sa chambre.

L'allée était flanquée de deux murs de neige d'un mètre cinquante de haut, et Cardinal manqua d'emboutir l'arrière du véhicule qui y stationnait. Il reconnut l'une des voitures banalisées du département de police d'Algonquin. Il fit marche arrière et se gara de l'autre côté de la rue, tandis que Lise Delorme, du Bureau des enquêtes internes, mettait pied à terre et se dirigeait vers lui à travers le nuage de fumée qu'exhalait le pot d'échappement.

Le Bureau, en dépit de « grands pas en avant vers la parité homme-femme », selon une phraséologie chère aux politiques, restait un bastion de chauvinisme mâle, et tout le monde s'entendait pour dire que Lise Delorme était trop… enfin trop quelque chose… pour ce métier. Quoi, vous êtes là à votre travail, à essayer de réfléchir, et vous vous passeriez volontiers d'une telle distraction. Non que Delorme eût l'air d'une pin-up, non ; mais il y avait dans sa manière de vous regarder un « je-ne-sais-quoi », comme aimait à le faire remarquer McLeod qui, une fois n'est pas coutume, avait raison. Delorme était hélas encline à soutenir votre regard de ses grands yeux noisette un poil trop longtemps, une petite seconde de trop, et c'était comme si elle glissait sa main sous votre chemise.

En vérité, Delorme était un sale coup à faire à tout homme marié. Et Cardinal avait d'autres motifs de la craindre.

« J'allais abandonner », dit-elle. Son accent de francophone était imprévisible : on le remarquait à peine la plupart du temps, et puis des consonnes finales disparaissaient et les phrases s'enrichissaient de doubles sujets. « J'ai essayé de vous téléphoner, mais ça ne répondait pas, et votre répondeur, il ne fonctionne pas.

— Je l'ai débranché. Mais que diable faites-vous ici ?

— Dyson m'a chargée de vous voir. Ils ont découvert un cadavre.

— Ça ne me concerne pas. Vous avez oublié ? Je ne travaille plus à la Criminelle. »

Cardinal s'efforçait de paraître détaché mais n'en percevait pas moins le ton amer de sa voix. « Ça ne vous dérange pas si je rentre chez moi, sergent ? » Ce « sergent » n'avait d'autre but que d'agacer Delorme. Deux détectives de même grade s'adressaient d'ordinaire l'un à l'autre par leur nom, sauf en présence de civils ou d'officiers aspirants.

Delorme, qui se tenait entre sa voiture et le mur de neige, s'écarta pour laisser Cardinal s'approcher de la porte du garage.

« Je crois que Dyson veut vous réintégrer.

— Peu m'importe. Auriez-vous l'obligeance d'enlever votre voiture de là, pour que je puisse rentrer la mienne ? Je voulais dire que Dyson peut faire ce qu'il veut. De toute façon, pourquoi est-ce vous qu'il m'envoie ? Depuis quand travaillez-vous à la Crim' ?

— Vous avez dû apprendre que je quittais les Enquêtes internes ?

— Non, je savais seulement que vous en aviez l'intention.

— Eh bien, c'est officiel. Dyson m'a dit que vous m'apprendriez les ficelles.

— Non merci, ça ne m'intéresse pas. Qui a pris la relève aux Internes ?

— Un type de Toronto. Il n'est pas encore en poste.

— Qu'il le soit ou pas ne fera guère de différence, railla Cardinal. Bon, vous me dégagez mon allée, maintenant ? Il fait froid, je suis fatigué, et ça ne me déplairait pas de pouvoir enfin dîner.

— Ils pensent que ce pourrait être Katie Pine. » Delorme scruta d'un air grave le visage du détective, qui enregistrait l'information.

Cardinal tourna son regard vers la vaste étendue noire de Trout Lake. Au loin, les phares de deux autoneiges trouaient de concert l'obscurité. Katie Pine. Treize ans. Disparue depuis le 12 septembre ; il n'oublierait jamais cette date. Katie Pine, une bonne élève, un crack en mathématiques, originaire de la réserve chippewa, une fillette dont il n'avait jamais fait la connaissance mais qu'il désirait plus que tout au monde retrouver.

Le téléphone sonnait dans la maison, et Delorme consulta sa montre. « C'est sûrement Dyson. Il ne m'a accordé qu'une petite heure pour vous voir. »

Cardinal entra, sans inviter Delorme à le suivre. Il décrocha à la quatrième sonnerie et entendit son supérieur, le sergent-détective Don Dyson, lui parler de sa voix nasillarde et glacée comme s'ils avaient été interrompus trois mois plus tôt au milieu d'une discussion qu'ils reprenaient maintenant sans sourciller. Et, dans un sens, c'était vrai.

« Ne revenons pas sur le passé. Vous voulez que je m'excuse, je m'excuse. Voilà, c'est fait. On a un cadavre du côté des îles Manitou, et McLeod est retenu au tribunal, enfoncé jusqu'aux oreilles dans l'affaire Corriveau. L'enquête vous revient donc. »

Cardinal sentit une vieille colère se ranimer en lui. Je suis peut-être un mauvais flic, pensa-t-il, mais pas pour les raisons que Dyson imagine. « Vous m'avez viré de la Crim', vous ne vous en souvenez pas ? Selon vous, je n'avais plus à m'occuper que des vols à la roulotte et à l'étalage.

— Simple changement d'assignation, comme en décide chaque jour tout bon chef de service. De toute façon, c'est de l'histoire ancienne, Cardinal. De l'eau est passée sous le pont. Nous en reparlerons quand vous aurez vu le corps.

— Vous prétendiez que Katie Pine n'était qu'une fugueuse, qu'il n'y avait pas de crime derrière sa disparition. J'ai gardé mes notes.

— Cardinal, vous retournez à la Criminelle, d'accord ? C'est votre enquête. Votre putain de show à vous tout seul. Et il n'est pas encore prouvé que ce soit Katie Pine. Même vous, l'omniscient, vous pourriez vous cantonner prudemment aux suppositions avant de mettre un nom sur un cadavre que vous n'avez pas encore vu. Mais à votre aise, si vous voulez jouer les Je-vous-l'avais-bien-dit, pointez-vous demain matin à mon bureau à huit heures. Ce qui est sympa dans mon boulot, c'est que je ne suis pas obligé de sortir en pleine

13

nuit, quand il y a un appel, et ces appels, vous l'aurez remarqué, c'est toujours en pleine nuit qu'on les reçoit.

— C'est mon affaire, dès cet instant… si je suis partant.

— La décision ne m'appartient pas, Cardinal, et vous le savez. Le lac Nipissing est placé sous la juridiction de nos très estimables frères et sœurs de la police provinciale d'Ontario. Or, en admettant que ce cadavre concerne la PPO, c'est à nous qu'ils le confieront. S'il s'agit de Katie Pine ou de Billy LaBelle, ils ont tous deux été enlevés dans notre ville à nous, encore faut-il qu'il y ait eu enlèvement. En conclusion, c'est notre affaire. « Si je suis partant », dites-vous ?

— Je préfère continuer de m'occuper des vols, si ce n'est pas mon enquête dès maintenant.

— Demandez au coroner de vous la jouer à pile ou face », aboya Dyson, et il raccrocha.

Cardinal appela Delorme, qui hésitait dans l'entrée. « C'est laquelle des îles Manitou ?

— Windigo. Celle où il y a un puits de mine.

— Alors, on y va ? Vous pensez que la glace supportera un camion ?

— Vous plaisantez ? À cette époque de l'année, elle ne broncherait pas sous un train de marchandises. »

Delorme pointa un pouce ganté en direction du lac Nipissing. « Couvrez-vous chaudement, dit-elle. Le vent du lac, il est glacial. »

2

Une piste reliait les docks aux îles Manitou, traçant à travers le lac un pâle ruban bleu d'une dizaine de kilomètres ; les motels sur la rive prenaient soin de l'entretenir, de manière à attirer les pêcheurs, source de revenus majeure durant les mois d'hiver. On pouvait y circuler sans danger en voiture et même en camion en février, mais il était recommandé de rouler à moins de vingt-cinq kilomètres à l'heure. Les quatre véhicules progressaient lentement, les rafales de flocons voltigeant dans leurs phares tels de lumineux voilages cubistes.

Cardinal et Delorme, qui roulaient en tête, se taisaient. Delorme se penchait de temps à autre en avant pour gratter le pare-brise, et la couche de gel tombait en copeaux qui fondaient sur le tableau de bord et leurs genoux.

« On croirait atterrir sur la Lune », dit-elle d'une voix à peine audible dans le bruit du moteur et le souffle du chauffage. Tout autour d'eux, la neige tombait en rideau tantôt blanc tantôt gris fer, tranchant sur le mauve soutenu qui ombrait les congères.

Cardinal captait de temps à autre dans le rétroviseur l'image tressautante du cortège derrière eux : la voiture du coroner, puis le fourgon du service scientifique, et enfin le camion.

L'île de Windigo dressa bientôt dans la lueur des phares sa silhouette déchiquetée, sauvage. Elle était minuscule, guère plus de trois cents mètres carrés, et rocheuse, se souvenait Cardinal de ses promenades en bateau, l'été. L'ossature de bois du puits de mine s'élevait, telle une tour conique, au-dessus de la cime des sapins.

Un par un les véhicules arrivèrent et se rangèrent en ligne, leurs lumières formant au milieu des ténèbres un large rempart blanc.

Cardinal et les autres se rassemblèrent sur la glace avec une gaucherie de cosmonautes dans leurs lourdes bottes en cuir graissé et leurs manteaux épais, battant la semelle, tendus contre le froid. Ils étaient huit : Cardinal et Delorme, le Dr Barnhouse, le coroner, Arsenault et Collingwood, techniciens de la scène de crime, Larry Burke et Ken Szelagy, agents de patrouille en parka bleue, et, dernier à arriver dans une autre voiture banalisée, Jerry Commanda, de la PPO. La police provinciale d'Ontario n'était pas seulement responsable de la circulation routière mais assurait toutes les tâches policières dans les communes ne disposant pas d'une force locale. Les lacs et les réserves indiennes étaient également placés sous son contrôle, mais avec Jerry on n'avait pas à redouter de querelles de juridiction.

Les huit silhouettes formaient un cercle ponctué de brèches, dont les phares projetaient les longues ombres.

Barnhouse parla le premier. « Je m'attendais à te voir avec une cloche autour du cou, dit-il à Cardinal en manière d'accueil. Le bruit courait que tu avais la lèpre.

— Je suis en rémission », rétorqua le détective.

Barnhouse était un petit bonhomme avec la nature pugnace d'un bouledogue, des épaules de lutteur et des jambes fort courtes, disgrâce qu'il compensait par une surestimation de sa propre personne.

Cardinal tourna la tête vers un homme de grande taille, au visage émacié, qui se tenait légèrement en retrait du cercle. « Vous connaissez Jerry Commanda ?

— Si je le connais ? Que trop ! beugla Barnhouse. Ce monsieur faisait partie de notre bonne ville, et puis il a décidé de retourner chez ses frères amérindiens.

— Je suis PPO, maintenant, répondit paisiblement l'intéressé. Un cadavre au milieu du lac, voilà une occasion pour toi de nous organiser une autopsie, pas vrai, doc ?

— Tu vas pas m'apprendre mon travail, Commanda. Où est le flic génial qui a découvert le trésor ? »

Ken Szelagy s'avança d'un pas. « C'est pas nous, mais des gosses qui sont tombés dessus. Vers quatre heures de l'après-midi. Moi et Larry Burke, ici présent, on a reçu l'appel, on est allés voir, on a tracé un périmètre et informé le poste. McLeod était retenu au tribunal, alors on s'est rabattus sur le sergent-détective Dyson et je suppose qu'il a appelé l'officier Cardinal.

— Le talentueux Cardinal, marmonna Barnhouse d'un ton ambigu. Bon, allons-y à la lampe électrique pour l'instant. Je n'ai pas envie de tout chambouler en installant des projos. »

Il se mit en marche en direction des rochers. Cardinal allait intervenir, mais la voix de Jerry Commanda le devança. « Marchez en file indienne, les gars.

— Je ne suis pas un gars, rétorqua Delorme des profondeurs de sa capuche.

« — Plutôt difficile pour le moment de faire la différence », grogna Jerry.

Barnhouse fit signe à Burke et Szelagy de prendre la tête et, pendant quelques minutes, on n'entendit plus que le crissement de leurs bottes sur la neige durcie. Des lames de froid lacéraient le visage de Cardinal. Au-delà des rochers, au loin, une guirlande de lumières brillait le long de la rive — la réserve chippewa, territoire de Jerry Commanda.

Szelagy et Burke attendirent les autres devant la clôture de grillage ceinturant le puits abandonné.

Delorme donna un coup de coude rembourré à Cardinal en désignant de sa moufle un petit objet métallique à moins d'un mètre de la grille.

« Quelqu'un a touché à ce cadenas ? demanda Cardinal aux deux agents.

— Non, répondit Szelagy, on l'a trouvé comme ça et on a pensé qu'il valait mieux le laisser où il était.

— Les gosses disent que le cadenas était déjà forcé. »

Delorme sortit une pochette en plastique de sa poche, mais Arsenault, toujours équipé comme tout bon technicien de scène de crime, lui tendit un petit sac en papier. « Utilisez du papier, lui dit-il. Tout objet mouillé mis dans du plastique est un objet bon à jeter. »

Cardinal était content que cet incident mineur survienne au début et que ce soit quelqu'un d'autre que lui qui intervienne. Delorme était une bonne enquêtrice ; il fallait qu'elle le fût pour avoir été affectée aux Enquêtes internes. Elle avait envoyé derrière les barreaux un ancien maire et plusieurs conseillers municipaux après une longue et âpre enquête qu'elle avait menée toute seule, mais qui n'exigeait pas de connaissances techniques. Désormais elle ferait attention, et Cardinal n'en demandait pas plus.

L'un après l'autre, ils passèrent sous le ruban jaune délimitant le lieu du crime et, à la suite de Burke et de Szelagy, gagnèrent l'entrée du puits de mine. Szelagy désigna les planches bordant l'ouverture. « Gaffe à pas glisser… C'est un vrai toboggan de glace à l'intérieur. »

Les faisceaux des lampes braquées dans la cavité creusaient une piscine de lumière tremblante à leurs pieds. Pour ajouter au décor lugubre, le vent gémissait entre les planches disjointes.

« Bon Dieu », murmura Delorme.

Elle et les autres avaient tous vu des accidents mortels sur la route, de nombreuses noyades, quelques suicides, mais rien ne les avait préparés à ça. Ils frissonnaient, figés dans une soudaine immobilité, comme en prière, et peut-être certains d'entre eux priaient-ils. L'esprit de Cardinal semblait fuir la vision devant lui, pour la remplacer par l'image de Katie Pine qui, sur cette photo prise à l'école, souriait si gentiment. Il pensa aussi à ce qu'il devrait annoncer à la mère de la fillette.

D'un ton solennel, le Dr Barnhouse commença : « Nous avons sous les yeux les restes gelés d'un adolescent… merde. » Il tapa sèchement de sa moufle sur son magnétophone miniaturisé. « Déconne toujours dans le froid, ce machin. » Il se racla la gorge et reprit d'une voix moins emphatique : « Nous avons sous les yeux le cadavre d'un adolescent… décomposition et activité animale empêchent à ce stade d'en déterminer le sexe… torse nu… partie inférieure du corps en partie habillée d'un blue-jean… bras droit disparu… ainsi que pied gauche… visage rongé… mâchoire inférieure manquante… Bon Dieu, dit-il, comme s'il se réveillait soudain, c'était encore un enfant. »

Cardinal décela un frémissement dans la voix de Barnhouse ; lui aussi aurait tremblé. Ce n'était pas seulement la détérioration de ce cadavre — ils avaient tous vu pire —, mais le fait que les restes étaient préservés dans un véritable sarcophage de glace d'une épaisseur d'à peu près vingt-cinq centimètres. Les orbites vides semblaient contempler à travers la glace la nuit noire au-dessus d'eux. L'un des yeux avait été arraché et il gisait gelé sur l'épaule ; l'autre avait disparu.

« Cheveux noirs, longs, arrachés du crâne... pelvis présentant des stries pouvant indiquer un individu de sexe féminin... supposition impossible à confirmer sans examen complémentaire... le corps étant pour le moment pris dans un bloc de glace formé par les conditions particulières au site. »

Jerry Commanda braqua sa torche sur les planches au-dessus de lui puis en reporta le faisceau sur la plate-forme de ciment sur laquelle reposait le cercueil trans-lucide. « Il y a des fuites. »

Les autres l'imitèrent et virent les coulées de glace entre les planches. Des ombres dansaient dans les orbites évidées.

« Tout a fondu pendant ces trois jours de chaleur en décembre, reprit Jerry. Le corps reposait peut-être sur un puisard. Quand ça s'est mis à pisser, le trou s'est rempli d'eau. Le froid est revenu et ça a gelé de nouveau.

— On dirait qu'elle est conservée dans de l'ambre », fit remarquer Delorme.

Barnhouse reprit : « Pas de vêtements, sauf le blue-jean... je l'ai déjà dit, ça, non ? Oui, j'en suis sûr... importante destruction des chairs dans la région abdo-minale... viscères et organes principaux disparus... sans qu'on puisse préciser si c'est imputable au trauma initial ayant entraîné la mort ou aux animaux... lobes supérieurs des poumons visibles. »

« Katie Pine », dit soudain Cardinal. Il n'avait pas eu l'intention de parler à voix haute. Il savait que cela provoquerait une réaction, qui ne tarda pas, et à plein volume.

« J'espère que vous n'êtes pas en train de me dire que vous avez reconnu cette pauvre fille d'après sa photo de classe. Tant que nous n'aurons pas comparé sa mâchoire supérieure à son dossier dentaire, toute identification est impossible.

— Merci, docteur.

— Cardinal, rémission ou pas, épargnez-moi vos sarcasmes. » Barnhouse reporta son œil torve sur l'objet à leurs pieds. « Extrémités, celles qui restent sont réduites à l'état d'ossements… toutefois il y a une trace de fracture ancienne du radius à l'avant-bras gauche. » Il recula d'un pas et croisa les bras sur sa poitrine d'un air belliqueux. « Messieurs — et mademoiselle —, je me retire de cette enquête qui est manifestement du ressort des services de la police scientifique. Et, puisque le lac Nipissing tombe sous la juridiction de la police provinciale d'Ontario, je vous confie officiellement l'enquête, monsieur Commanda.

— Si c'est Katie Pine qui est ici, l'enquête appartient à la ville.

— Mais Katie Pine est l'une des vôtres, n'est-ce pas ? De la réserve ?

— Elle a été vue pour la dernière fois sur le champ de foire de Memorial Gardens. Et cette affaire concerne la ville depuis que la gosse a disparu. C'est l'enquête de Cardinal.

— Il n'empêche, reprit Barnhouse, dans l'impossibilité d'une identification, c'est entre vos mains que je la remets.

— Parfait, docteur, dit Jerry. John, vous pouvez commencer. Je sais que c'est Katie.

— Non, vous ne pouvez pas le savoir, intervint Barnhouse. À part le blue-jean, ça n'a presque rien d'humain. »

Cardinal dit doucement : « Katie Pine s'est fracturé le radius du bras gauche en faisant du skateboard. »

Ils étaient cinq, entassés dans le fourgon de l'Identité. Barnhouse était reparti, et Burke et Szelagy attendaient dans le camion. Cardinal en était réduit à crier, pour se faire entendre par-dessus le grondement du chauffage. « Nous allons avoir besoin de cordes. À partir de maintenant, toute l'île est notre périmètre. Il n'y a pas de sang ni de trace de lutte à l'entrée du puits, il est donc probable qu'elle a été tuée ailleurs et ensuite déposée ici. Mais je n'ai pas envie que des curieux en motoneige viennent bousiller les indices, alors il faut préserver le site. »

Delorme lui tendit son portable. « Pour vous, dit-elle. Len Weisman, de la Scientifique.

— Len, on a un cadavre pris dans un bloc de glace. Une adolescente, probablement assassinée. Si on découpe le bloc et qu'on te l'expédie dans un camion frigorifique, tu pourras en tirer quelque chose ?

— Oui, c'est possible. On dispose de deux chambres froides, dans lesquelles on peut décongeler progressivement et préserver la moindre fibre animale ou synthétique. » La voix provenant de Toronto avait quelque chose de surréaliste dans ce paysage lunaire.

« Très bien, Len. On te rappellera quand on sera prêts. » Cardinal rendit à Delorme son téléphone. « Arsenault, c'est toi l'expert. Comment fait-on pour la sortir d'ici ?

— On peut toujours découper la glace tout autour du corps. Le problème sera de séparer le bloc du béton.

— Trouve quelqu'un en ville ; du béton, ils en découpent souvent. Tenez-vous prêts, tous. Il va falloir qu'on écume la neige.

— Ça fait des mois qu'elle a été tuée, intervint Delorme. La neige ne nous apprendra rien.

— On ne sait jamais. Qui a un bon contact à l'armée ? » Collingwood leva la main.

« On a besoin d'une grande tente, quelque chose qui ressemble à un chapiteau capable de recouvrir toute l'île. On fera fondre la neige et on verra bien ce qu'il y a dessous. »

Collingwood acquiesça. Il était assis près du chauffage, et sa moufle fumait.

3

Ils passèrent plus de temps que prévu à mettre en place un périmètre de sécurité et une surveillance de vingt-quatre heures sur vingt-quatre, mais tout travail de police est chronophage par nature. Finalement Cardinal ne rentra pas chez lui avant une heure du matin, et il était bien trop tendu pour dormir. Il s'installa dans le salon avec deux doigts de Black Velvet, sec, et nota sur son calepin ce qu'il devait faire le lendemain. Il faisait si froid dans la maison que même le whisky ne pouvait le réchauffer.

Kelly devait être de retour aux States, à présent.

À l'aéroport, Cardinal avait regardé sa fille poser une valise sur le tapis roulant à l'enregistrement des bagages et, avant qu'elle ait le temps de soulever la deuxième, le jeune homme qui attendait derrière elle lui avait épargné cette peine. Ben quoi, Kelly était jolie. Comme tous les pères, Cardinal croyait que tout le monde devait, en toute objectivité, reconnaître la beauté de sa fille. Il savait aussi qu'un beau visage vous valait les mêmes prérogatives que la richesse ou la célébrité : les gens s'offraient toujours à vous aider.

« Tu n'es pas obligé d'attendre avec moi, papa, lui avait-elle dit alors qu'ils descendaient par l'escalier à la salle d'attente. Tu dois avoir mieux à faire. »

Cardinal n'avait rien de mieux à faire.

L'aérodrome d'Algonquin Bay pouvait accueillir jusqu'à quatre-vingts passagers par vol, mais il était rare qu'il y en eût autant. Pour tuer le temps, il n'y avait qu'un minuscule *coffee shop* et un présentoir pour la feuille locale, *The Algonquin Lode*, et les quotidiens de Toronto. Ils allèrent s'asseoir. Cardinal acheta le *Toronto Star*, en proposa quelques pages à sa fille, qui déclina l'offre. Lire parut soudain sans objet à Cardinal. À quoi bon rester si c'était pour plonger le nez dans un canard ?

« Tu auras assez de temps pour ton changement à Toronto ? demanda-t-il.

— Tu parles, une heure et demie !

— Ça n'est peut-être pas de trop. Il y a la douane américaine.

— Que je passe toujours les doigts dans le nez. Vraiment, papa, je devrais me lancer dans la contrebande.

— Tu m'as dit qu'ils t'avaient embêtée, la dernière fois. Que tu avais bien failli rater ta correspondance.

— Oui, j'ai pas eu de bol. Je suis tombée sur un vieux dragon qui avait décidé de m'en faire baver. »

Cardinal imaginait sans mal la scène. À bien des égards, Kelly était devenue le genre de jeune femme qui avait le don de le mettre mal à l'aise : trop intelligente, trop cultivée, et bien trop sûre d'elle.

« Je ne comprends pas pourquoi il n'y a pas de vol direct entre Toronto et New Haven.

— New Haven n'est pas tout à fait le centre du monde, ma chérie.

— Non, mais elle compte l'une des meilleures universités du monde. »

Laquelle coûtait une véritable fortune. Quand Kelly eut décroché son bac option beaux-arts à York, son professeur de peinture l'avait encouragée à s'inscrire à l'université de Yale. Kelly n'avait jamais osé rêver d'être acceptée, même après avoir constitué tout un dossier qu'elle s'en alla présenter à New Haven. Sceptique, Cardinal l'avait été, mais pas longtemps. « Il n'y a pas de meilleure fac de beaux-arts, papa. Tous les grands peintres sont passés par Yale. Autant apprendre la comptabilité si tu ne vas pas là-bas. » Cardinal avait mis en doute le bien-fondé de telles affirmations. Pour lui, Yale, ça n'était que snobinards indolents en tenue de tennis, à l'image de George Bush. Quoi, la peinture ?

Il s'était renseigné. Et avait été rassuré par ceux qui savaient. Si l'on voulait se distinguer dans le domaine de l'art sur un plan international, autrement dit aux États-Unis, une maîtrise d'arts plastiques de l'université de Yale était l'unique sésame.

« Vraiment, papa, pourquoi ne rentres-tu pas ? Tu n'es pas obligé d'attendre avec moi.

— Mais ça ne me déplaît pas de rester. »

Le garçon qui avait galamment aidé Kelly avait pris un siège en face d'eux. Nul doute que Cardinal sitôt parti, ce rigolo courrait s'asseoir à côté de sa fille. Je ne suis qu'un salopard possessif, se reprocha-t-il, nourrissant ces petites paniques liées aux femmes de ma vie. Il se comportait de même avec Catherine, son épouse.

« C'est gentil d'être venue nous voir, Kelly. Surtout au milieu du trimestre. Ta mère a vraiment apprécié.

— Tu crois ? C'est plutôt difficile à dire, elle m'a l'air tellement ailleurs en ce moment.

— Oui, mais il n'empêche.

— Pauvre maman. Pauvre toi. Je ne sais pas comment tu fais pour tenir, papa. Moi, je suis ailleurs la plupart du temps, mais toi tu dois vivre tout le temps avec.

— Ma foi, c'est dans le contrat. Pour le meilleur et pour le pire, pas vrai ?

— Ils ne sont plus très nombreux à observer ces vieilles règles, aujourd'hui. Toi, tu y crois, mais maman me fait peur, parfois. Ce doit être dur pour toi.

— Ça l'est beaucoup plus pour elle, Kelly. »

Ils restèrent assis en silence. En face d'eux, le garçon avait dans les mains un roman de Stephen King ; Cardinal feignait de lire le *Star*, Kelly contemplait le tarmac où des rafales de neige tournoyaient dans la lumière des balises. Cardinal se prenait à espérer l'annulation du vol, sa fille resterait ainsi un ou deux jours de plus. Mais Kelly n'aimait plus Algonquin Bay. Comment peux-tu supporter de vivre dans ce trou ? lui avait-elle dit plus d'une fois. Cardinal avait eu les mêmes sentiments à l'âge de sa fille, et puis dix années dans la police de Toronto l'avaient convaincu que ce bled perdu avait ses vertus.

L'avion arriva enfin, un Dash 8 à hélices, d'une capacité de trente passagers. Il ferait le plein en un quart d'heure et serait prêt au décollage.

« Tu as suffisamment d'argent sur toi ? Au cas où tu serais bloquée à Toronto ?

— Te fais pas de bile, papa. »

Elle l'embrassa, et puis il la regarda s'éloigner avec son sac en bandoulière et passer le contrôle de sécurité (deux femmes en uniforme qui n'étaient guère plus âgées que Kelly). Il s'approcha de la baie vitrée pour la voir gagner sous la neige la passerelle. Le garçon lui collait au train, le salopard. Mais une fois dehors, alors qu'il dégageait de sa main gantée les flocons collés au pare-brise de sa voiture, Cardinal s'en voulut de sa jalousie imbécile de papa poule affolé de voir son enfant grandir. Il était de confession catholique, non pratiquant mais, à l'instar de bien des cathos, dévots ou pas, il cultivait une propension presque joyeuse à s'accuser du péché, et pas nécessairement celui qu'il avait réellement commis.

Cardinal n'avait pas terminé son verre que le sommeil le gagna soudain. Il se leva de son fauteuil et alla au lit. Dans l'obscurité, des images lui vinrent : des phares sur le lac, le corps pris dans la glace, le visage de Delorme. Et puis il pensa à Catherine. Sa femme n'était pas au mieux en ce moment, cependant il se força à l'imaginer rieuse. Oui, ils s'en iraient quelque part ensemble, quelque part loin de ce travail de flic, loin de leurs chagrins personnels, et ils riraient.

4

Don — pour Adonis — Dyson était un quinquagé-
naire à l'air juvénile, athlétique et noueux comme un
gymnaste, d'une agilité touchant parfois à la grâce,
mais comme les détectives placés sous son commandement ne se lassaient jamais de le faire remarquer, il
n'avait rien d'un Adonis. Son seul point commun avec
les Adonis statufiés des musées était un cœur froid
comme le marbre. Personne ne savait s'il était né ainsi
ou si quinze années à la police criminelle de Toronto
avaient gelé une prédisposition à l'indifférence.
L'homme n'avait pas un seul ami — dans le métier ou
en dehors — et ceux qui avaient rencontré Mme Dyson
prétendaient qu'en comparaison son mari dégoulinait
de sentimentalité.

Le sergent-détective Dyson avait l'esprit tatillon, le
verbe haut, et l'âme calculatrice. Il avait aussi de longs
doigts en spatule, dont il était démesurément fier. Qu'ils
manient un coupe-papier ou jouent avec une boîte
d'agrafes, ces doigts-là évoquaient de grosses pattes
d'araignée. Son crâne chauve, ceint d'un demi-cercle

de cheveux ras, formait un globe parfait. Jerry Commanda détestait le personnage, mais Jerry tenait l'autorité en horreur, un trait que Cardinal attribuait à son héritage indien. Delorme affirmait volontiers qu'elle pourrait se servir de la tête de Dyson comme d'un miroir où se faire les cils, si toutefois elle consentait à pareille coquetterie.

Et ce même dôme crânien et luisant s'inclinait maintenant vers Cardinal, assis sur une chaise placée exactement à quarante-cinq degrés du bureau de Dyson. Sans doute ce dernier avait-il lu quelque part que cet angle était un élément déterminant dans la visibilité des hiérarchies. C'était un homme épris de précision, qui n'accomplissait jamais rien sans raisons bien définies. Un beignet blanchi de sucre glace attendait sur un coin de la table que sonne la pause de dix heures trente tapantes, pour être consommé en même temps que la petite Thermos de décaféiné qui lui tenait compagnie.

Dyson tenait son coupe-papier entre ses deux index tendus et, quand il prit la parole, Cardinal eut l'impression que son supérieur s'adressait plus à l'objet qu'à lui-même. « Je ne vous ai jamais dit que vous vous trompiez. Je n'ai jamais dit que cette fillette n'avait pas été assassinée. Pas en ces termes, en tout cas.

— Non, monsieur, vous ne l'avez pas dit. »

Cardinal était enclin, quand il était irrité, à se montrer exagérément poli. Mais cette tendance avait ses limites. « Non, vous m'avez seulement renvoyé aux vols à l'étalage à titre d'exercice spirituel.

— Vous avez oublié ce que cette enquête nous coûtait ? Alors qu'on était et qu'on est toujours en période de compression budgétaire ? On ne pouvait tout de même pas nous faire passer pour la police montée. C'est simple, tout notre budget d'investigation est passé dans cette unique affaire.

— Pas unique, triple.

— Non, double, et encore. » Dyson déploya ses spatules pour compter. « Katie Pine, je vous l'accorde. Billy LaBelle, peut-être. Mais Margaret Fogle, sûrement pas.

— Monsieur, sauf votre respect, elle ne s'est pas métamorphosée en grenouille, pas plus qu'elle ne s'est volatilisée. »

De nouveau les doigts entrèrent dans la danse, tandis que Dyson énumérait les raisons qu'ils avaient de compter Margaret Fogle parmi les vivants. « Elle avait dix-sept ans, donc plus âgée et plus dégourdie que les deux autres. Elle n'était pas d'ici mais de Toronto. Elle avait des antécédents de fugueuse. Bon sang, cette gosse criait à qui voulait l'entendre que cette fois, personne, non personne ne la retrouverait. Et elle avait un petit copain qui habitait au diable, Vancouver ou je ne sais quelle foutue ville.

— Calgary. Elle n'est jamais arrivée là-bas. »

Et elle a été vue pour la dernière fois dans notre bonne ville, tête de nœud. Je vous en prie, mon Dieu, faites qu'il me donne McLeod et me laisse me remettre au travail.

« Pourquoi cette résistance, Cardinal ? Nous habitons le plus grand pays du monde, depuis que l'URSS a eu le bon goût de se détruire elle-même, et trois lignes de chemin de fer sillonnent de long en large et du nord au sud ce milliard d'hectares de patinoire. Ces trois lignes se croisent juste chez nous. Nous avons un aérodrome et une gare routière, et quiconque traversant cette immensité doit passer par ici. On ramasse les fugueurs à ne plus savoir qu'en faire. Des fugueurs, pas des cadavres. Et vous, vous claquiez tout le fric du département à courir après des fantômes.

— Puis-je m'en aller, maintenant ? Je croyais que j'étais de retour à la Crim', dit Cardinal.

— Vous l'êtes. Je ne voulais pas ressasser ces vieilles histoires, mais prenez Katie Pine, Cardinal… (il pointa l'extrémité plate et large de son index vers le détective), il n'y avait pas à ce moment-là le moindre indice de meurtre. D'accord, c'était une enfant, pour ainsi dire, et il s'était sûrement passé quelque chose d'anormal, mais nous n'avions pas de preuve d'homicide.

— D'un strict point de vue juridique, non.

— Et vous exigiez de moi des ressources humaines et matérielles incompatibles avec nos moyens, sans parler des heures supplémentaires, proprement hallucinantes. Et je n'étais pas le seul à le penser, pour une fois le chef me donnait raison.

— Sergent, Algonquin Bay n'est pas si grand que ça. Un gosse disparaît, et vous avez un million de pistes, tout le monde veut vous aider. Quelqu'un a vu quelqu'un sortir un couteau dans la rue, vous vérifiez. Quelqu'un a vu une jeune auto-stoppeuse, vous vérifiez. Ils ont tous vu Katie Pine quelque part : à la plage, à l'hôpital sous un autre nom, dans un canoë à Algonquin Park. Il fallait bien suivre chacune de ces pistes.

— C'est ce que vous m'avez dit à ce moment-là.

— Et aucune d'entre elles n'était injustifiée. Cela devrait vous sembler évident, aujourd'hui.

— Ça ne l'était pas, alors. Personne n'a vu Katie Pine en compagnie d'un étranger. Personne ne l'a vue monter dans une voiture. Elle est à la foire, et la minute d'après elle n'y est plus.

— Je sais. La terre s'est entrouverte sous ses pieds.

— Oui, la terre s'est ouverte et l'a avalée, et vous avez choisi de croire, sans preuve, qu'elle avait été tuée. Le temps vous a donné raison, comme il pouvait vous donner tort. Seule sa disparition ne pouvait être remise en cause. Un authentique mystère. »

Exact, pensa Cardinal, la disparition de Katie avait été un mystère. Désolé, mais je m'imaginais que les policiers étaient de temps à autre amenés à résoudre les mystères, même à Algonquin Bay. Bien entendu, cette fille était une indigène, et nous savons combien *ces gens* sont irresponsables.

« Regardons les choses en face, dit Dyson en fourrant son coupe-papier dans une petite gaine avant de le poser d'un geste méticuleux à côté d'une règle. Cette fille était indienne. J'aime les Indiens, sincèrement. Il y a chez eux une sérénité qui est proche du surnaturel. Ils sont bon enfant et ils adorent les gosses, et je serais le premier à reconnaître que Jerry Commanda a été chez nous un officier de premier ordre. Mais on ne peut tout de même pas prétendre qu'ils sont comme vous et moi.

— Oh, que non, ils sont très différents de nous, dit Cardinal, qui le pensait, mais dans un sens qui échappa à Dyson.

— Leurs proches sont éparpillés aux quatre points cardinaux, et cette môme aurait pu être à Mattawa ou à Sault-Sainte-Marie. On n'avait donc aucune raison de chercher dans un puits de mine au milieu de ce foutu lac. »

Des raisons, ils en avaient eu, mais Cardinal n'en fit pas la remarque, car il avait un meilleur argument. « En vérité, nous avons fouillé le puits de mine de Windigo, et nous l'avons fait dans la semaine qui a suivi la disparition de Katie. Quatre jours après, pour être exact.

— Vous êtes en train de me dire qu'elle a été retenue prisonnière quelque part avant d'être tuée ?

« — Exactement. » Cardinal réprima l'envie d'en dire plus. Dyson s'animait, et Cardinal comptait en tirer profit. Le coupe-papier fut ressorti de sa gaine ; un trombone isolé fut harponné et transféré dans une coupelle de bronze.

« Bien sûr, concéda-t-il, le tueur l'aura tuée tout de suite et aura gardé le corps quelque part avant de s'en débarrasser dans un lieu plus sûr.

— C'est possible. Les gars du labo pourront peut-être nous aider à situer le lieu où elle a été séquestrée — nous enverrons la dépouille à Toronto dès que la mère aura été informée —, mais cette enquête s'annonce longue. Je vais avoir besoin de McLeod.

— Impossible. Il est au tribunal avec Corriveau. Vous pouvez prendre Delorme.

— C'est de McLeod que j'ai besoin. Delorme n'a pas d'expérience.

— Vous dites cela par pur préjugé envers les femmes et parce qu'elle est française et parce que au contraire de vous elle a passé la majeure partie de sa vie à Algonquin Bay.

— Vous avez peut-être derrière vous dix ans de police criminelle à Toronto, mais ne me dites pas que six ans aux Enquêtes internes sont du pipi de chat.

— Je ne la dénigre pas. Je considère au contraire qu'elle a fait un parcours sans faute jusqu'ici. Gardez-la dans ces affaires sensibles où elle réussit si bien. Qui la remplacera ?

— En quoi cela vous intéresse-t-il ? Laissez-moi m'occuper de ça. Delorme est une très bonne enquêtrice.

— Certes, mais elle n'a aucune expérience en matière d'homicide. La nuit dernière, elle a failli détruire une importante pièce à conviction.

— Je n'en crois pas un mot. De quoi parlez-vous ? »

Cardinal lui rapporta l'histoire du sac en plastique. C'était bien mince, il n'en disconvenait pas. Mais il voulait McLeod. McLeod connaissait le travail et, surtout, la musique.

Un silence tomba. Dyson, immobile, contemplait le mur derrière Cardinal, qui contemplait les tourbillons de flocons passant devant la fenêtre. Quand il s'interrogea plus tard, il ne parvint pas à décider si ce qu'avait dit alors Dyson lui était venu spontanément à l'esprit ou bien s'il avait préparé son coup. « Vous ne seriez pas inquiet, par hasard, que Delorme enquête sur vous ?

— Non, monsieur.

— Bien. Alors, je vous conseille de rafraîchir votre français. »

Dans les années quarante, on découvrit du nickel dans l'île de Windigo, et le gisement fut exploité de manière intermittente pendant douze ans. La mine ne fut jamais très productive, employant au plus une quarantaine d'ouvriers, et son emplacement au milieu du lac rendait le transport problématique. Plus d'un camion passa à travers la glace, et on racontait que l'esprit des lieux avait maudit l'île baptisée à son nom. De nombreux investisseurs d'Algonquin Bay perdirent de l'argent dans l'entreprise, qui cessa toute activité une fois qu'on eut découvert des gisements plus accessibles à Sudbury, une agglomération située à cent trente kilomètres de là.

Le puits était profond de cent cinquante mètres et desservait une galerie longue de six cents, aussi poussa-t-on un soupir de soulagement, à la direction de la Criminelle, quand il apparut que seule l'entrée de la mine avait été visitée.

Le temps que Cardinal et Delorme arrivent dans l'île, il ne faisait pas aussi froid que la nuit précédente, quelques degrés au-dessous de zéro seulement. On entendait au loin le bourdonnement des autoneiges autour des cabanes de pêche. Des flocons épars voletaient sous un ciel gris sale. La tâche consistant à détacher le corps de son cocon de glace était pratiquement achevée.

« Finalement, on n'a pas été obligés de scier l'assise », les informa Arsenault. En dépit de la température, l'homme avait le visage perlé de sueur. « Les vibrations de la perceuse ont détaché tout le bloc d'un coup. Mais ça va être une autre paire de manches que de le déplacer. On ne peut pas se servir d'une grue sans bousiller le sol autour. Va falloir le tirer sur un traîneau jusqu'au camion. Je pense que des patins feront moins de dégât qu'une luge.

— Oui, bien vu, approuva Cardinal. Où est-ce que tu as dégotté ce bahut ? »

Un cinq tonnes vert aux inscriptions masquées par de larges bandeaux d'adhésif noir approchait du puits en marche arrière. Le Dr Barnhouse leur avait clairement rappelé que l'usage de tout véhicule réfrigéré destiné à la conservation de denrées périssables ne pouvait en aucun cas servir au transport d'un cadavre sans enfreindre les règlements de santé publique.

« Kastner Chemical. Ils l'utilisent pour convoyer du nitrogène. C'est eux qui ont eu l'idée de masquer leur raison sociale. En signe de respect. J'ai trouvé ça plutôt élégant.

— C'est élégant. Rappelle-moi de leur envoyer un mot de remerciement.

— Ohé, John ! John ! »

De l'autre côté du cordon délimitant le périmètre, Roger Gwynn lui faisait de grands signes. La silhouette informe à côté de lui, au visage masqué par un Nikon, devait être Nick Stolz. Cardinal salua d'une main gantée. Il n'était pas des plus intimes avec le reporter de l'*Algonquin Lode*, même s'ils avaient fréquenté le même lycée à peu près à la même période. Gwynn essayait de percer et exagérait l'ampleur et la solidité de ses relations. Le fait d'être un flic dans sa ville natale avait ses avantages, mais il arrivait à Cardinal de regretter l'anonymat qui avait été le sien à Toronto. Il y avait une petite équipe de cameramen autour de Stolz et, derrière eux, une forme frêle dans une parka rose à la capuche bordée de fourrure blanche. Ce devait être Grace Legault, du journal télévisé de dix-huit heures. Algonquin Bay ne possédait pas sa propre antenne, et recevait ses informations locales de Sudbury. Cardinal avait remarqué que le véhicule de régie était garé à côté du fourgon de la police.

« Arrive, John ! Accorde-moi trois secondes. Juste un petit commentaire ! »

Cardinal emmena Delorme avec lui et la présenta au journaliste.

« Je connais Mlle Delorme, dit Gwynn. Nous nous sommes rencontrés quand elle a arrêté Sa Majesté le Maire. Que peux-tu me dire, John ?

— Un corps d'ado. La mort remonte à plusieurs mois. C'est tout.

— Oh, merci, avec ça j'ai de quoi faire un fameux article. Ce serait pas la gosse de la réserve, par hasard ?

— Impossible de se prononcer avant les résultats de l'expertise à Toronto.

— Billy LaBelle ?

— Je ne peux rien dire.

— Allez, donne-moi quelque chose. Je ne suis pas venu me geler le cul ici pour rien. » Mou, rondelet, disgracieux et d'allure paresseuse, Gwynn avait écopé de la perpète à cette feuille de chou qu'était l'*Algonquin Lode*. « C'est un meurtre ? Peux-tu au moins me dire ça ? »

Cardinal fit signe à l'équipe de Sudbury. « Vous voulez bien approcher, mademoiselle Legault ? Je n'ai pas envie de répéter ce que je peux vous déclarer. »

Il leur exposa les faits, la découverte du cadavre, sans mentionner le nom de Katie Pine ni qu'il s'agissait d'un homicide, et promit de les informer dès qu'il en saurait plus. En témoignage de sa bonne volonté, il tendit sa carte de visite à Grace Legault, sans relever la moindre gratitude dans le regard sceptique qu'elle coula vers lui.

« Officier Cardinal, dit-elle alors qu'il s'apprêtait à tourner les talons, connaissez-vous la légende de Windigo ? Quelle est cette créature ?

— Mais vous venez de la définir, c'est une créature de légende », répondit-il en songeant que Grace Legault saurait faire sa pelote d'une telle information. À l'inverse de Gwynn, celle-là au moins ne péchait pas par manque d'ambition.

« Vous avez terminé, ici ? demanda-t-il à Collingwood, une fois de retour avec Delorme à l'entrée du puits.

— J'ai déjà cinq rouleaux de pellicule, mais Arsenault m'a dit de continuer de filmer.

— Arsenault a raison. »

Ils avaient passé des sangles sous la glace et installaient maintenant un palan dont l'enrouleur était mû par un générateur Honda. Une photo pour l'album, pensa Cardinal, qui observait la levée du bloc entier à un mètre au-dessus du socle sur lequel il avait reposé... Un véritable cercueil de glace dans lequel était pris un corps qui n'avait presque plus rien d'humain.

« Vous ne croyez pas qu'on devrait le couvrir ? murmura Delorme à côté de lui.

— La meilleure chose qu'on puisse faire pour cette petite, répondit Cardinal d'un ton égal, c'est de nous assurer que tout ce que trouvera la Scientifique à l'intérieur de ce glaçon y était avant qu'on débarque sur les lieux.

— Bien sûr, dit Delorme. Idée stupide, non ?

— Stupide, en effet.

— Désolée. » Un flocon atterrit et fondit sur sa paupière. « C'était de la voir comme ça...

— Je sais. »

Collingwood, qui continuait de filmer sur toutes ses faces le bloc suspendu, écarta soudain son œil de sa Sony pour prononcer un seul mot : « Feuille. »

Arsenault scruta la glace. « On dirait une feuille d'érable. Tout au moins, un bout. »

C'étaient surtout des sapins, des peupliers et des bouleaux qu'on trouvait par ici. « Quelqu'un s'est baladé en bateau dans le coin ? demanda Cardinal.

— Je suis venu pique-niquer ici avec ma femme en août dernier, répondit Arsenault. On peut toujours faire le tour de l'île pour s'en assurer mais, si je m'en souviens bien, il n'y a que des épicéas et des bouleaux.

— C'est aussi ce que je pense, approuva Cardinal. Ce qui confirmerait que le meurtre a eu lieu ailleurs. »

Delorme appela la Scientifique pour annoncer l'arrivée du corps dans quatre heures au plus. Puis ils chargèrent les restes humains sur le traîneau, qu'ils poussèrent sur la pente neigeuse jusqu'au camion qui attendait.

5

Depuis deux mois, le sergent Lise Delorme faisait le ménage dans son bureau des Enquêtes internes. Il n'y avait plus d'affaire importante en suspens, mais elle devait encore veiller à mille détails. D'ultimes notes à prendre. Des dossiers à archiver. Des correspondances à mettre à jour. Elle désirait que tout soit impeccablement rangé quand son remplaçant arriverait à la fin du mois. Mais la matinée était passée, et elle avait eu seulement le temps d'effacer les données jugées sensibles de son disque dur.

Elle était très impatiente de se consacrer à l'enquête Pine, alors même qu'elle était dans la position aussi délicate qu'extravagante de devoir enquêter sur son partenaire. Cardinal avait manifestement envie de garder ses distances, et elle ne pouvait le lui reprocher. Elle aurait manifesté la même méfiance envers quiconque venant de la police interne.

Tout avait commencé par un coup de fil en pleine nuit. Elle s'était attendue à entendre Paul, un ex qui se pintait la gueule tous les six mois et l'appelait, larmoyant et sentimental, à deux heures du matin. C'était Dyson. « Réunion chez le chef dans une demi-heure. À son domicile, pas à son bureau. Préparez-vous et attendez. Quelqu'un viendra vous chercher. Il ne veut pas qu'on voie votre voiture devant chez lui.

— Que se passe-t-il ? demanda-t-elle d'une voix endormie.

— Vous le saurez dans un moment. J'ai un billet d'avion pour vous.

— Dites-moi que c'est pour la Floride. Un endroit chaud.

— Vous quittez les Internes. »

Delorme fut prête en trois minutes et puis s'assit au bord de son canapé, les nerfs à vif. Elle avait passé six ans aux Internes et, durant tout ce temps-là, on ne l'avait jamais convoquée nulle part à minuit, encore moins au domicile du grand chef. Elle allait changer de service ?

« Ne me demandez rien, je n'en sais pas plus que vous, lui dit la jeune Mountie[1], avant même qu'elle ait ouvert la bouche. Je ne suis que la livreuse. » Gentille attention, pensa Delorme, que de m'envoyer une femme.

Delorme avait grandi dans l'admiration des Mounties. L'uniforme rouge, les beaux chevaux, ma foi, ça vous allait droit au cœur d'une fillette. Elle gardait un souvenir ébloui de leur défilé équestre à la grande parade musicale d'Ottawa. La police montée avait patrouillé à travers les immensités du Nord-Ouest pour parer à la violence qui avait accompagné l'expansion septentrionale des États-Unis. Elle avait négocié des traités avec les autochtones, repoussé les pillards américains dans le

1. Membre de la police montée canadienne. (N.d.T.)

Montana et autres puits de barbarie d'où ils étaient sortis, et fait régner la loi avant même que les colons aient l'occasion de l'enfreindre. La GRC[1] était devenue un modèle de forces de l'ordre à travers le monde, un rêve d'agence de voyages.

Delorme avait gobé toute l'imagerie ; les images sont faites pour ça, après tout. Plus tard, jeune fille, elle avait vu la photo d'une femme dans cet uniforme de serge écarlate et avait sérieusement envisagé d'envoyer sa candidature.

Mais la réalité ne cessait de brouiller la belle image, et la réalité n'est jamais jolie. Un officier fait commerce de documents secrets avec Moscou, un autre tombe pour trafic de drogue, un troisième défenestre sa femme du vingtième étage. Enfin il y avait eu le fiasco de leurs services de renseignements, services qui, avant d'être démantelés, faisaient passer pour des génies les agents de la CIA américaine.

Elle coula un regard vers la pimpante créature au volant, enveloppée dans un ample manteau, ses cheveux blonds ramenés en tresse sur la nuque. Elle s'était arrêtée à un feu rouge au croisement d'Edgewater et de Trout Lake Road, et la lueur des lampadaires éclairait le bas de son visage. Même dans cette pâle lumière, Delorme se revit elle-même dix ans plus tôt. Cette fille aussi avait fait sien le cliché et s'efforçait de s'y conformer. Tant mieux pour elle, pensa Delorme. Même si une bande de cow-boys armés de brutalité et d'incompétence avait souillé les rêves de blancheur du Nord, cela n'impliquait pas que toute jeune recrue dût être idiote pour y croire encore.

1. Gendarmerie royale du Canada. *(N.d.T.)*

La voiture venait de s'arrêter devant un impressionnant chalet, qui semblait sortir des Alpes suisses.

« Entrez sans sonner. Il ne tient pas à ce qu'on réveille les enfants. »

Delorme montra sa plaque au Mountie qui gardait la porte. « C'est en bas », lui dit-il.

Delorme traversa le sous-sol, passa devant une énorme chaudière et pénétra dans une vaste pièce aux parois de brique rouge et lambris de bois de pin, où l'atmosphère de cuir et de fumée de cigare évoquait un cercle pour hommes. Des scènes de chasse et des marines décoraient les murs. Une flamme douce dansait dans l'âtre. Sur le manteau de la cheminée, une tête d'élan contemplait le crâne de R.J. Kendall, chef de la police d'Algonquin Bay.

Kendall était un petit homme (Delorme le dépassait d'une tête) aux manières affables et ouvertes, qui partait souvent d'un grand rire, accompagné ou non d'une tape dans le dos. Il riait trop, de l'avis de Delorme ; cela le faisait paraître nerveux, ce qu'il était peut-être, mais elle avait vu aussi cette bonhomie disparaître en un instant. Quand il était en colère, ce qui heureusement n'arrivait pas souvent, R.J. Kendall beuglait et jurait comme un charretier. Le département se souvenait encore du savon qu'il avait passé à Adonis Dyson après les rixes qui avaient marqué la foire hivernale aux fourrures et fait la une du *Lode* pour de bien mauvaises raisons.

Et cependant, Dyson tenait Kendall en haute estime, comme d'ailleurs tous ceux qui portaient encore des éclats de shrapnel d'une des explosions du grand chef. Car, son ire assouvie, le bonhomme avait toujours un geste apaisant. Dans le cas de Dyson, il avait même été jusqu'à lui reconnaître publiquement — à la télévision

— le mérite d'avoir jugulé la montée de la délinquance. Jamais son prédécesseur n'en avait fait autant.

Dyson, assis dans l'un des fauteuils de cuir rouge, était en conversation avec un homme qui tournait le dos à Delorme. Il la salua d'un petit geste mou de la main, comme si ces réunions nocturnes étaient pure routine.

Le chef, lui, s'empressa de se lever pour lui serrer la main avec chaleur. Il devait être plus proche des soixante ans que des cinquante, mais il affectait ces airs gamins chers à bien des hommes de pouvoir. « Sergent Delorme, je vous remercie d'être venue si promptement. Puis-je vous offrir un verre ? En dehors des heures de service, nous pouvons nous détendre un peu.

— Non merci, monsieur. Je crois qu'à cette heure de la nuit, cela ne me réussirait pas.

— Dans ce cas, allons au fait. J'aimerais vous présenter quelqu'un, le caporal Malcolm Musgrave, de la police montée. »

Observer le caporal Malcolm Musgrave se lever du fauteuil en cuir rouge, c'était voir une montagne émerger d'une plaine. Il se tenait le dos tourné à la jeune femme, et ce fut d'abord le bloc de granit de son crâne au poil ras et blond-roux qui s'éleva ; suivirent la barrière des épaules et la falaise de son poitrail, alors qu'il se tournait vers elle et lui tendait une main de pierre, sèche et fraîche comme du schiste. « J'ai entendu parler de vous, dit-il à Delorme. Beau travail sur le maire.

— Moi aussi, j'ai entendu parler de vous », lui répondit-elle, ce qui lui valut un regard noir de Dyson. Musgrave avait tué deux hommes dans l'exercice de ses fonctions. Par deux fois il avait été entendu par l'inspection générale de la police pour usage excessif de la force. Par deux fois, il avait été blanchi.

« Le caporal Musgrave fait partie du détachement de Sudbury, précisa Dyson. Il est leur numéro deux à la répression des délits financiers. »

Ça, Delorme le savait. La police montée ne maintenait plus d'antenne locale, et Algonquin Bay relevait donc de la juridiction de Sudbury. De statut fédéral, la GRC traitait des délits d'importance nationale : trafic de drogue, contrefaçons, détournements de fonds, etc. De temps à autre, la police d'Algonquin Bay participait à de grosses opérations contre des réseaux de trafiquants mais, à la connaissance de Delorme, Musgrave n'y participait jamais en personne.

« Le caporal Musgrave a une petite histoire à vous raconter, annonça Kendall à Delorme. Elle ne vous plaira pas.

— Avez-vous jamais entendu parler de Kyle Corbett ? »

Musgrave avait les yeux les plus clairs qu'elle eût jamais vus, presque transparents. Elle avait l'impression d'être scrutée par un husky.

Bien sûr qu'elle connaissait ce nom. Qui ne le connaissait pas ? « Un gros dealer de drogue qui contrôle tout ce qui est au nord de Toronto, n'est-ce pas ?

— On voit que les Enquêtes internes vous ont éloignée de la scène. Kyle Corbett s'est rangé de la came voici plus de trois ans, quand il a découvert la contrefaçon. Vous avez peut-être pensé qu'en passant aux billets de banque coloriés, Ottawa avait mis hors jeu les faussaires, n'est-ce pas ? Et que les mauvais garçons se rabattraient sur ces coupures américaines tellement communes et tellement faciles à imiter ? Eh bien, vous avez eu raison, c'est ce qu'ils ont fait. Jusqu'à ce qu'on invente l'imprimante couleur. Et un autre bidule qu'on appelle scanner. Et depuis, Pierre, Paul, Jacques, passent faire un tour à leur bureau le samedi matin et s'impriment quelques liasses de billets de vingt. Migraine de force 11 pour le Trésor public. Et vous savez quoi ? Ça m'est complètement, mais alors complètement égal, dit-il en fixant Delorme de son regard arctique.

— Parce que ça ne coûte pas trop cher au contribuable ?

— Bravo, la félicita-t-il, comme si elle était son élève. La fausse monnaie canadienne coûte au commerce et aux particuliers environ cinq millions de dollars par an. Vraiment peu de chose. Et, qui plus est, il s'agit surtout de faussaires du dimanche.

— Alors, pourquoi s'inquiéter de Corbett, si la contrefaçon ne vous intéresse pas ?

— Parce que ce n'est pas de l'argent que contrefait Kyle Corbett, mais des cartes de crédit. Et là, on ne parle plus de cinq mais de cent millions de dollars, et ce n'est pas la station-service ou le fast-food du coin de la rue qui se font avoir. Ce sont les grandes banques qui accusent le coup et, croyez-moi, quand la Banque de Montréal ou Toronto Dominion en ont assez, elles savent nous le dire. Voilà pourquoi nos hommes et les vôtres — sans parler de ceux de la PPO — travaillent de concert depuis trois ans avec l'espoir de coincer Corbett. »

Dyson se pencha en avant. « "Opération forces conjointes" de novembre 1997, intervint-il, manifestement inquiet d'être tenu à l'écart de la conversation.

— Exact, novembre 97, reprit Musgrave, et l'opération inclut nos gars, Jerry Commanda et les siens, plus vos deux détectives de la Crim', McLeod et Cardinal. On sait de bonne source que Corbett et sa bande de joyeux drilles ont planqué une plaque imprimante, cinq mille cartes vierges et un stock d'hologrammes quelque part dans le club qui appartient à monsieur, derrière la route de l'aérodrome. Mais quand la loi et l'ordre font irruption, Corbett & Cie sont paisiblement occupés à jouer au billard et à siroter de la Molson. »

Le chef, qui tisonnait le feu, leva la tête. « Raconte-lui le deuxième épisode.

— Août 98. On sait, toujours de source sûre, que Corbett et les siens sont à West Ferris en compagnie de Cercle Parfait. Vous n'avez jamais entendu parler de Cercle Parfait, ne prétendez pas le contraire. Cercle Parfait dirige la plus grosse affaire de contrefaçon à Hongkong. Ils ont passé une espèce de traité de réciprocité avec Corbett. En d'autres termes, ils échangent des numéros de comptes bancaires volés à utiliser outre-mer. Vous achetez une Honda neuve à Toronto avec une fausse carte American Express fabriquée à Kowloon et, avant que quiconque s'en aperçoive, vous avez filé au diable avec. Et ça joue dans les deux sens. Cercle Parfait, comme son nom l'indique, confectionne aussi des hologrammes absolument parfaits. Ce sont des Asiatiques, pas vrai ? Ils ont la high-tech dans le sang. Pendant ce temps, nos deux Mounties qui font partie desdites "forces conjointes" quittent le service : l'un passe dans le privé, l'autre s'en va couler quinze ans derrière les barreaux pour avoir tué sa chère moitié.

— Oui, celui qui habitait au vingtième étage.

— Si vous aviez connu sa femme, vous compren-driez pourquoi. McLeod est à ce moment-là accaparé par l'affaire Corriveau, et Jerry Commanda retenu à Ottawa par un stage de formation de la plus grande importance, personne n'en doute.

— Je ne vois pas de motif à vous moquer de la for-mation d'un officier, Musgrave, intervint le chef. Ce que vous vouliez dire, c'est que le détective Cardinal reste le seul policier à courir après Kyle Corbett.

— Exactement. Roulement de tambour, s'il vous plaît. »

Kendall se tourna vers Dyson. « Ne m'avez-vous pas dit que des bruits circulaient sur Cardinal quand il travaillait à Toronto ?

— Nous avons vérifié, chef, mais il n'y avait rien de concluant. »

Musgrave poursuivait. « Mondialisation oblige, Cercle Parfait fait le grand tour de Hongkong à la Colombie-Britannique afin de resserrer leurs liens à Vancouver. Nous apprenons qu'ils doivent se rendre à Toronto avec visite de politesse à Algonquin Bay. Toujours selon notre source, Corbett et le péril jaune doivent se rencontrer à l'hôtel Pine Crest. On planque autour de l'hôtel et on attend. Non, nous n'avons ni sonné du clairon ni revêtu nos casaques rouges. C'était une opération menée avec toute la discrétion requise. Devinez ce qui s'est passé ? »

Delorme préféra ne pas interrompre le flot, sachant combien Musgrave prenait du plaisir à son petit numéro pédagogique.

« Il ne s'est rien passé. Pas de Corbett. Pas de Cercle Parfait. Pas de rencontre. Une fois de plus, les forces combinées de la GRC, de la PPO et du département de police d'Algonquin Bay sont revenues bredouilles. Ces crétins de flics, des bons à rien décidément. »

Le chef se tenait devant la cheminée, le tisonnier à la main. Il était rare que l'on passe dix minutes en compagnie de R.J. sans entendre son gros rire, mais cette histoire de défenestration l'avait déprimé. « Il y a pire », dit-il d'une voix sourde.

En effet. Solide tuyau, autre tentative. Cette fois, Jerry Commanda était de la partie. Planque, intervention, échec et mat. « Le bouquet, ajouta Musgrave, c'est que Corbett a déposé plainte pour harcèlement.

— Je m'en souviens, dit Delorme. J'ai trouvé ça plutôt amusant. »

Dyson lui jeta un regard noir.

Musgrave bougea dans son fauteuil, et on aurait dit un continent changeant de place. « Vous avez les faits, je vous laisse tirer vos propres conclusions. Vous avez des questions ?

— Juste une, dit Delorme. Qu'entendez-vous au juste par « solide tuyau » ? »

Ce fut la seule fois où le chef éclata de rire cette nuit-là. Personne d'autre n'esquissa même un sourire.

À présent, deux mois plus tard, Delorme détruisait des papiers dans le broyeur en espérant sans trop d'optimisme qu'elle parviendrait à gagner la confiance de son nouveau collègue. Alors qu'elle emportait une corbeille pleine de chutes à l'incinérateur, elle tomba sur Cardinal qui enfilait son manteau. « Vous avez besoin de moi ? lui demanda-t-elle.

— Non. L'examen dentaire a confirmé l'identité. Je vais annoncer la nouvelle à Dorothy Pine.

— Vous ne voulez vraiment pas que je vous accompagne ?

— Non, merci. Je vous verrai plus tard. »

Parfait, marmonna toute seule Delorme en vidant sa corbeille dans le feu. Il ne sait même pas que j'ai mission d'enquêter sur lui, et il ne veut pas de moi comme partenaire. Ça commence bien.

6

Pour atteindre la réserve chippewa, prenez Main Street, dépassez la voie ferrée et tournez à gauche juste après la maison mère de Saint-Joseph, ancien établissement catholique pour filles devenu maison de retraite pour religieuses, au croisement de Main avec la route 17. Pas de poteau ni de clôture pour indiquer la réserve. Les Ojibwas avaient tant souffert de l'homme blanc que se protéger de lui aujourd'hui n'avait plus de sens.

Le plus remarquable, pensait souvent Cardinal, c'était de ne pas savoir qu'on était dans la réserve, alors qu'on venait d'y entrer. L'un de ses premiers flirts avait habité là, et même alors il n'avait pas pris conscience du caractère particulier de cette enclave. Les bungalows préfabriqués, les véhicules fatigués garés dans les allées, les chiens se poursuivant sur les bancs de neige, tout cela pouvait appartenir à n'importe quelle banlieue ouvrière du Canada. Certes, la juridiction avait changé — le maintien de l'ordre était assuré par la police provinciale —, mais cela ne se voyait pas. La seule différence avec tout autre endroit d'Algonquin Bay tenait au fait qu'on n'y voyait que des Indiens, un peuple qui dans sa grande majorité se déplaçait à travers la société canadienne — ou plutôt à côté d'elle — du pas silencieux et invisible des fantômes.

Une ombre de nation, pensait Cardinal. Nous ne savons même pas qu'ils sont là. Il avait rangé sa voiture une centaine de mètres après l'embranchement et, comme il faisait soleil et que la température n'excédait pas −10 °C, il marchait en compagnie de Jerry Commanda en direction d'un bungalow blanc immaculé.

Sans sa parka, Jerry était un homme d'une étonnante minceur et d'apparence presque frêle ; une morphologie bien trompeuse, parce qu'il avait été quatre fois champion régional de boxe française. On ne voyait jamais ce que Jerry avait fait au juste, mais le délinquant le plus récalcitrant se retrouvait soudain par terre à bêler son entière soumission.

Cardinal n'avait jamais tourné avec Jerry, mais McLeod l'avait fait pendant longtemps, et il prétendait que s'ils avaient vécu cent ans plus tôt, il se serait retourné contre ses ancêtres et aurait ardemment combattu l'homme blanc aux côtés de Jerry. Ils avaient organisé une grande fête pour le départ de Commanda à la Provinciale, mais celui-ci n'était pas venu, tant il goûtait peu les effusions et les cérémonies. Muté à la PPO, il aurait pu demander un poste dans l'une des communautés urbaines, mais il avait préféré travailler exclusivement dans les réserves. Il touchait le même salaire qu'à la police municipale mais, et c'était là une chose qui le rendait furieusement bavard, il était exempté de l'impôt sur le revenu.

La nuit dernière, Jerry l'avait irrité en prétendant ignorer l'exil de Cardinal de la Criminelle. L'humour de Jerry flirtait avec l'opaque. Et il avait la désarmante habitude, héritée peut-être des innombrables heures d'interrogatoire passées à piéger les suspects, de changer abruptement de sujet. Ce qu'il faisait en ce moment même, en demandant à Cardinal des nouvelles de Catherine.

Catherine allait bien, lui répondit Cardinal d'un ton qui invitait à passer à un autre sujet.

« Et Delorme ? Comment tu t'entends avec elle ? Elle a son caractère. »

Cardinal lui dit qu'il n'avait pas de problème avec elle.

« Elle est bien foutue. »

Cardinal, que cette pensée mettait quelque peu mal à l'aise, partageait le même avis. Ça n'était pas gênant d'avoir une femme séduisante aux Enquêtes internes, avec un bureau et un vestiaire séparés. C'était une autre paire de manches que de l'avoir pour coéquipière.

« Lise est une femme bien, reprit Jerry. Une bonne enquêtrice, aussi. Il fallait du cran pour épingler le maire comme elle l'a fait. Je me serais dégonflé. Mais je savais qu'elle finirait par se lasser de ces manigances de cols blancs. » Il salua de la main un vieil homme qui promenait un chien de l'autre côté de la rue. « Bien sûr, elle est peut-être en train d'enquêter sur toi.

— Merci, Jerry. C'est exactement ce que j'avais envie d'entendre.

— Tu as vu, on a de nouveaux lampadaires. Ça commence à avoir de la gueule, ici.

— Oui, et il y a pas mal de maisons repeintes, aussi. »

Jerry hocha la tête. « C'est mon programme d'été. Si je chope un gosse en train de picoler, je lui fais repeindre toute une maison. Ça les rend fous parce que c'est pas du gâteau. T'as jamais essayé de peindre une maison en blanc en été ?

— Non.

— Tu peux pas savoir ce que ça fait mal aux yeux. Les gamins me haïssent maintenant, mais je m'en fous. »

Ils n'avaient aucune haine pour lui, bien entendu. Trois garçons aux yeux noirs portant des patins et des crosses de hockey les suivaient depuis que Jerry était sorti de sa maison. L'un d'eux jeta une boule de neige qui atteignit Cardinal au bras. Il tassa de la poudreuse entre ses mains gantées et répliqua d'un lancer qui se perdit loin de la cible. Il s'ensuivit une escarmouche, qui vit Jerry encaisser sans broncher deux boules sur son torse étroit.

« Dix contre un que le plus petit est un parent à toi, dit Cardinal. Celui qui fait le mariole.

— C'est mon neveu. Et beau comme son oncle, tu as remarqué ? » Jerry Commanda, avec ses soixante-dix kilos tout mouillé, était en effet un fort bel homme.

Les mômes jacassaient en ojibwa, dont Cardinal n'entendait pas un traître mot. « Qu'est-ce qu'ils disent ?

— Ils disent qu'il marche comme un flic mais qu'il lance comme une fille, peut-être qu'il est pédé.

— Sympa.

— Mon neveu dit : "Il est venu arrêter Jerry pour avoir volé cette putain de peinture." » Jerry continuait de traduire de sa voix monocorde. « "C'est le bourre qui était là l'automne dernier, le couillon qui a pas été foutu de retrouver Katie Pine."

— Jerry, tu as vraiment raté ta vocation. Tu aurais dû être diplomate. » Plus tard, il vint à l'esprit de Cardinal que Jerry n'avait peut-être rien traduit du tout ; ça lui aurait parfaitement ressemblé.

Ils contournèrent un pick-up flambant neuf. La maison Pine était devant eux.

« Je connais bien Dorothy, dit Jerry. Tu veux que je vienne avec toi ? »

Cardinal secoua la tête. « Non, mais tu pourrais peut-être passer la voir plus tard.

— Bien sûr. Je le ferai. Dis-moi, John, c'est quoi ces types qui tuent des petites filles ?

— Tout ce que je peux dire, c'est qu'ils sont rares. C'est pourquoi on l'attrapera. Il sera différent des autres. »

Cardinal aurait souhaité en être aussi sûr qu'il s'en donnait l'air.

Cardinal n'avait jamais effectué de démarche plus difficile que de demander à Dorothy Pine en septembre dernier le nom du dentiste de Katie, afin d'accéder à son dossier. Le visage de Dorothy, qu'une acné avait férocement grêlé, n'avait pas exprimé l'ombre d'un chagrin. Cardinal était blanc, il représentait la loi, pourquoi aurait-elle manifesté ses sentiments ?

Jusqu'à cette date, ses rapports avec la police s'étaient limités aux arrestations de son mari, une douce âme qui la battait sans pitié quand il était ivre. Il était parti chercher du travail à Toronto peu après le dixième anniversaire de Katie et avait trouvé à la place la lame d'un cran d'arrêt dans un asile de nuit de Spadina Road.

Le doigt de Cardinal tremblait un peu quand il appuya sur la sonnette.

Dorothy Pine, une toute petite femme qui lui arrivait tout juste à la ceinture, ouvrit la porte, leva les yeux vers lui et comprit sur-le-champ pourquoi il était là. Elle n'avait pas d'autre enfant ; ce ne pouvait être que pour une seule raison.

« D'accord », dit-elle, quand il lui fit part de la découverte du corps. Rien que ce « d'accord », et elle s'apprêta à refermer la porte. L'affaire était close. Sa fille unique était morte. Les flics — surtout les flics blancs — ne pouvaient plus lui être d'un quelconque secours.

« Madame Pine, j'aimerais que vous me laissiez entrer quelques minutes. J'ai été éloigné de l'enquête pendant deux mois, et j'ai besoin de me rafraîchir la mémoire.

— Pour quoi faire ? Vous l'avez retrouvée.

— Oui, bien sûr, mais ce que nous voulons maintenant, c'est attraper celui qui l'a tuée. »

Il avait le sentiment que, n'y aurait-il pas fait allusion, l'idée même de traquer l'homme qui avait assassiné sa fille ne serait jamais venue à Dorothy Pine. Pour elle, seule la mort de Katie comptait. Elle eut un léger haussement d'épaules et, se pliant à ce qu'il lui demandait, s'écarta pour le laisser passer.

Le couloir sentait le bacon. Il était près de midi mais les rideaux du living étaient encore tirés. Les radiateurs électriques avaient asséché l'air et tué les plantes vertes qui pendaient fanées sur une étagère. Une pénombre de tombeau régnait dans cette maison, où la mort était entrée quatre mois plus tôt. Elle n'en était jamais repartie.

Dorothy Pine alla s'asseoir sur un tabouret devant l'écran du téléviseur, où Coyote le Rusé donnait bruyamment la chasse à Road Runner, le coucou le plus rapide à l'ouest du Pecos. Ses bras pendaient entre ses genoux et des larmes roulant sur ses joues marquées s'écrasaient sur le linoléum.

Pendant toutes ces semaines où Cardinal s'était efforcé de retrouver la fillette — des rencontres par dizaines avec les camarades de classe, les amis et les professeurs, des centaines de coups de fil et des milliers d'affichettes placardées à travers toute la province —, il avait espéré que Dorothy Pine finirait par lui faire confiance. Cela n'arriva jamais. Durant les deux premières semaines elle l'appela tous les jours, déclinant chaque fois son identité et le but de son appel. « Je me demandais seulement si vous aviez des nouvelles de ma petite fille, Katherine Pine », comme si Cardinal risquait d'avoir oublié. Et puis elle avait cessé de téléphoner.

Cardinal sortit de sa poche la photographie de Katie, celle prise à son école et qu'ils avaient fait imprimer et placarder dans toutes les gares routières et ferroviaires, les salles des urgences, les centres commerciaux et les stations-service. « Avez-vous vu cette personne ? » demandait l'affiche. Seul le tueur avait répondu. Oh, mais certainement qu'il l'avait vue, cette fille. Cardinal posa la photographie sur le poste de télévision.

« Ça ne vous ennuie pas que je regarde encore dans sa chambre ? »

Un mouvement dans les cheveux de jais, un frisson dans les épaules lui répondirent. Une larme tomba par terre. Mari assassiné, fille assassinée. Les Inuits, dit-on, ont quarante mots pour décrire la neige. Au diable la neige, songeait Cardinal, ce dont l'homme a besoin, c'est de quarante mots pour le chagrin. Affliction, douleur, mal, peine, souffrance, tristesse… Cela faisait bien peu pour cette mère clouée dans le silence d'une maison désertée par la vie.

Cardinal traversa le petit couloir et entra dans la chambre, dont la porte était ouverte. De l'appui de la fenêtre, un ours en peluche, borgne, le regardait de son œil de verre. Sous ses pattes élimées, il y avait un tapis tissé main, avec des motifs équestres. Ces tapis, Dorothy Pine les plaçait à Lakeshore dans une boutique qui les vendait aux touristes cent vingt dollars pièce, mais Cardinal doutait que Dorothy touchât grand-chose dessus. Dehors, une tronçonneuse mordait dans le bois. Quelque part un corbeau croassait.

Sous la fenêtre, il y avait un coffre à jouets. Cardinal souleva l'abattant. Il contenait encore les livres de Katie. *Black Beauty*, Nancy Drew, des histoires qu'avait aimées Kelly, à l'âge de Katie. Pourquoi pensons-nous qu'ils sont différents de nous ? Il ouvrit la petite commode de bois blanc : chaussettes et linge de corps soigneusement pliés.

Il y avait un coffret de bijoux fantaisie, qui jouait une mélodie quand on l'ouvrait. Il contenait des bagues et des boucles d'oreilles et deux bracelets, l'un en cuir, l'autre tressé de petites perles. Katie en portait un à breloques le jour de sa disparition, se souvenait Cardinal. Glissées sous l'encadrement d'un miroir : quatre photos prises dans un Photomaton — Katie et sa meilleure amie faisaient des grimaces.

Cardinal regrettait d'avoir laissé Delorme à la brigade. Elle aurait peut-être décelé quelque chose qu'il ne voyait pas dans la chambre de la petite, quelque chose que seule une femme peut remarquer.

Dans le bas du placard, amassant la poussière, il y avait plusieurs paires de chaussures, dont l'une en cuir verni avec des lanières… des Mary Janes. Cardinal en avait offert une paire à Kelly, quand elle avait sept ou huit ans. Celles de Katie Pine avaient été achetées à l'Armée du Salut, apparemment ; le prix était encore marqué à la craie sous la semelle. Il n'y avait pas de tennis ; Katie avait emporté ses Nike à l'école, le jour où elle avait disparu. Elle les avait rangées dans son sac à dos.

Punaisée au dos de la porte de la penderie, une photo représentait la fanfare de l'école. Cardinal n'avait pas le souvenir que Katie en ait fait partie. Elle était calée en maths. Elle avait représenté Algonquin Bay lors du concours provincial et était sortie deuxième. La plaquette accrochée au mur était là pour le rappeler.

Il appela Dorothy Pine. Elle arriva un moment plus tard, les yeux rouges, serrant dans sa main un mouchoir en papier.

« Madame Pine, ce n'est pas Katie qui est devant sur cette photo, n'est-ce pas ? La fille aux cheveux noirs ?

— C'est Sue Couchie. Katie s'amusait des fois à jouer sur mon accordéon, mais elle ne faisait pas partie de la fanfare. Sue était sa meilleure amie.

— Je m'en souviens, maintenant. Je l'ai interrogée à l'école. Elle m'a dit qu'elles regardaient beaucoup les émissions musicales et enregistraient au magnétoscope leurs chansons préférées.

— Sue a une belle voix. Katie aurait bien aimé chanter comme elle.

— Est-ce que Katie prenait des leçons de musique ?

— Non, mais elle avait très envie d'être dans la fanfare. »

Ils contemplaient cette photo qui disait les espoirs d'une petite fille. Une photo qui parlait d'un avenir qui resterait à jamais imaginaire.

7

En quittant la réserve, Cardinal prit la direction de l'hôpital d'Ontario. Les progrès thérapeutiques autant que les restrictions budgétaires avaient vidé des salles entières du service psychiatrique. Sa morgue faisait double emploi en servant d'officine au médecin légiste. Mais ce n'était pas à Barnhouse que Cardinal était venu rendre visite.

« Elle va beaucoup mieux, aujourd'hui, lui annonça l'infirmière. Elle recommence à dormir la nuit et prend ses médicaments. Elle devrait se stabiliser d'ici peu... en tout cas, c'est mon avis. Le Dr Singleton fera ses visites dans un heure, si vous voulez lui parler.

— Non, je le verrai une autre fois. Où est-elle ?

— Dans la véranda. Passez cette porte, là, et c'est...

— Merci, je connais le chemin. »

Il s'attendait à la trouver amorphe dans son peignoir en tissu éponge, mais Catherine Cardinal portait le blue-jean et le sweater rouge qu'il avait rangés lui-même dans la valise. Assise sur une chaise devant la baie vitrée, le menton dans sa main, elle contemplait le paysage blanc sur lequel se détachait un bosquet de bouleaux.

« Bonjour, chérie. J'étais à la réserve, alors j'en ai profité pour passer te voir.

— Ce n'est pas pour m'emmener hors d'ici que tu es venu ? » Elle se gardait de tourner la tête vers lui. Quand elle était malade, un simple échange de regards lui était un supplice.

« Non, pas encore, chérie. Il faudra d'abord en parler avec le docteur. »

Se rapprochant d'elle, il remarqua le trait de rouge débordant des lèvres et l'eye-liner plus épais à un œil qu'à l'autre. Catherine Cardinal était une charmante et jolie femme quand elle allait bien : de beaux cheveux châtain clair, de grands yeux doux et un rire parfaitement silencieux que Cardinal adorait provoquer. Je ne la fais pas assez rire, pensait-il souvent. Je devrais apporter plus de joie dans la vie de cette femme. Mais quand elle avait sombré une fois de plus dans la mélancolie, Cardinal donnait alors la chasse aux cambrioleurs, il était d'une humeur massacrante et d'une piètre aide pour une malade.

« Tu as bien meilleure mine, tu sais, Catherine. Je ne pense pas qu'ils te gardent encore longtemps ici. »

Elle ne cessait de tracer du bout de son index de petits cercles sur l'accoudoir de sa chaise. « Je suis impossible à vivre, je le sais bien. Et j'aurais dû me flinguer depuis longtemps, mais… » Elle marqua une pause, le regard toujours rivé au paysage. « Mais ça ne signifie pas que je sois folle. Ce n'est pas comme si… Putain, je ne sais plus ce que je voulais dire. »

Le gros mot, comme le mouvement compulsif de sa main, était mauvais signe. Catherine ne disait jamais de grossièretés quand elle allait bien.

« C'est pathétique, reprit-elle, amère. Je suis incapable de terminer une phrase. »

Les psychotropes qu'ils lui donnaient avaient pour effet de briser ses pensées en petits morceaux. Peut-être était-ce le but recherché : casser les chaînes associatives, les idées obsessionnelles. Cardinal n'en percevait pas moins la colère qui la saisissait, nuage d'encre masquant toutes choses. C'était à deux mains qu'elle dessinait maintenant des cercles.

« Kelly va très bien, dit-il avec entrain. Elle m'a l'air d'être amoureuse de son professeur de peinture. Je crois qu'elle était très contente d'être venue. »

Catherine secouait lentement la tête en regardant le sol. Les bonnes nouvelles, elle ne voulait pas les entendre, non merci.

« Tu iras mieux bientôt, lui assura Cardinal. J'avais envie de te voir. Je me disais qu'on pourrait peut-être bavarder. Je ne voulais surtout pas te déranger. »

Il se doutait bien que les pensées de Catherine se brouillaient, se faisaient pesantes comme des pierres. Elle inclinait de plus en plus la tête en avant, une main en visière au-dessus de ses yeux.

« Écoute, chérie, ça ira mieux d'ici peu. Je sais que, pour le moment, tu as le sentiment que ça n'en prend pas le chemin, mais nous avons déjà connu ça, et nous nous en sortirons une fois de plus. »

Les gens associent la dépression à la tristesse et, dans ses manifestations les plus faibles, cela y ressemble fort, mais il n'y avait guère de comparaison entre un sentiment de perte ou de profonde mélancolie et les attaques dévastatrices dont souffrait Catherine. « C'est comme une invasion, lui disait-elle. Un nuage noir m'engloutit, tout espoir est mort, toute joie est massacrée. » *Toute joie est massacrée*. Il n'oublierait jamais ces mots.

« Ne t'en fais pas, lui dit-il. Catherine ? S'il te plaît, chérie, calme-toi, c'est rien qu'une question de temps. » Il lui toucha le genou, sans recevoir la moindre réponse. Il savait ce qu'elle ressentait : un formidable tourbillon de haine envers elle-même. Elle lui avait décrit la chose une fois : « Soudain, je ne peux plus respirer. Il n'y a plus d'air, et j'étouffe. Et le pire, c'est de savoir que je t'impose ma propre misère. Je suis attachée à toi comme une lourde pierre qui t'enfonce avec moi. Tu dois me haïr. Je me hais moi-même. »

Mais cette fois, elle ne répondit pas. Elle restait immobile, le cou douloureusement incliné en avant.

Trois mois plus tôt, Catherine avait été heureuse, joyeuse comme à l'ordinaire. Et puis, comme cela lui arrivait parfois en hiver, sa bonne humeur s'était muée en excitation maniaque. Elle parlait de se rendre à Ottawa, et cela devenait obsessionnel. Il était soudain vital de rencontrer le Premier ministre, d'amener le Parlement à la raison, de dire aux politiciens ce qu'il fallait faire pour sauver le pays, sauver le Québec. Rien ne pouvait la dévier de cette idée fixe. Cela commençait dès le matin au petit déjeuner et elle en parlait encore à l'heure de se coucher. Cardinal se demandait s'il n'allait pas devenir fou lui-même. Puis les pensées de Catherine avaient pris une dimension internationale. Ses monologues avaient pour sujets la NASA, l'exploration et la colonisation de l'espace. Elle resta éveillée trois nuits durant, à écrire de manière compulsive. Quand la note du téléphone arriva, il y avait pour plus de trois cents dollars d'appels à Ottawa et Houston.

Finalement, le quatrième jour, elle tomba en vrille comme un avion au moteur en panne. Elle resta au lit pendant une semaine avec les rideaux tirés. Une nuit, à trois heures du matin, Cardinal se réveilla. Catherine l'appelait. Il la trouva dans la salle de bains, assise au bord de la baignoire. L'armoire à pharmacie était ouverte, et des rangées de pilules (aucune d'entre elles n'étant particulièrement dangereuse) alignées en évidence sur la tablette. « Je ferais mieux de me faire hospitaliser », lui dit-elle. Sur le moment, Cardinal prit cela pour un bon signe ; elle n'avait encore jamais demandé de l'aide.

Cardinal, assis à côté de sa femme dans la véranda surchauffée, était désolé par l'ampleur d'une telle désespérance. Il essaya encore de lui parler, mais elle garda le silence. Il la prit dans ses bras, avec l'impression d'étreindre un mannequin de bois. Seule sa chevelure dégageait une odeur légèrement animale.

Une infirmière arriva avec un gobelet de jus de fruit et une pilule. Puis, comme Catherine refusait de prendre la médication, la jeune femme repartit et revint avec une seringue. Cinq minutes plus tard, Catherine dormait dans les bras de son mari.

Les premiers jours sont les plus durs, se dit Cardinal dans l'ascenseur. D'ici peu, les médicaments l'auront suffisamment calmée pour que cette haine qui la ronge perde peu à peu de sa nuisance. Il supposait qu'après cela, elle serait épuisée, vidée, et, probablement, triste et honteuse, mais au moins serait-elle de retour dans ce monde. Catherine était sa Californie — elle était son soleil et son vin et son océan bleu —, mais il y avait en elle une fêlure, et Cardinal vivait dans la peur qu'un jour cette fissure ne s'ouvre et les engloutisse à jamais tous les deux.

8

Ce ne fut pas avant le dimanche que Cardinal eut l'occasion d'inventorier ce qu'ils savaient. Il passa tout l'après-midi chez lui avec les dossiers Pine, LaBelle et Fogle.

Dans une agglomération de quatre-vingt-cinq mille âmes, la disparition d'un enfant crée un événement, celle de deux enfants instaure un climat. Ce n'est plus le chef, R.J., ni les huiles de la région qui ne vous laissent plus une minute de repos, c'est la ville tout entière. En septembre dernier, Cardinal ne pouvait aller faire ses courses sans se voir assailli de questions et de conseils sur Katie Pine et Billy LaBelle. Chacun avait son idée, chacun une suggestion.

Bien sûr, cela avait son bon côté : on ne manquait pas de volontaires. Dans l'affaire LaBelle, les boy-scouts avaient passé toute une semaine à ratisser les bois entourant l'aéroport. Mais il y avait aussi les inconvénients. Le standard sonnait en permanence, et il leur avait fallu suivre, avec leurs faibles effectifs, d'innombrables fausses pistes. Les dossiers s'épaississaient de cent rapports de suppléments d'enquêtes, les *surplus* comme ils les appelaient péjorativement, où étaient consignées toutes ces pistes menant à des culs-de-sac.

Cardinal, installé devant la cheminée, une cafetière de décaféiné sur le poêle, épluchait donc les dossiers, essayant de démêler le vrai du faux, d'extraire de cette masse de renseignements une seule idée susceptible d'amorcer un début de théorie, ce dont il avait cruellement besoin.

L'armée de l'air leur avait prêté une tente assez grande pour couvrir l'îlot de Windigo et deux radiateurs servant à chauffer les hangars abritant les F-18 de la patrouille locale. À genoux comme des archéologues, Cardinal et les autres avaient passé la neige au peigne fin. Ils y avaient consacré la plus grande partie de la journée puis, augmentant progressivement la chaleur, ils avaient fait fondre le tapis neigeux pour examiner le sol détrempé couvert d'aiguilles de pin, de sable et de cailloux, avec çà et là des boîtes de bière, des filtres de cigarettes et des déchets de toutes sortes, mais rien qui pût être relié au crime.

Le cadenas ne portait pas la moindre empreinte.

C'était la première déception de Cardinal : ces recherches pénibles n'avaient pas fourni le moindre indice.

Katie Pine avait disparu le 12 septembre. Elle avait passé la journée à l'école, qu'elle avait quittée en compagnie de deux amies. Le dossier comportait le premier appel, celui de sa mère, et puis l'interrogatoire de Sue Couchie par Cardinal et celui de l'autre fille par McLeod. Les trois fillettes étaient allées voir la fête foraine installée en bordure de Memorial Gardens, information vérifiée et validée.

Pendant que Katie, âgée de treize ans mais en paraissant onze, lançait des balles dans un stand avec l'espoir de gagner un ours en peluche qui lui avait tapé dans l'œil — un énorme panda presque aussi grand qu'elle — Sue et l'autre fille étaient allées dans une petite caravane se faire tirer la bonne aventure par Madame Rosa. Puis elles étaient revenues au stand pour retrouver Katie, mais celle-ci n'y était plus. Après l'avoir cherchée un peu partout sans résultat, elles en avaient conclu que leur copine était partie sans les attendre. Il était environ six heures du soir.

Il y avait aussi le rapport d'interrogatoire du jeune homme qui tenait l'attraction du lancer de balles. Non, la petite n'avait pas gagné l'ours, et il n'avait vu personne l'aborder, ne l'avait même pas vue partir. Comme disait Dyson, la terre s'était entrouverte sous ses pas.

Malgré des centaines d'interrogatoires et des milliers d'avis de recherche placardés partout, Cardinal n'avait rien appris de plus. Katie s'était enfuie deux fois de chez elle pour se réfugier chez des parents, à Mattawa. Les crises éthyliques de son père en étaient la cause. Après la mort de ce dernier, elle n'avait plus jamais recommencé. Dyson n'avait pas voulu en entendre parler ; il croyait à une fugue, lui.

Cardinal se leva pour enfiler un peignoir par-dessus ses vêtements, tisonna le poêle à bois et reprit sa place. Il n'était que cinq heures de l'après-midi, mais il faisait déjà nuit, et il dut allumer sa lampe de bureau, dont la chaînette était froide au toucher.

Il ouvrit le dossier LaBelle. William Alexander LaBelle : âge, douze ans ; taille, un mètre vingt ; poids, trente-huit kilos. Un petit garçon. L'adresse, Cedargrove, le classait dans la bonne bourgeoisie. Milieu

catholique, école paroissiale. Parents et proches insoup-
çonnables. Une seule fugue dans la brève histoire de
Billy. Mais Dyson en avait tout de même fait ses choux
gras. « Écoutez, Cardinal, Billy LaBelle est le troisième
fils d'une famille de remarquables entrepreneurs. Il ne
promet pas autant que ses frères qui sont déjà des stars
de l'équipe de foot, d'accord ? Et il n'a pas d'aussi
bonnes notes en classe que ses brillantes sœurs. Il va
sur ses treize ans et son narcissisme est en compote.
Alors, que fait-il ? Il prend la tangente. Il se tire. »

La question était de savoir où il s'était « tiré ». Billy
avait disparu le 14 octobre, un mois après Katie. On
l'avait vu pour la dernière fois au centre commercial
d'Algonquin, où il traînait avec trois copains. Le
dossier contenait les dépositions de ses professeurs et
desdits copains. Il joue à Mortal Kombat dans une boutique de jeux vidéo (fait confirmé par le vendeur et le
caissier) et un moment plus tard il annonce à ses camarades qu'il va prendre le bus pour rentrer chez lui. Il est
le seul des quatre à habiter Cedargrove, donc il part
seul. Personne ne le reverra jamais. Billy LaBelle sort
du centre commercial d'Algonquin et devient un
dossier.

Dyson avait donné carte blanche à Cardinal pendant
quelques semaines, après la disparition de Billy
LaBelle, et puis les murs s'étaient refermés : pas de
preuve de meurtre, des antécédents de fugueur, d'autres
affaires exigeaient leur attention. Cardinal résista,
certain que les deux adolescents avaient été assassinés,
probablement par la même personne. Dyson, à propos
de Billy LaBelle : « Bon Dieu, Cardinal, rien n'allait
plus pour ce gosse. Croyez-moi, il s'est foutu en l'air
quelque part, et on retrouvera son corps au printemps
dans la rivière. »

Mais il n'était pas déprimé, que l'on sache, et n'avait jamais manifesté de tendance suicidaire… Dyson avait mis sa main en cornet, feignant la surdité.

Cardinal mit de côté le dossier LaBelle. Il se versa une autre tasse de café et rajouta une bûche dans le poêle, d'où jaillit une pluie d'étincelles.

Il ouvrit la chemise Fogle, qui ne contenait rien d'autre que les faits communiqués par la police de Toronto, suite à l'enquête initiale. J'aurais dû comprendre comment ça se passerait, se dit Cardinal, et peut-être l'avait-il compris. Dyson avait eu raison sur un point : il avait dépensé beaucoup d'argent, mobilisé trop d'effectifs. Mais qu'est-ce qu'on était censé faire, quand des gosses se volatilisaient ?

Margaret Fogle — pas vraiment une enfant, à dix-sept ans — avait été, pour Dyson, la goutte qui fait déborder le vase. Quoi, une fugueuse de dix-sept berges originaire de Toronto ? À traiter en priorité ? Non, merci, très peu pour moi. Vue pour la dernière fois à Algonquin Bay par sa tante. Le rapport de McLeod, bourré de fautes d'orthographe — « Ces parents c'étaient séparés… » —, se trouvait dans le dossier. La jeune fille, qui avait fait halte à Algonquin, se rendait à Calgary, Alberta. « Ce qui représente la moitié du continent à fouiller et plusieurs centaines de policiers sur le terrain, avait fait observer Dyson. Cardinal, vous n'êtes pas l'unique flic de ce pays. Laissez ceux de la Montée justifier leur salaire, pour une fois. »

D'accord, donne-lui Margaret Fogle. Celle-ci écartée du rébus, il lui semblait encore plus évident qu'un tueur en série était à l'œuvre.

« Pourquoi diable tenez-vous tant à cette théorie ? avait gueulé Dyson, plus du tout amical, tout à coup.

Les satyres ? Les pervers ? Ils s'en prennent aux garçons ou aux filles, mais jamais aux deux… jamais !

— Excepté Laurence Knapschaefer.

— Laurence Knapschaefer ! J'étais sûr que vous le ressortiriez, celui-là. Désolé, Cardinal, mais ça me dépasse. »

Laurence Knapschaefer avait tué cinq mômes à Toronto, dix ans plus tôt. Trois garçons et deux filles. Une troisième fillette avait réussi à lui échapper, ce qui avait permis l'arrestation du tueur.

« Il est l'exception qui confirme la règle, avait répliqué Dyson. Et puis il n'y a pas de cadavres, donc pas d'homicides. Vous n'avez pas le début du commencement d'une preuve qu'il y ait eu meurtre.

— C'est justement ça qui tendrait à le prouver.

— Quoi, ça ?

— Le manque de preuves. Il renforce ma théorie. » Il avait vu le regard bleu glacier de Dyson se fermer et tirer le verrou. Mais Cardinal était bien décidé à s'expliquer. « Un fugueur passe rarement inaperçu. Il y a toujours un contrôleur ou un passager pour l'avoir vu dans le bus ou un réceptionniste à l'hôtel, voire le dealer du coin de la rue. Un fugueur ne se cache pas, et c'est pour cette raison qu'on le retrouve. Il signe sa fugue, emporte des vêtements, fauche de l'argent à sa famille, adresse un mot à des amis. Mais un gosse assassiné, lui, ne laisse rien derrière lui, et Katie Pine et Billy LaBelle n'ont rien laissé.

— Désolé, Cardinal, mais votre raisonnement est tiré *d'Alice au pays des merveilles.* »

Le lendemain matin, Cardinal avait ordonné une nouvelle fouille, qui s'était révélée aussi vaine que les précédentes. Dans l'après-midi, Dyson lui retira les affaires Pine et LaBelle. Et le détacha de la Criminelle. « Ramenez-moi Arthur Wood. Il est en train de dévaliser la ville.

— Je n'arrive pas à y croire. Deux enfants disparaissent, et vous me mutez aux cambriolages ?

— Je n'ai pas les moyens de vous entretenir, Cardinal. On n'est pas à Toronto, ici. Si les grandes affaires vous manquent tant, pourquoi ne retournez-vous pas là-bas ? En attendant, rapportez-moi la tête d'Arthur Wood. »

Le dossier Fogle atterrit sur les deux autres.

Cardinal réchauffa une tourtière qu'il avait au préalable décongelée. Catherine avait hérité la recette d'une amie canadienne française, et McLeod, y ayant goûté une fois, avait prétendu que la recette en question avait été volée à sa mère, il en voulait pour preuve ce goût de sauge.

Il mangea devant la télé ; c'était l'heure des infos de Sudbury. La découverte d'un cadavre sur l'île de Windigo faisait la une. Grace Legault avait repoussé sa capuche pour son direct depuis l'îlot, son opulente chevelure châtaine constellée de flocons. Elle paraissait plus grande à l'écran.

« Selon une légende ojibwa, Windigo est l'esprit d'un chasseur qui sortit en hiver et se perdit dans les solitudes glacées, où il fut forcé de vivre de chair humaine. Il est facile de croire à pareille légende quand on débarque sur cette petite île isolée où, hier après-midi, un corps non identifié a été découvert par deux motoneigistes. »

Merci, Grace, pensa Cardinal. Nous allons maintenant avoir le « Tueur de Windigo », et le cirque va pouvoir commencer.

Suivirent quelques images du dragage du lac Nipissing à l'automne précédent par la police provinciale, tandis que Legault évoquait la possibilité que le corps fût celui de Billy LaBelle ou de Katie Pine. Apparut ensuite Cardinal, l'air officiel et réservé, déclarant devant la caméra qu'il fallait attendre et voir. Quel con je suis, se dit-il. Je regarde trop de films à la télé.

Il aurait aimé parler avec Catherine, mais elle réagissait parfois mal au téléphone et l'appelait rarement de l'hôpital. Ça me gêne et j'ai honte, expliquait-elle, et Cardinal ne s'étonnait pas qu'elle éprouve de pareils sentiments. Cependant, dans le tourbillon de ses propres pensées, il ressentait une certaine colère qu'elle puisse l'abandonner ainsi. Certes, ce n'était pas la faute de Catherine, et il s'efforçait de ne pas lui en vouloir, mais il n'était pas homme à aimer la solitude, et il y avait des moments où il souffrait d'être condamné à l'isolement plusieurs mois d'affilée. Bien entendu, il s'en voulait alors de faire preuve d'un tel égoïsme.

Il écrivit à Kelly, joignant à sa lettre un chèque de cinq cents dollars. Ses deux femmes parties, la maison lui semblait trop grande, confiait-il à sa fille. Mais, se relisant, il froissa le mot, le jeta à la corbeille. Je sais que tu en auras l'usage, griffonna-t-il sur une nouvelle feuille et il ferma l'enveloppe. Les filles veulent des pères invulnérables, et Kelly n'échappait pas à la règle. Comme c'était étrange : quelqu'un qu'il aimait tant ne saurait jamais qui il était, ne saurait jamais comment il avait trouvé l'argent de ses coûteuses études. Étrange et triste, en vérité.

Songeant aux personnes et, surtout, aux adolescents disparus, il se dit que Dyson avait raison : la traversée du pays passait par Algonquin Bay, et la petite agglomération héritait plus que sa part de fugueurs. Cardinal avait classé séparément les affaires provenant des autres juridictions d'Ottawa, des Maritimes, de Vancouver même, qui leur étaient parvenues par fax au cours de l'année passée.

Il appela son sergent de permanence, la vaillante et un rien chevaline Mary Flower, pour lui demander quelques chiffres. Ce n'était pas son travail, mais il savait que Flower avait un faible pour lui et qu'elle le ferait volontiers. Elle le rappela juste au moment où il s'apprêtait à prendre sa douche. Le corps nu et couvert de chair de poule, il coinça le combiné dans le creux de son cou et se démena pour enfiler un peignoir de bain.

« C'est bien les dix dernières années que vous m'avez demandées ? » Nasale, aiguë, la voix de Mary bourdonnait comme un frelon de dessin animé. « Vous êtes prêt ? »

Pendant quelques minutes il nota des chiffres sur un calepin. Puis il raccrocha et appela Delorme. Il dut patienter longtemps avant qu'elle décroche. « Delorme ? Je vous ai réveillée ?

— Non, John, je ne dormais pas. » Elle mentait ; elle ne l'aurait pas appelé par son prénom, sinon.

« Devinez combien d'adolescents ont disparu il y a deux ans ?

— Y compris ceux étrangers à la ville ? Je ne sais pas. Sept ? Huit ?

— Douze. Et si on remonte les quatre années précédentes, on compte dix disparitions, huit, dix, et encore dix. Vous comprenez où je veux en venir ?

— Ça fait, en gros, dix par an.

— À deux près, exactement, dix par an. »

La voix de Delorme exprimait un intérêt et une acuité soudains. « Mais c'est pour me donner le compte de l'année dernière que vous m'appelez, n'est-ce pas ?

— Exact, et le nombre de jeunes disparus — en comptant ceux étrangers à la ville — s'élève à quatorze. »

Delorme siffla tout bas.

« Et voilà comment je vois la chose. Un type tue Katie Pine et il découvre qu'il aime bien ça. C'est le plus grand pied de sa vie. Il attrape un autre gamin, Billy LaBelle, et recommence. Il a le vent en poupe mais, cette fois, la ville entière est à la recherche des deux gosses. Alors, il devient malin, et commence par s'en prendre à des plus âgés. Des jeunes qui ne sont pas d'Algonquin. Il sait que la disparition d'un ado de dix-sept ou dix-huit ans n'alarmera pas autant la communauté.

— Surtout s'ils ne sont pas d'ici.

— Ces affaires non résolues concernent pratiquement tout le pays. Il y en a trois à Toronto, mais les autres sont au diable.

— Vous avez les dossiers chez vous ? J'arrive.

— Non, non, voyons-nous plutôt au bureau. »

Il y eut un très bref silence. « Bon sang, Cardinal, me soupçonneriez-vous de travailler encore aux Internes ? De mener une enquête sur vous ? Dites-moi la vérité.

— Oh, ce n'est pas du tout ça, dit-il, suave, tout en pensant qu'il était un foutu menteur. Voyez-vous, je suis un homme marié, Lise, et vous êtes tellement séduisante que je craindrais de succomber à la tentation. »

Il se fit un long silence, avant que Delorme ne raccroche.

9

Ils avaient étalé les dossiers sur trois bureaux, ce qui avait le don d'énerver Ian McLeod, un rouquin noueux et bosselé de muscles qui couvait un solide complexe de persécution. Le bonhomme essayait de combler le retard que l'affaire Corriveau — un double meurtre dans un pavillon de chasse — lui avait fait prendre dans les affaires courantes. Bon enquêteur, McLeod était, même dans ses meilleurs jours, un dur à cuire plutôt teigneux et grossier comme un charretier. Corriveau l'avait rendu insupportable. « Vous pourriez pas mettre une putain de sourdine, vous deux ?

— Oh, oh ! on est vraiment réceptif ces jours-ci, répliqua Cardinal. Tu as suivi un de ces ateliers de perception ?

— J'essaie seulement de m'occuper de ce qui n'est pas Corriveau, d'accord ? Le boulot normal, quoi. Crois-le ou pas, mais j'avais une autre vie avant que ces deux connards de frères Corriveau zigouillent leur bâtard de beau-père et son corniaud d'associé. Et j'ai encore une autre vie… Le problème c'est que je ne sais plus à quoi elle ressemble depuis que je suis obligé de passer mes journées et mes nuits dans ce putain de poste de police. »

Cardinal s'efforça de l'ignorer. « Aucune de ces affaires n'a été élucidée, dit-il à Delorme. Divisons le tas en deux et jetons-y un coup d'œil. Faisons comme si elles venaient d'arriver avec le courrier. De toute manière, je doute que quelqu'un s'y soit intéressé avant nous.

— J'ai entendu, beugla McLeod de l'autre bout de la salle. Encore en train de comploter !

— On ne parlait pas de toi, McLeod. Tu deviens parano en vieillissant.

— Quand le détective John Cardinal l'"Immortel" » me dit de pas être parano, c'est là que je deviens réellement parano. En attendant, le juge Lucien Thibeault veille au respect des droits de la bande à Corriveau Braquemart S.A.R.L. et me visite dans mes rêves pour exiger des preuves et toujours plus de preuves. Il y a pas mieux que ces putains de *frogs* pour se serrer les coudes.

— Attention à ce que vous dites, McLeod. »

Delorme n'avait pas la voix forte mais un regard capable de vous glacer le sang.

« Je dis ce que je veux, merci beaucoup. Ma mère était aussi française que la vôtre, sauf qu'elle était pas une séparatiste honteuse comme vous.

— Qu'est-ce qu'il ne faut pas entendre !

— Laissez tomber, dit Cardinal à Delorme. Vous n'allez pas discuter politique avec lui.

— Mais qu'est-ce qu'il raconte ? J'ai seulement dit une fois que les Québécois avaient de légitimes revendications.

— On peut arrêter là, s'il vous plaît ? »

Pendant que McLeod marmonnait tout seul, le nez dans ses « surplus », Cardinal et Delorme classèrent trois affaires en moins d'une heure, la tâche consistant à réunir les rapports initiaux et les fax annonçant que le sujet disparu avait été retrouvé. Ils classèrent les suivantes par ordre de moindre priorité : ainsi deux cas de disparition signalés à l'échelon national, concernant un sujet originaire de Nouvelle-Zélande et un natif de l'île du Prince-Édouard, lesquels, selon toute vraisemblance, n'étaient jamais passés par Algonquin Bay.

« Celle-ci a l'air intéressante. » Delorme tenait une photo à la main. « Elle a dix-huit ans mais en paraît treize. Un mètre cinquante-cinq, quarante-deux kilos. Elle a été vue à la gare routière.

— Mettez-la de côté, dit Cardinal en tendant la main vers le téléphone qui sonnait. Enquêtes criminelles, Cardinal à l'appareil.

— Len Weisman, et pourquoi j'appelle de la morgue un dimanche soir ? Parce qu'un détective du sexe faible et du genre persuasif fait de ma vie un enfer. Est-ce qu'elle sait que Toronto est une grande cité ? Est-ce qu'elle connaît le nombre d'affaires qui nous arrivent ? Est-ce qu'elle a une idée de la pression qu'on subit ?

— La victime avait treize ans, Len. Elle n'était encore qu'une enfant.

— Et c'est bien pour ça que je vous appelle. Dites à votre collègue qu'elle attende son tour comme tout le monde, la prochaine fois. Est-ce que le labo vous a téléphoné ?

— Non. Tout ce qu'on a, c'est les résultats de l'odontologie.

— Eh bien, nos chimistes devraient avoir quelque chose pour vous, parce qu'ils l'ont gardée longtemps, la gosse.

« — Que pouvez-vous nous dire, Len ?

— Vous avez vu le corps, il n'en restait pas grand-chose, alors j'irai à l'essentiel : traces de ligature sur un poignet et une cheville, ce qui indique qu'elle a été ligotée. Ils auront peut-être quelque chose là-dessus, nos chimistes. Nous avions un globe oculaire et des bouts de lobe supérieur des poumons. Le Dr Grant a trouvé des traces d'hémorragie pétéchiale. On n'en aurait jamais rien su si elle n'avait pas été littéralement congelée.

— Vous dites qu'elle a été étranglée ?

— Non, le Dr Grant n'a pas parlé de strangulation. Il ne reste pas grand-chose du cou, vous le savez, pas d'os hyoïde et pas de traces de ligature non plus. Appelez Grant si vous voulez, mais si on ne peut pas conclure à un étranglement, en revanche on est sûr qu'il y a eu suffocation.

— D'autres découvertes ?

— Voyez Sevetic au labo. Son rapport indique une seule fibre : rouge, trilobée. Pas de sang, pas de cheveu, en dehors de ceux de la fillette.

— Rien d'autre sur cette fibre ?

— Voyez Sevetic. Oh, il y a un petit mot... ils ont trouvé une espèce de bracelet dans la poche de son jean.

— Le jour de sa disparition, Katie portait un bracelet à breloques.

— Oui, c'est ce qui est écrit : bracelet à breloques. Vous le recevrez avec le reste. La détective Delorme serait-elle avec vous ?

— Oui.

— Je ne l'ai jamais rencontrée, mais je suppose qu'elle est jolie. Une poule chez les coqs, il y a de l'Urgo dans l'air.

— N'ergotons pas, toubib. » Delorme examinait un fax en fronçant les sourcils, et Cardinal s'efforça en vain de ne pas la trouver attirante. « Mais peut-être voulez-vous un numéro de téléphone ou une adresse, Len ?

— Non, certainement pas. C'est le genre de femme qui croit que tout lui est permis. Au fait, passez-la-moi, j'ai deux mots à lui dire. »

Cardinal tendit le téléphone à Delorme. Elle écouta, les yeux fermés, puis son visage prit insensiblement de la couleur, et c'était comme de regarder monter le mercure dans un thermomètre. Un moment plus tard, elle reposa doucement le combiné. « Très bien, dit-elle. Il y a décidément des hommes qui détestent qu'on les presse. »

McLeod beugla du fond de la salle : « J'ai bien entendu, Delorme ! »

10

Personne ne s'était attendu à une telle foule aux obsèques de Katie Pine. Cinq cents personnes se pressaient à Saint-Boniface, une minuscule église en brique rouge dans Sumrer Street, pour saluer le petit cercueil scellé. Les médias étaient là en force. Delorme reconnut Roger Gwynn et Nick Stoltz, du *Lode*. Nick Stoltz l'avait mise dans le pétrin, quand elle n'était encore qu'une adolescente, en la prenant en photo dans les bras de son petit ami sur un banc dans le parc de Teacher's College. Pour Stoltz et la majorité des lecteurs du *Lode*, ça n'était qu'une vue de la splendeur automnale, mais pour les parents de Delorme, cela signifiait que leur fille n'avait donc pas passé l'après-midi à la confrérie avec ses amies. Elle avait été interdite de sortie pendant deux semaines — assez de temps pour que son amoureux volage s'entiche de la rivale de Delorme. Depuis, les photographes occupaient dans l'enfer personnel de Delorme une place à peine moins brûlante que celle réservée aux violeurs.

Il y avait la journaliste de Sudbury, accompagnée d'une opératrice — que ce fût une femme ne lui échappa pas — et d'un preneur de son qui devait peser près de cent cinquante kilos. Delorme avait aussi repéré le van de CBC devant l'église et elle reconnaissait maintenant, deux rangées plus loin, un reporter du *Globe and Mail*, qui avait fait un papier sur elle après qu'elle eut envoyé derrière les barreaux le maire d'Algonquin Bay. Ce n'est pas tous les jours qu'on découvre une fillette assassinée sur une île désolée au milieu d'un lac gelé, mais Delorme n'aurait jamais imaginé que cela puisse faire une information nationale.

Dorothy Pine, le pas alourdi par la douleur, arrivait, entourée de proches. Le reporter du *Globe*, qui observait la scène de son œil de chien de presse affamé, voulut se porter vers le petit groupe, mais Jerry Commanda s'interposa et, quand l'allée fut de nouveau dégagée, l'importun avait regagné sa place et se tenait le ventre à deux mains.

La police n'était pas venue uniquement pour exprimer sa sympathie à la famille de la jeune défunte mais parce qu'il y avait peut-être aussi une chance que le tueur fût parmi la foule. Delorme s'était installée sur le dernier banc, un bon poste d'où guetter les suspects. Cardinal se tenait devant et sur le côté, l'air ténébreux dans son costume noir et, Delorme devait se l'avouer, d'une beauté certaine, quoique marquée. Des cernes bleus donnaient à ses yeux une expression douce et lasse qu'une âme romantique — et Delorme était loin de se considérer comme telle — pouvait trouver formidablement attirante. Si ce qu'elle avait entendu était vrai, Cardinal était farouchement fidèle à sa femme, en dépit de la fragilité mentale de celle-ci, un trait qu'on évoquait rarement au foyer de la brigade, et encore à voix basse.

Quitter les Enquêtes internes pour travailler à l'élucidation d'un homicide avec l'objet même de son investigation n'était pas dans les goûts de Delorme. Pas vraiment le meilleur moyen de se faire des amis ; de toute façon, ce n'est pas le but recherché quand on entre aux Internes.

John Cardinal lui paraissait aussi incorruptible que la plupart des flics qu'elle avait rencontrés, et elle avait du mal à donner quelque poids aux soupçons de Musgrave. Avant que la cérémonie ne commence, elle avait vu Cardinal s'entretenir aimablement avec le vieux prêtre qui, selon elle, ne devait pas cracher sur l'alcool. Elle ne s'était pas imaginé Cardinal très pratiquant, et ne l'avait encore jamais vu à Saint-Vincent, mais après tout, il n'avait aucune raison de fréquenter une église française.

En vérité, elle ne connaissait pas Cardinal. La nature de son travail l'isolait de ses collègues. Et il y avait une chose qu'on apprenait aux Internes : toute personne a une histoire, et ce n'est jamais celle qu'on soupçonne. Aussi chassa-t-elle momentanément de son esprit l'affaire Kyle Corbett pour consacrer toute son attention aux citoyens d'Algonquin venus assister à l'enterrement d'une fillette assassinée.

Arsenault et Collingwood étaient dehors, filmant les arrivants et les plaques minéralogiques, une précaution bien hasardeuse, car ils n'avaient pour le moment pas le moindre signalement d'individu ou de voiture suspecte.

Supposons que le tueur vienne, se disait Delorme. Supposons qu'il soit assis à côté de moi, à la place de cette dame grisonnante en tailleur vert cacatoès.

Comment le reconnaîtrais-je ? À son odeur ? Ses incisives acérées et sa longue queue ? Ses pieds fourchus ? Delorme n'avait pas une grande expérience des assassins mais elle se doutait bien que rien ne les différenciait, dans l'apparence, d'un Cardinal, du maire ou du voisin. Il pouvait être cet homme lourdement bâti en pull de coton « Maple Leafs » — quelle espèce de plouc pouvait venir à des obsèques en sweater de hockey ? Il pouvait être cet Indien en bleu de plombier — pourquoi ne faisait-il pas partie du groupe entourant Mme Pine ? Elle reconnut au moins trois anciens camarades de classe, et le tueur aurait très bien pu être l'un d'eux. Elle avait en mémoire les photos de serial killers comme Berkovitz, Bundy, Dahmer : des hommes d'apparence ordinaire. Bien sûr, le tueur de Katie Pine serait différent, mais il n'aurait pas pour autant un aspect singulier.

Vous devriez me faire travailler davantage, pensait Delorme en observant Cardinal. Vous devriez être sur mon dos nuit et jour, m'envoyant quêter le moindre indice. Nous devrions harceler la Scientifique, jusqu'à ce qu'elle accouche d'un résultat.

Au lieu de cela, Cardinal s'était débrouillé pour que Dyson charge Delorme de traiter toutes les affaires secondaires arrivant sur sa table. Le mouvement du cavalier ? L'occuper de telle manière qu'elle n'ait plus le temps d'enquêter sur lui ? Mais ce pouvait être aussi une attitude naturelle dans cet antre du machisme qu'était un département de police. Ils avaient de la chance que j'aime mon travail, aux Internes. Je suis célibataire, encore jeune — en tout cas, assez jeune — et je peux consacrer tout mon temps à une enquête, si je veux. Et puis, quelle jouissance ç'avait été de refermer la nasse sur le maire et ses petits copains corrompus. Et Delorme avait fait ça toute seule. Mais il lui arrivait de les maudire, ces anglophones de Dyson, Cardinal, McLeod et consorts.

« Faut payer votre part, Delorme », lui avait cancané aux oreilles Dyson ce matin même. Elle avait été tentée de lui rafler son foutu donut au miel et de l'avaler en trois bouchées, juste pour voir la gueule qu'il ferait. « Tout le monde paie sa part. On n'entre pas dans une brigade pour grimper tout de suite tout en haut de l'échelle.

— J'ai passé six ans aux Internes, mais ça compte pour rien, je suppose. Je n'ai pas envie de me farcir les vols et les cambriolages qui échoient à Cardinal.

— Tout le monde se farcit les vols et les cambriolages parce que, *primo*... (ici, il se mit à compter sur ses bizarres doigts plats, ce qui avait le don d'enrager Delorme) Cardinal mène une importante enquête criminelle et n'a pas le temps de s'occuper du reste. *Secundo*, parce que vous êtes sa subalterne dans la brigade. Et *tertio*, parce que c'est Cardinal lui-même qui m'a demandé de vous confier ce boulot. Fin du mystère, et de la discussion. Et puis vous avez besoin de vous éloigner de lui, non ? De prendre un peu de distance. Vous pouvez difficilement enquêter sur quelqu'un avec qui vous passez des journées entières. En fait, vous pourriez même fouiller son domicile, si jamais l'occasion s'en présentait.

— Impossible sans mandat de perquisition.

— Naturellement. Je veux seulement dire que, travaillant de concert, vous êtes donc souvent ensemble. Et si jamais vous vous trouvez chez lui... ma foi, imaginez la suite. Ce n'est pas pour autant, je m'empresse d'ajouter, que je le crois coupable.

— Je ne peux pas faire le travail qu'on m'a confié si je dois passer mon temps à m'occuper de broutilles.

Quand aurai-je l'occasion de consulter le dossier Corbett ?

— J'ai la réputation d'approuver les heures sup', vous savez. Je ne suis pas l'avare que prétendent certains comme McLeod et Cardinal, pour ne pas les nommer.

— Sauf votre respect, chef, pourquoi s'occuper de Corbett, quand l'affaire Katie Pine est autrement plus grave ?

— Kyle Corbett n'est pas seulement un ancien dealer et un faux-monnayeur en activité. C'est aussi un tueur sans pitié, comme tout le monde l'apprendra si nous lui mettons la main dessus. Si quelqu'un l'a rancardé, ce n'est pas un mince délit. C'est de la corruption, c'est se rendre complice d'un assassin, et s'il y a un flic pourri dans mon équipe, sa place est en prison.

— Et moi, je pense qu'on devrait descendre à Toronto pour secouer un peu la Scientifique.

— La Scientifique sait travailler sans qu'on vienne lui souffler dans les bronches. À propos de se secouer, je compte sur vous pour boucler tous ces cambriolages d'ici à la fin de la semaine. Nous savons tous qui en est l'auteur, alors il ne vous reste qu'à coincer ce salopard. »

Des flocons de neige s'écrasaient sur la fenêtre derrière lui, et la vitre reflétait la parfaite sphère de son crâne chauve. Oh, comme elle aurait aimé lui balancer une baffe.

Une belle Indienne venait de chanter *Demeure en mon sein*, et le prêtre monta en chaire. Il dit combien promettait la petite Katie Pine. Dit son intelligence et son sens de l'humour, et les pleurs s'intensifièrent au premier rang. Si ce n'était une légère hésitation chaque fois qu'il prononçait le nom de la morte, Delorme en aurait déduit qu'il connaissait personnellement la fillette. Le cercueil fut aspergé d'eau bénite, et de l'encens allumé. On chanta le vingt-troisième psaume. Puis quatre hommes portèrent la bière jusqu'au corbillard, qui prit la direction du crématorium. Katie Pine ne serait bientôt plus qu'un petit tas de cendres.

Plus tard, cet après-midi-là, Delorme transporta un carton d'affaires personnelles de son ancien bureau à la table qu'elle occupait désormais : dos à dos avec Cardinal. Elle examina sans l'ombre d'une culpabilité le domaine de son collègue. Les tables de travail dans la salle des détectives étaient peu espacées les unes des autres, et tout ce qui se trouvait dessus était naturellement exposé aux regards. Celle de McLeod n'était qu'une décharge de paperasses de toutes sortes : enveloppes bourrées de témoignages, piles de déclarations sous serment, geysers de papiers jaillissant de chemises à accordéon.

En comparaison, la table de Cardinal était un champ en jachère. Le plateau de métal conçu pour imiter (très mal) du bois de chêne, avec ses veines et ses nœuds, était nu. Un exemplaire de la dernière note de service de Dyson était punaisé au tableau de liège sur le mur contre lequel le bureau s'appuyait. (Les nouveaux Beretta automatiques : chaque officier caressait l'espoir de se distinguer avec la nouvelle arme à la compétition de tir qui les opposait chaque année en février aux Mounties, ces salopards qui n'avaient encore jamais perdu. Dyson ne croyait pas que la différence des budgets entre les deux forces y fût pour quelque chose.)

Il y avait une photo de la fille de Cardinal, une jolie gosse avec le sourire confiant de son père et, à côté, un ticket de parking. Delorme se pencha sans toucher à rien pour lire l'adresse sur le papillon : 465 Fleming

Street, en plein centre-ville, ce qui ne signifiait pas grand-chose.

L'agenda téléphonique était ouvert au nom de Dorothy Pine. Delorme revint à la lettre A et, pendant les vingt minutes suivantes, feuilleta attentivement sans rien dénicher de concluant. Il y avait là des noms griffonnés à la hâte, noms qui ne lui disaient rien, à part ceux de divers avocats, juges des peines et travailleurs sociaux auxquels tout flic avait affaire. Il y avait également Kyle Corbett, mais on pouvait s'y attendre, et, à ce nom, trois adresses différentes et plusieurs numéros de téléphone, que Delorme s'empressa de noter sur son calepin.

On entendait du bruit, maintenant, dans le couloir, et Delorme se tourna vers son propre bureau. Des voix, des rires, le claquement d'une porte de vestiaire. Delorme souleva le combiné du téléphone de Cardinal et pressa le bouton de rappel automatique du dernier numéro composé. Pendant qu'elle attendait, elle remarqua un cliché punaisé à côté de la circulaire de Dyson. Un truand, manifestement ; un type énorme avec un crâne à la platitude accentuée par le cheveu coupé ras. Il posait, nonchalamment assis sur l'aile d'une voiture qui gîtait sérieusement sous son poids. Les policiers prenaient souvent des photos de leurs clients préférés, des hommes qui leur en avaient fait baver, voire leur avaient tiré dessus.

Les réflexions de Delorme furent interrompues par une voix qu'elle reconnut. « Bureau de la police scientifique.

— Oh, excusez-moi, je me suis trompée de numéro. »

Le tiroir sous la table de travail de Cardinal n'était pas fermé à clé : une absence de précaution chez un

86

homme qui n'avait rien à cacher, à moins que ce ne fût le geste calculé d'un homme très coupable en vérité.

La porte de la salle s'ouvrit à la volée, et une voix s'exclama : « Eh bien, ça alors ! Si on m'avait dit que je tomberais sur le Bureau des enquêtes internes en train de se livrer à son petit inventaire personnel !

— Lâchez-moi, McLeod. Je travaille ici, vous vous rappelez ?

— Ouais, et même les dimanches. » McLeod portait un grand carton à l'enseigne de la marque Canadian Tire. Il lui jeta un regard, les yeux plissés et l'air soupçonneux. « Et moi qui me prenais pour le seul vrai bosseur, ici.

— Vous l'êtes. Je ne fais qu'installer mes affaires, dit Delorme.

— Parfait. Bienvenue. Faites comme chez vous. » McLeod posa bruyamment son paquet sur sa table. « Mais vous approchez pas de mon bureau. »

11

Cardinal appela Vlatko Setevic, au labo de la Scientifique. Ils avaient retiré un cheveu et une fibre de tissu du corps gelé de Katie Pine.

« On a découvert quelques fibres. Le genre de tissu utilisé pour le revêtement des murs ou l'intérieur des voitures. Rouge, trilobé.

— Est-ce que vous pourriez remonter jusqu'à la marque ? Ford, Chrysler ?

— Non, aucune chance. C'est un tissu trop répandu, à part la couleur.

— Et le cheveu ?

— Oui, il n'y en a qu'un, étranger à ceux de la fille, je précise. Neuf centimètres de long, brun, appartenant probablement à quelqu'un de race blanche. »

Delorme secoua la tête de dépit, quand Cardinal lui fit part des résultats. « Ça ne nous avance à rien, dit-elle, à moins de découvrir un autre cadavre. Mais pourquoi une telle lenteur dans les analyses ? Pourquoi attendons-nous encore le rapport complet du légiste ? »

Cardinal passa les deux jours suivants au téléphone, s'occupant des cas de disparition extérieurs à la ville : coups de fil aux départements de police concernés, aux parents ou aux personnes qui avaient signalé ladite disparition. Delorme lui donnait un coup de main quand elle n'enquêtait pas sur l'un des cambriolages. Ils éliminèrent ainsi cinq affaires. Il en restait deux qui pouvaient avoir achevé leur errance à Algonquin Bay : une fille de St John vue à la gare routière, et un garçon de seize ans natif de Mississauga, près de Toronto.

Todd Curry avait été porté disparu en décembre. Il n'y avait pour tout dossier que le fax réglementaire envoyé à toutes les brigades de police ; la photo était quelque peu floue. Un détail retint l'attention de Cardinal : le gamin faisait un mètre soixante et pesait cinquante kilos. Pour un tueur qui aimait les petits gabarits, Todd Curry était une proie de choix.

Cardinal appela la police de Peel et apprit que ni la famille ni les amis du jeune homme n'avaient eu de nouvelles de lui depuis deux mois. On lui communiqua le numéro de téléphone de Clark Curry, un proche parent domicilié à Sudbury.

« Monsieur Curry ? John Cardinal, de la police d'Algonquin.

— C'est au sujet de Todd, je suppose ?

— Qu'est-ce qui vous fait dire ça, monsieur ?

— Parce que quand la police m'appelle, c'est que Todd a des ennuis. Écoutez, je ne suis que son oncle, et j'ai déjà fait tout ce que je pouvais. Je ne peux pas m'en occuper, cette fois.

— Il est toujours porté disparu, et nous continuons de le rechercher.

— La police d'Algonquin Bay s'occupe d'un gosse de Mississauga ? Mais, dites-moi, ça devient une affaire fédérale.

— Todd a-t-il pris contact avec vous depuis décembre ? Depuis le 12 décembre, pour être exact ?

— Non. Et il n'a pas reparu non plus à la Noël. Ses parents étaient aux quatre cents coups, comme vous pouvez l'imaginer. Il m'a téléphoné de Huntsville, le jour où il est parti de chez lui, pour me dire qu'il prenait le train et me demander s'il pouvait venir chez moi. Je lui ai répondu que oui, mais il n'est jamais arrivé, et depuis c'est le silence. Il faut que vous sachiez que c'est un gamin assez perturbé.

— Dans quel sens, monsieur ? Il se drogue ?

— Todd a goûté à la colle quand il avait dix ans et il n'a jamais arrêté depuis. Il y a des gosses qui touchent à la came sans déjanter pour autant, mais il y en a d'autres qui prennent un jour leur premier sniff, et ça devient une véritable vocation. Le seul plaisir de Todd dans la vie est de se défoncer, si on peut appeler ça un plaisir. Bien sûr, Dave et Edna prétendent qu'il a arrêté, mais j'en doute fort.

— Voulez-vous me rendre un service, monsieur ? Appelez-moi si jamais vous avez des nouvelles de Todd. » Il donna à Curry son numéro à la brigade et raccrocha.

Cela faisait des années que Cardinal n'avait pas pris le train, mais il ne passait jamais devant la gare sans se souvenir du long voyage vers l'ouest qu'il avait fait avec Catherine pendant leur lune de miel. Ils avaient passé presque tout leur temps bercés dans leur étroite couchette. Cardinal apprit d'un guichetier que Huntsville était toujours l'avant-dernier arrêt avant Algonquin Bay sur la ligne du Nord. Mais il était impossible de savoir si Todd était descendu à South River ou Algonquin Bay. Il avait pu aussi bien rester à Huntsville que poursuivre vers le nord jusqu'à Temagami ou même Hearst.

Cardinal se rendit au *Centre Crisis*, au coin de Station et de Sumrer. Algonquin Bay ne disposait pas d'une auberge de jeunesse et il arrivait que de jeunes fugueurs finissent au centre, qui n'était qu'à deux rues de la gare ferroviaire. Refuge pour victimes de violences familiales — des femmes battues pour la plupart —, l'établissement était tenu par un prêtre défroqué, un grand échalas du nom de Ned Fellowes, et il arrivait à Fellowes d'héberger un jeune fugitif.

Comme la plupart des maisons de la vieille ville, c'était une bâtisse de brique rouge coiffée d'une toiture d'ardoise fortement inclinée pour empêcher la neige de s'accumuler. Des ouvriers qui réparaient le toit de la véranda avaient dressé un échafaudage devant la façade. Alors qu'il sonnait à la porte, Cardinal les entendit jurer en français — Tabernacle ! Christ ! —, un vocabulaire issu de la Sainte Église, à la différence des anglophones qui puisaient le leur dans le lexique sexuel. Nous jurons par ce dont nous avons peur, songea Cardinal, mais ce n'était pas là une réflexion qu'il avait envie de poursuivre.

« La photo n'est pas bonne mais, oui, je me souviens de lui, disait Ned Fellowes. Il n'est resté qu'une seule nuit chez nous, je crois, au moment de Noël.

— Vous vous rappelez quel jour c'était ? »

Fellowes lui fit signe de le suivre dans un petit bureau. Une grande cheminée en brique rouge avait été convertie en bibliothèque aux étagères chargées de périodiques d'assistance sociale et d'ouvrages de psychologie. Fellowes sortit un grand registre marron et, l'ouvrant au mois de décembre précédent, laissa courir son index le long d'une liste de noms. « Todd Curry. Il a passé la nuit du 20 décembre, un vendredi. Est parti le lendemain, samedi. Je me souviens de m'en être étonné, parce qu'il m'avait demandé s'il pouvait rester jusqu'au lundi. Mais il est revenu dans la matinée du samedi, pour me dire qu'il avait trouvé un squat tout ce qu'il y a de cool dans une maison abandonnée dans Main West.

— Main West… oui, il y a une bâtisse en ruine près de l'endroit où se dressait le couvent de Sainte-Claire. C'est là ? Près de l'hôtel Castle ?

— Je ne saurais vous le dire. Il ne m'a pas laissé d'adresse. Il a avalé deux sandwichs et il est parti. »

Il n'y avait qu'une seule bicoque abandonnée dans Main West. Ce n'était pas dans le bas de la ville, mais deux pâtés de maisons plus loin. Le couvent de Sainte-Claire avait été démoli cinq ans plus tôt, et il n'en restait plus que le mur d'enceinte sur lequel on distinguait encore une publicité vantant les mérites de la Northern Ale, un produit de la brasserie locale, en cessation d'activité depuis bientôt trente ans. Après le couvent, d'autres maisons étaient tombées l'une après l'autre, faisant de la place pour le parking sans cesse agrandi des grands magasins Country Style. Entourée d'une friche de mauvaises herbes et d'arbres morts, la maison effondrée avait l'air d'un chicot dans une bouche édentée.

Cardinal ne s'étonnait pas que le jeune Todd se fût réfugié là ; c'était à cent mètres du D'Annunzio, l'antre favori des ados, et à un jet de pierre du lycée. Un fugueur ne pouvait souhaiter meilleur emplacement. Cardinal avait l'impression que son sang circulait plus vite depuis quelques minutes.

L'hôtel Castle était à sa droite, et il se gara devant une palissade croulant sous les ronces. Il gagna la grille et observa la maison démolie à travers les feuilles brûlées par le froid. Il pouvait apercevoir le D'Annunzio de l'autre côté du terrain vague.

Il régnait encore dans l'air une forte odeur de bois brûlé, en dépit du tapis neigeux recouvrant la ruine. Cardinal, les mains sur les hanches, contempla le monticule que formaient les gravats dégagés au bulldozer. Une poutre de bois noircie par le feu perçait la couche de neige, pointant vers les nuages un doigt accusateur.

12

Delorme se demandait si Cardinal réalisait quelque progrès. C'était irritant en diable de s'occuper de petits larcins quand un monstre maraudait en ville. Après avoir perdu la moitié de la matinée en paperasses sur Arthur « Woody » Wood, Delorme se sentit animée du puissant désir d'épingler l'assassin de Katie Pine. Peut-être que seule une femme pouvait désirer autant punir un tueur d'enfants. Elle avait trente-trois ans et avait passé bien des heures à s'imaginer mère, même mère célibataire. L'idée qu'on pût détruire une vie en herbe la plongeait dans une rage qu'elle avait peine à contrôler.

Mais avait-elle la permission de se lancer sur la piste de ce malade, de cette bête sanguinaire ? Non. Elle devait interroger Arthur « Woody » Wood, petit voleur de profession. Delorme l'avait filé dans Oak Street au volant d'une voiture banalisée. Il avait grillé un feu rouge sous ses yeux, elle l'avait forcé à s'arrêter et allait le verbaliser quand elle avait vu le portable Macintosh posé sur le siège passager. L'appareil faisait partie d'une longue liste d'objets volés qu'elle avait consignés dans son calepin. Elle lui en avait lu la description dans la rue, jusqu'au numéro de série.

« D'accord, disait maintenant Woody, alors qu'elle venait de l'extraire d'une des cellules. Supposons que, par le plus grand des hasards, vous arriviez à m'épingler pour une petite affaire. Ça ne va pas me coûter perpète, n'est-ce pas, officier Delorme ? Vous êtes française, pas vrai ? Ils ont essayé de m'apprendre le français à l'école mais, j'sais pas pourquoi, ça n'a jamais collé. La prof, Mlle Bissonette, merde, c'était une vrai nazillonne, celle-là. Vous êtes mariée, à propos ? »

Delorme ignora la question. « J'espère que vous n'avez pas vendu le reste de vos prises, Woody. Parce qu'en plus de passer dix ans à Kingston, vous risquez de devoir réparation, et il vous faudra alors payer ou prolonger votre séjour. Ce serait un beau geste de votre part, de rendre le matériel. Le tribunal en tiendrait peut-être compte. »

Les délinquants attachants sont une rareté et, quand il en arrive un, les flics lui sont plutôt reconnaissants. Arthur « Woody » Wood était un jeune homme formidablement aimable. Une paire de rouflaquettes d'un autre âge lui donnait la dégaine d'un chanteur de rockabilly des années cinquante. La démarche un rien sautillante, il avait une manière de voûter ses larges épaules qui avait le don d'attendrir les gens, surtout les femmes, comme Delorme en faisait présentement l'expérience, jusqu'à en avoir une querelle avec son propre corps : non, mais des fois, tu ne vas tout de même pas te faire avoir par le charme physique de ce crétin de petit voleur. Il n'en est pas question.

Alors qu'elle le conduisait à la salle d'interrogatoire, Woody adressa un grand salut au sergent Flower, avec laquelle il entama une conversation des plus animées. Le sergent Flower cessa de bavasser en croisant le regard noir que lui lançait Delorme. Puis il fallut que Woody dise bonjour à Larry Burke, qui venait d'entrer. Burke l'avait surpris six ans plus tôt occupé à démonter un autoradio... à « l'installer », avait prétendu Woody.

« Écoutez-moi, Woody », commença Delorme, une fois qu'ils furent enfin dans le bureau des interrogatoires.

Quelqu'un avait laissé le *Toronto Star* sur l'une des chaises, et Woody s'en empara. « Les Leafs, mec, j'arrive pas à y croire. C'est dingue, ce goût qu'ils ont pour l'autodestruction. C'est une vraie maladie.

— Woody, écoutez-moi ! » Delorme lui arracha le journal avec son gros titre : *Pas de piste sur le tueur de Windigo*. « Cette série de vols à Water Road me donne de l'urticaire, d'accord ? Je vous ai serré pour le casse de Willow Drive, mais je sais que Water Road, c'est vous. Alors, épargnons-nous du temps et de l'énergie : vous en avouez un, et peut-être qu'on oubliera les autres.

— Attendez un peu.

— Je répète, vous en crachez un, et pour les autres, on verra.

— Doucement, officier Delorme, vous savez rien des autres. » Il avait un sourire béat, dénué de toute malignité, ruse ou mauvaise intention. Un sourire comme devraient en avoir les hommes honnêtes. « Sauf le respect que je vous dois, vous extrapolez. Si vous me soupçonniez de j'sais pas quel ancien cambriolage, ma foi, je pourrais comprendre, j'suis connu pour avoir tenu compagnie à des choses qu'étaient pas à moi. Mais soupçonner n'est pas savoir. Vous pourriez garer un semi-remorque entre le soupçon et la certitude.

— Il n'y a pas que ça, Woody. Supposez que quelqu'un vous ait vu ? Supposez que quelqu'un ait remarqué un van Chevrolet bleu quitter le parking de chez Nipissing Motor ? » Le propriétaire du motel n'avait pas bien vu l'homme qui démarrait au volant d'une camionnette qui ressemblait beaucoup à celle de Woody. On n'avait pas volé de bijoux mais pour plus de trois mille dollars de téléviseurs.

« Ma foi, si le gars m'avait vu, mademoiselle Delorme, vous m'aligneriez pour une séance d'identification. Vous êtes célibataire, pas vrai ?

— Supposez que le gars ait relevé le numéro d'immatriculation ?

— Ah, si vous avez ma plaque, alors vous n'avez plus qu'à me faire plonger. Vous m'avez pas l'air mariée. Vous avez l'air d'être seule. Officier Delorme, vous devriez vous marier. Moi, j'sais pas comment je ferais sans Martha et Truckie. Une famille… des enfants… ça divise par deux les chagrins de la vie et ça double les plaisirs. C'est la chose la plus importante au monde. Sans compter que le travail de flic, c'est pas du gâteau.

— Faites donc attention à ce que je vous dis, Woody. Un van Chevrolet bleu a été vu à Water Road. Vous prétendez que vous étiez chez vous mais des témoins disent que votre véhicule n'était pas dans votre allée, là où vous le garez toujours. Ajoutez à ça que votre van a été vu sur le lieu du cambriolage. Vous risquez de vous en prendre pour dix ans.

— Comment vous pouvez me dire une chose pareille ? Les témoins oculaires ne sont jamais fiables, jamais. Et vous le savez aussi bien que moi : personne me voit jamais. J'aime bien faire mon travail sans être dérangé. Qu'est-ce que vous croyez, que je fais ce travail pour rencontrer des gens ? »

Le sergent Flower frappa à la porte. « Sa femme est ici. Elle a payé sa caution.

— Je vous ferai payer la note, Woody, toute la note. Vous pouvez plaider coupable dès maintenant ou continuer de jouer au chat et à la souris avec moi. Mais je vous garantis que je vous aurai.

— J'aurais fait dans le vol à l'arraché ou dans l'agression, si j'avais voulu fréquenter. »

S'il y avait une capacité dont Delorme s'enorgueillissait, c'était celle d'évacuer de ses pensées tout ce qui n'avait pas une importance immédiate. Tandis que, plus tard dans l'après-midi, elle suivait le tronçon sinueux de Peninsula Road, Arthur Wood était depuis un bon moment sorti de ses préoccupations, et elle barbotait une fois de plus dans les eaux boueuses des soupçons qu'avait soulevés le caporal Musgrave.

La chaussée se faisait de plus en plus étroite et, bientôt, les branches lourdes de neige grattèrent le toit de la voiture. Les bois, figés dans la blancheur hivernale, lui rappelaient une promenade en traîneau faite il y a longtemps. Ray Duroc, treize ans, et elle s'étaient bécotés au milieu d'une bande de gosses, pressant leurs bouches l'une contre l'autre jusqu'à en avoir mal. Aux dernières nouvelles, Ray vivait aux antipodes, en Australie ou en Nouvelle-Zélande, là où les arbres étaient verts et non pas blancs et où le soleil réchauffait vraiment.

Elle prêta attention aux noms sur les boîtes aux lettres, puis tourna à gauche. L'allée fut devant elle avant même qu'elle la voie. Pas de nom gravé sur la planchette clouée au tronc du grand sapin. Elle se gara au bord de la route et descendit de voiture. Il y avait une grosse Mercedes marron devant la maison. Elle ne voulut même pas se demander combien elle avait coûté.

Après le caporal Musgrave, l'ancien caporal-chef Joe Burnside était une vraie bouffée d'oxygène. Il était blond et devait mesurer un mètre quatre-vingt-dix en chaussettes — où la police montée dégottait ce genre de gabarit restait un mystère pour Delorme — et il avait l'air heureux comme un lapin dans un potager. « Je vous connais, dit-il. Vous bossez aux Internes, hein ? C'est vous qui avez coincé le maire Wells ! Entrez donc ! Entrez donc ! »

Delorme se défit de ses bottes et le rejoignit dans la cuisine, où il lui servit une tasse de café fumante. Elle révisa son estimation, en le voyant de plus près : un mètre quatre-vingt-quinze, facile.

« Abandonnez la police et faites-vous du fric », lui disait-il dix minutes plus tard. Ils étaient installés dans de profonds fauteuils devant le paysage blanc de Four Mile Bay. « Avec votre formation ? Vos succès ? Vous ne pouvez que réussir ! Regardez-moi, huit ans comme caporal à la répression de la délinquance financière, et j'ai monté ma propre entreprise... moi ! Joe Burnside ! Croyez-moi, jamais je ne m'en serais cru capable et, je vous le dis, j'en suis à refuser du travail. Vous ne pouvez pas savoir le boulot qu'il y a dans ce secteur. Et où est-ce qu'il ne va pas, tout ce travail ? Il ne va pas à la police montée. Excusez-moi une seconde. » Il se leva pour s'approcher d'un canapé sur lequel dormait un vieux colley osseux. Il se pencha et cria d'une voix de stentor à l'oreille du chien : « Descends de là, espèce de paresseux de bon à rien ! »

L'animal ouvrit un œil vitreux et regarda son maître avec calme.

« Il est sourd comme un pot », marmonna Joe Burnside et, prenant le chien par son collier, il le fit descendre et l'amena devant la cheminée, où la bête se coucha et retourna à ses rêves canins. « Tout le monde me dit de le faire piquer. Enfin, les gens qui n'ont jamais eu de chien me disent ça. Voilà des bêtes qui ne vous coûtent rien pendant quinze ans et, sitôt qu'ils sont malades, des bonnes âmes vous conseillent de vous en débarrasser. Mais pardonnez-moi, vous êtes venue parler affaires. Il n'empêche, ça m'agace d'entendre des trucs pareils. Les gens ignorent ce qu'est la fidélité. Depuis combien de temps vous faites les cols blancs ?

— Six ans.

— Donc, vous savez ce qui se passe ? Avec les restrictions de budget ? Je ne sais pas ce qu'il en est chez vous mais, chez les Mounties, c'est la Berezina. Ils ont viré tous ceux de la brigade financière pour les placer dans la rue, et vous savez pourquoi ? Parce qu'un flic dans la rue est visible, et qu'un col blanc, lui, ne l'est pas. Le citoyen aime voir que ses impôts servent à quelque chose. Et s'il n'y a plus personne chez nous pour courir après les escrocs, il faut bien que quelqu'un relance le secteur, non ? D'où ma modeste entreprise qui consiste en tout et pour tout, je suis heureux de le dire, en ma petite personne. Deux mois d'enquête pour le compte d'une société sur une infraction aux droits d'auteur ou une affaire de piraterie ? Quarante mille dollars. Et payés sans broncher : ce sont surtout des compagnies américaines qui nous emploient. Le plus beau avec les Américains, c'est qu'ils vous font confiance à une seule condition : que vous leur demandiez beaucoup d'argent. »

Ce type devrait se faire prédicateur ou entrer en politique, pensa Delorme. « Parlez-moi de Kyle Corbett, dit-elle.

— Ohhh, gémit Burnside, théâtral. C'est un mauvais souvenir que vous me rappelez là.

— Vous aviez bien préparé votre coup. Vous aviez une solide information. Et Jerry Commanda et vous étiez maîtres à bord.

— Oui, on avait une source, une bonne. Un type du nom de Nicky Bell travaillait depuis des années avec Corbett, et on le tenait avec une affaire de cassettes vidéo porno, une affaire que Corbett ignorait.

— Alors, il vous a donné l'heure et le lieu ?

— L'heure et le lieu ? Non, non, non, Nicky était l'indic le plus généreux que j'aie jamais rencontré. Il nous a donné un camion d'informations. Jerry et moi on en a tiré plus qu'on ne pouvait espérer. Mais la conclusion devait se faire au Cristal Disco, derrière Airport Road. On avait besoin d'un gars de chez vous, et on a eu John Cardinal, un type intelligent, mais un peu trop déprimé à mon goût.

— Que s'est-il passé ? »

Les manières affables disparurent. Le visage de Burnside qui, l'instant d'avant, était aussi ouvert et lumineux que Four Mile Bay, s'obscurcit soudain. C'était comme une éclipse. « Vous savez très bien ce qui s'est passé, sinon vous ne seriez pas là.

— Vous êtes entré dans le club, et il n'y avait plus personne.

— Exact.

— Qu'est-ce qui a cloché ?

— Mais rien, c'est justement ça, l'histoire. Tout se passait comme prévu. On avait l'impression d'observer le mouvement d'une montre suisse et on ne s'attendait sûrement pas à ce que ça se termine comme ça. Corbett avait été rancardé. Et ça, vous le savez aussi bien que moi. Mais si vous vous attendez à ce que je vous dise qui a fait le coup, alors vous vous êtes trompée de porte. Il n'y a pas la moindre preuve.

— Et votre informateur, il en pense quoi ?

— Nicky ? En voilà un que personne ne reverra jamais. Sa femme nous a confirmé qu'il manquait des vêtements, une valise, mais elle ignorait quand et où il était parti. À mon avis, ce n'était qu'une mise en scène. Je suis persuadé que Kyle Corbett l'a balancé dans Trout Lake. »

Le chien avait repris sa place sur le canapé, mais Burnside n'y prêta pas attention. Il toisa Delorme pendant qu'elle se rechaussait. Elle avait l'habitude que les hommes la regardent mais, cette fois, ce n'était pas sa chute de reins qui en était la cause. « Vous travaillez sur l'affaire de Windigo, n'est-ce pas ?

— Oui, je ne suis plus aux Enquêtes internes.

— Windigo… une histoire vraiment dégueulasse.

— Oui.

— Mais voyez-vous, mademoiselle Delorme, il y a beaucoup de flics — Mounties, PPO, et bien d'autres encore — qui diraient que mener une enquête sur son propre collègue, c'est encore plus dégueulasse.

— Merci pour le café. J'avais besoin de me réchauffer. » Delorme boutonna son manteau, enfila ses gants et regarda Burnside. « Mais je n'ai jamais dit qui faisait l'objet de mon enquête. »

13

Comme au temps où Cardinal était adolescent, le D'Annunzio attirait encore les jeunes. En partie magasin de fruits, en partie buvette, le lieu n'avait en apparence rien d'attirant, mais Joe D'Annunzio, avec ses façons de moine et un tour de taille de chanteur d'opéra, accueillait en ami quiconque poussait sa porte. Il tenait son petit comptoir avec la dextérité d'un ancien barman et traitait les nouveaux clients comme les anciens, les laissant traîner des heures entières dans les boxes en bois devant leur Coca, leurs chips et leurs barres de chocolat. C'était chez D'Annunzio que Cardinal et ses copains enfants de chœur se retrouvaient à la sortie de la cathédrale ; et c'était toujours chez D'Annunzio qu'ils iraient sécher la messe, plus tard, quand le temps viendrait pour eux de préférer la fumée des cigarettes à celle de l'encens, et les sodas avec boule de glace au pain et au vin consacrés.

Cardinal sirotait son café en observant un gosse jouer à un jeu vidéo.

De son temps, il y avait là un flipper. Le flipper était plus physique, moins hypothétique, et pour vos dix *cents* vous aviez votre content de sonneries, de cloches et de claquements. Là, avec ce jeune à la console, ce n'était que *bip* et *boiingg* feutrés.

« Dis-moi, Joe, elle a brûlé quand, cette baraque ?

— Tu parles de celle de Main ? » Joe servit des sodas à la cerise à deux fillettes blondes qui avaient la même coupe : ras d'un côté du crâne, long de l'autre. Toutes deux portaient à la narine un brillant qui avait l'air d'un petit bouton d'acné passé au chrome. Trente ans plus tôt, les filles avaient de longs cheveux qu'elles coiffaient avec une raie au milieu, et cela leur donnait — du moins dans le souvenir nostalgique que Cardinal en gardait — un air tendre et pensif. Aujourd'hui, on se perçait à l'épingle à nourrice pour être mode.

Joe revint de sa caisse enregistreuse. « C'était en novembre, je crois. Au début de novembre. Il devait y avoir au moins cinq ou six voitures de pompiers.

— Tu es sûr que ce n'était pas plus tard ? Après le Nouvel An ?

— Non. C'était avant que je me fasse opérer de cette hernie, le 10. » Joe fit pivoter sa taille toujours aussi considérable pour prendre la cafetière et resservir Cardinal. « Comment j'pourrais oublier un feu pareil ? »

Deux gosses étaient portés disparus. Et c'était en novembre que Catherine avait commencé à déprimer. Cardinal avait alors d'autres préoccupations.

Il emporta son café près de la fenêtre, pour observer une procession d'enterrement qui sortait de la cathédrale. Quatre hommes en costume noir portaient le cercueil. Sans manteau, les types devaient drôlement se les geler, se dit-il. De l'autre côté de la place, dans le terrain vague, un homme en parka vert et or et bonnet de laine assorti prenait des notes sur un bloc, son haleine semblable à des jets de plume dans la lumière du soleil.

Cardinal quitta la buvette et traversa l'avenue en esquivant les voitures. L'homme leva les yeux de son bloc-notes. Cardinal se présenta.

« Tom Cooper, de Cooper Construction. Je suis venu vérifier le travail des démolisseurs, et je ne suis pas content. Ils devaient avoir fini de déblayer mardi. On est vendredi. Et il reste beaucoup à faire. Difficile de trouver des ouvriers sérieux dans cette ville.

— Monsieur Cooper, vous qui êtes entrepreneur, savez-vous s'il y a d'autres maisons abandonnées dans Main West ?

— Non, pas dans Main West. Il y en a une à Mac Pherson. Et une autre à Trout Lake. Mais ici, en ville, elles ne restent pas longtemps vides.

— Celle dont on m'a parlé dans Main West aurait été inoccupée, en tout cas en décembre dernier. Des ados y traînaient, peut-être pour se défoncer. Vous n'avez rien entendu de semblable ? » Cardinal se rendait compte qu'il avait posé cette question d'une voix étouffée, presque craintive. C'était une piste tellement fragile qu'un souffle pouvait l'effacer.

Cooper passa son bloc-notes sous un bras et porta son regard dans la rue, comme s'il s'attendait à ce qu'une maison vacante apparaisse soudain. « Décidément, dans Main, je ne vois pas, mais peut-être parlez-vous de celle qui est dans Timothy. » Il pivota sur les talons. « Après tout, elle est au coin de Main.

— Vous voulez dire le coin de Main et de Timothy ? Près de la voie ferrée ? »

Cooper hocha la tête. « C'est ça, mais je doute que des gosses y traînent. La porte est scellée, et toutes les ouvertures sont obstruées. L'affaire est au tribunal depuis deux ans. Une zizanie entre les héritiers, à ce qu'on raconte.

— Je vous remercie de votre aide, monsieur Cooper.

— Dites-moi, ça n'aurait pas un rapport avec le crime de Windigo ? »

Comme tout le monde à Algonquin Bay, Cooper suivait l'affaire de près. Pas de suspects, sergent ? Ça concernerait seulement la ville ? Pensez-vous que la police montée se mette de la partie ? On ne pouvait pas reprocher aux gens leur curiosité. Cardinal dut l'écouter exposer une théorie impliquant un culte satanique avant de pouvoir se libérer.

Il roula jusqu'à Timothy Street, ralentissant pour passer le dos-d'âne que formait la voie ferrée. La ligne du Nord servait surtout au convoiement du pétrole vers Cochrane et Timmins. Quand Cardinal était enfant, le sifflement du train traversant Timothy le réveillait chaque nuit ; un son plein de solitude mais en même temps rassurant, comme le cri d'un huard.

C'était une vieille maison victorienne avec une véranda tout autour. La brique rouge au-dessus des fenêtres barrées de planches avait été noircie au cours des ans par la suie du chemin de fer, au point que les murs n'étaient plus aveugles mais au beurre noir. Telles des gargouilles, de gros glaçons saillaient aux quatre coins de la toiture. Le terrain, grand pour la moyenne d'Algonquin Bay, était entouré d'une haute haie.

Cardinal descendit de voiture et se tint un instant dans l'allée recouverte de neige. Hormis des traces de pattes d'oiseaux, il n'y avait pas une seule empreinte de pas.

Les marches menant à la véranda formaient une congère. Agrippant la rampe en fer, Cardinal se tailla à coups de botte un chemin jusqu'à la porte d'entrée, elle aussi obstruée. Les scellés étaient intacts, et la serrure ne portait pas de trace d'effraction. Il vérifia les fenêtres aux planches clouées et entreprit de faire le tour de la maison. La sonnerie du passage à niveau se déclencha et un train, un long convoi, passa bientôt dans le claquement des bogies, alors que Cardinal examinait la porte de derrière.

Quiconque projetant de pénétrer dans cette maison, se dit-il, le ferait par l'arrière : il n'y avait là que la haie et la voie ferrée. Et les voleurs aimaient les soupiraux. Mais ces derniers étaient enterrés sous la neige. Du talon de sa botte, Cardinal dégagea une tranchée le long du mur.

« Merde. » Il s'était égratigné le tibia contre l'épaisse croûte de glace. À environ un mètre du coin, il devina le haut d'une fenêtre. « Et voilà », grogna-t-il quand il eut dégagé en partie l'ouverture.

Le palais de justice d'Algonquin Bay est situé dans McGinty Street. Un bâtiment en brique, moderne, sans prétention ; ça pourrait être une école ou une clinique. Pour compenser tant de sobriété, le panonceau indiquant Palais de Justice du District de Nipissing est aussi grand qu'un panneau publicitaire.

L'huissier lui annonça que le juge Paul Gagnon siégeait jusqu'à midi, et qu'ensuite Son Honneur avait rendez-vous pour déjeuner.

« Voyez quand même s'il peut me recevoir. C'est au sujet de l'affaire Katie Pine. » Cardinal savait que jamais le juge Gagnon ne lui délivrerait un mandat de perquisition pour rechercher un jeune fugueur originaire de Mississauga qui avait maintenant plus de seize ans. Il remplit le formulaire exigé et, en attendant que sonne midi, il téléphona à la brigade. Delorme était sortie (une vérification concernant le cas Woody) et ne serait pas de retour avant une bonne heure. Cardinal se sentait quelque peu coupable de la laisser hors du coup, et il savait qu'elle enrageait de devoir s'occuper des délits mineurs.

Le juge Gagnon était un petit homme avec de très petits pieds, une voix flûtée et une moumoute d'un ton plus clair que les cheveux lui restant sur les tempes. Il semblait se noyer dans sa robe comme un enfant dans un vêtement d'adulte. De quelques années plus jeune que Cardinal, c'était un animal tout ce qu'il y a de plus politique.

« Ça n'est pas très épais, officier. » Il accrocha sa robe à une patère et enfila un veston sport en poil de chameau. « Vous soupçonnez que l'individu qui a tué Katie Pine et enlevé Billy LaBelle aurait séjourné dans la maison Cowart ? Et ce soupçon, vous le fondez sur une information de seconde main recueillie auprès de Ned Fellowes, du Centre Crisis — information qui ne concerne même pas le tueur lui-même mais un certain Todd Curry, lui aussi porté disparu. » Gagnon vérifia sa cravate dans la glace.

« L'une des fenêtres donnant dans le sous-sol a été forcée, monsieur le juge. Je suis sûr que les deux parties contestant la succession Cowart exigeront de toute façon une enquête. Mais si je passe par eux, ça prendra du temps et tracassera inutilement des gens qui sont déjà dans l'embarras. »

Le juge, toujours devant le miroir, regarda Cardinal d'un œil sceptique. « Si ça se trouve, c'est peut-être l'un des Cowart qui est entré. Pour y prendre un meuble de valeur ou je ne sais quel bien de famille.

— La fenêtre ne fait pas plus de soixante-dix centimètres de large sur moins de quarante de haut.

— Des bijoux, alors. La montre de gousset du grand-père. Ce que je veux dire, sergent, c'est que vous n'avez aucun motif sérieux de soupçonner l'intrus — si intrus il y a — d'être le tueur.

— C'est le seul endroit qui me fournit un motif sérieux de le penser, en dehors de l'entrée de la mine, sur l'île de Windigo. Peut-être qu'il a une prédilection pour les endroits déserts. »

Le juge Gagnon jeta un coup d'œil à sa montre. « Faut que je me sauve. J'ai un déjeuner avec Bob Greene. » Bob Greene était membre du Parlement, un crétin volubile d'arrière-bancs.

« Signez le mandat, monsieur le juge, et je vous laisse. Nous n'avons pas la moindre piste, ni pour Billy LaBelle ni pour Katie Pine. Cette maison est notre seule chance. » Pine-LaBelle était une combinaison susceptible d'emporter les hésitations de Gagnon, à défaut d'émouvoir son cœur lilliputien. Cardinal pouvait presque entendre le mécanisme se mettre en place : une affaire sensationnelle était une opportunité. Une opportunité bien saisie signifiait de l'avancement. Et la réussite personnelle, pour le juge Gagnon, ce n'était jamais que justice.

Le bonhomme fronça ses sourcils d'automate, minutant mentalement la résistance qu'il devait encore offrir, tel un comédien très modestement doué. « S'il y avait encore des gens dans cette maison, jamais je ne vous signerais de mandat. Jamais je ne vous laisserais troubler la quiétude d'une famille à partir d'éléments aussi ténus.

— Croyez-moi, monsieur le juge, je sais qu'ils sont ténus. J'aimerais tant avoir quelque chose de solide à vous donner. Hélas, le tueur n'a pas laissé sa carte de visite sur le corps de Katie Pine.

— Voilà bien de l'ironie. J'espère que vous n'êtes pas en train de me faire la leçon.

— Grand Dieu, non. Pour donner la leçon à monsieur le juge, il me faudrait des qualités de politicien. »

Le juge disparut un instant dans le manteau qu'il enfilait, puis sa tête et ses mains ressortirent du col et des manches. Il posa sa menotte sur la bible posée sur son bureau et la poussa vers Cardinal. « Jurez-vous devant Dieu que les faits fondant votre demande sont parfaitement exacts ? »

Cinq minutes plus tard, Cardinal, de retour à la maison Cowart, s'échinait à dégager la fenêtre. Il avait les genoux engourdis par le froid. La neige s'était stratifiée en couches alternées de poudreuse et de glace. Il retourna à sa voiture pour y prendre une pelle dans le coffre.

Le contreplaqué obstruant le soupirail avait été forcé au levier et les clous ne tenaient plus qu'à moitié. Cardinal n'eut aucun mal à l'enlever. Quant à la vitre, il n'y en avait plus.

Cardinal se débarrassa de son manteau, et l'air glacial le suffoqua un bref instant. Il se mit à genoux et, rampant à reculons, se glissa à l'intérieur. De la neige pénétra sous sa chemise et dans son pantalon, fondant contre sa peau. Il sentit sous ses pieds une plate-forme, peut-être une table, poussée par celui qui était entré pour ressortir plus facilement. Attirant à lui son manteau, Cardinal se hâta de le renfiler et, après une brève lutte avec la fermeture Éclair, battit des bras pour se réchauffer. La faible lumière entrant par la fenêtre échouait à dissiper l'obscurité.

Il descendit de son perchoir, une lourde table à repasser, constata-t-il, et alluma sa torche. C'était un objet robuste et pesant contenant six grosses piles qui, à l'occasion, lui avait servi de matraque. Le verre était fendu et le cylindre cabossé. Il balaya d'un faisceau blanc semblable au feu d'un phare la chaudière silencieuse, la machine à laver et le séchoir, un établi équipé d'une scie circulaire, qui lui fit envie. Il en avait vu un semblable à Canadian Tire, pour la bagatelle de cinq cents dollars.

Malgré le froid, il pouvait sentir l'odeur de pierre et de poussière de bois, mêlée à des relents de lessive. Il poussa une porte, balaya de sa torche une toile d'araignée. Il y avait des pots de confiture maison sur une étagère : pêches, prunes, et même un grand bocal rempli de piments rouges qui ressemblaient à des cœurs sanglants.

L'escalier avait été refait, le bois laissé brut. La lampe ne révéla aucune marque de pas, mais il grimpa les marches deux par deux et sur le côté afin de ne pas brouiller d'éventuelles traces qu'il n'aurait pas remarquées.

La porte en haut ouvrait sur la cuisine. Glacée, sombre, elle suintait le désespoir. Cardinal contenait l'excitation de la chasse, ce pressentiment obscur d'une découverte imminente. Il avait depuis longtemps appris à se méfier de telles impressions ; elles étaient presque toujours trompeuses. Qu'un intrus fût venu ici ne signifiait pas qu'un tueur ni même Tod Curry l'eût imité.

Apparemment, on n'avait touché à rien dans la cuisine. Une fine couche de poussière voilait toutes choses. Dans un coin, sous la volée de marches menant sans doute à l'étage, il y avait un buffet. Cardinal en souleva le loquet du bout de sa botte, révélant des rangées de conserves. Sur le mur, au-dessus du meuble, un calendrier d'un magasin de sport représentait un homme vêtu d'une veste de chasse en train de pêcher en compagnie d'un garçonnet qui riait. Un souvenir revint soudain à Cardinal : Kelly en vacances, un été, son excitation de petite fille à sa première prise, la délicatesse de ses gestes en appâtant l'hameçon, et l'éclat cuivré de ses cheveux contre le ciel d'un bleu profond. Le calendrier était arrêté au mois de juillet, deux ans plus tôt, le mois où était décédé le propriétaire.

Dans la poubelle il ne trouva rien d'autre qu'un emballage froissé de chez Tim Hortons, le marchand de beignets.

La salle à manger était garnie de vieux meubles mais Cardinal, peu expert en la matière, ne savait si c'étaient là de véritables antiquités ou des copies. Le grand tableau accroché au mur lui paraissait également ancien et lui rappelait vaguement quelque chose, mais Cardinal n'était pas non plus versé dans les arts. Kelly avait été stupéfaite un jour de découvrir que son père ne savait même pas qui était le groupe des Sept, apparemment des gloires dans l'histoire picturale canadienne. Un vaisselier aux portes vitrées contenait de jolis verres, parfaitement rangés. Cardinal ouvrit un petit meuble et découvrit des bouteilles de cognac et de whisky. Le siège en tête de table était le seul à avoir des accoudoirs, et le tissu qui l'habillait était beaucoup plus usé que sur les autres. Le vieil homme avait-il continué de manger à la place du maître de maison, longtemps après l'éclatement de sa famille ? S'était-il assis là, imaginant sa femme et ses enfants autour de lui ?

Le faisceau dévoila une double porte coulissante ouvrant sans doute sur le salon mais elle était fermée. Cardinal n'essaya pas de l'ouvrir et, regagnant la cuisine, il prit l'escalier menant à l'étage.

En haut, les chambres ne semblaient pas avoir été dérangées. Il s'attarda un instant dans la chambre principale, la dernière à avoir été occupée. Le petit téléviseur, posé sur une antique commode, aurait été facile à voler.

L'armoire à pharmacie de la salle de bains contenait des antihistaminiques, des laxatifs, un énorme flacon de lotion détartrante pour dentier.

Cardinal descendit l'escalier principal et entra dans le salon. Un piano à queue occupait une bonne partie de l'espace. Une paire de grands chandeliers en argent était posée dessus, à côté de photos encadrées de la famille Cowart. À la lumière de sa torche, Cardinal remarqua qu'on avait déplacé les chandeliers. Il semblait aussi que les bougies, du moins ce qu'il en restait, étaient récentes. Le couvercle du clavier était relevé et les touches portaient des empreintes de doigts. Quelqu'un s'était donc assis là à la lueur des chandelles. Probablement Todd Curry. Cardinal frissonna. Le froid lui faisait mal aux os.

La pièce évoquait un décor de théâtre : deux grands fauteuils, une jardinière avec une plante morte, un tapis rond devant la cheminée. Il restait dans l'âtre un gros tas de cendres que couvrait maintenant une fine pellicule de neige. Cela se comprenait : sans chauffage ni électricité, quiconque squattant ici en décembre était obligé de faire du feu. Les flammes avaient dû éclairer la pièce. N'avaient-ils donc pas peur que quelqu'un remarque la fumée ? Tout individu sensé s'en serait certainement inquiété. Ce n'est pas un individu sensé que je cherche, se dit Cardinal, mais un jeune toxicomane en fugue et un tueur d'enfants, et Dieu sait quoi encore.

Le faisceau de sa lampe éclaira le manteau de la cheminée, un grand téléviseur et, au-dessus du canapé, un tableau sombre, représentant un Espagnol, à en juger par sa petite barbe en pointe, enveloppé dans une cape de velours noir constellée de broderies brunâtres.

Éclairant de nouveau le canapé, il eut l'impression qu'on avait déversé un pot de peinture sur le dossier.

Se rapprochant, il découvrit que ce n'était pas de la peinture mais du sang. Beaucoup de sang.

Il releva la lampe et remarqua que ce qu'il avait pris pour un motif de papier peint était en réalité des gouttes de sang, comme si on avait aspergé le mur avec un goupillon trempé dans l'hémoglobine. Il constata ainsi que ce n'étaient pas non plus des broderies qui fleurissaient la cape du fier Espagnol.

Il examina de nouveau le canapé. On avait enlevé la housse de l'un des coussins. Un voleur en aurait eu l'utilité pour y transporter son butin, mais à quoi cela avait-il servi au tueur ? En tout cas, se dit-il, ni les chandeliers en argent ni le petit téléviseur n'ont excité sa convoitise.

Cardinal fut parcouru d'un violent frisson qu'il mit au compte du froid et se demanda où pouvait bien se trouver le corps de la victime, car il doutait que l'assassin l'eût emporté. Il élimina l'étage, qui ne semblait pas avoir été visité, et redescendit dans la cave, regrettant que l'électricité soit coupée.

Il s'arrêta devant une porte basse sous l'escalier. Dans les vieilles demeures, on trouvait souvent des remises à charbon, bien que plus personne aujourd'hui n'utilisât ce moyen de chauffage. Il y avait une large trace sur le sol poussiéreux.

Cardinal posa sa lampe par terre, et le faisceau projeta son ombre sur le mur, tandis qu'il se penchait pour ouvrir la porte qui vint à lui en grinçant. La température de glacière régnant dans la cave avait neutralisé son odorat mais il savait ce qu'il allait découvrir. Il voulait seulement en avoir la certitude et puis ficher le camp de là et revenir avec une équipe. Il ramassa la torche et la braqua dans le réduit.

L'enveloppe de plastique s'était ouverte autour du corps, tel un emballage cadeau. Le cadavre parfaitement conservé par le gel était lové sur lui-même dans une position presque fœtale. Une toile raidie par le sang et le froid lui coiffait la tête. Cardinal reconnut le tissu ; c'était celui des housses des coussins du salon. Pourquoi l'avait-on ainsi cagoulé ? Le pantalon baissé jusqu'aux mollets était un jean noir ; les chaussures étaient des Rangers noires. Cardinal savait par cœur la fiche signalétique : *blanc, sexe masculin, portait des...*

Il ignora la nausée qui montait de son ventre. Il pensait aux appels à passer : le médecin légiste, Delorme, le procureur de la Couronne. Mais en même temps que défilaient dans son esprit toutes ces mesures à prendre, son regard enregistrait certains détails : la montre bon marché autour du poignet fin, l'appareil génital martyrisé avant d'être pétrifié par le froid. Le cœur de Cardinal alla aux parents qu'il faudrait avertir, alors qu'ils avaient toujours l'espoir que leur fils fût encore en vie. Qu'il y eût ou pas une vie éternelle après la mort, un cadavre n'offrait plus de prise à la douleur, à la honte, à l'offense. Alors pourquoi ressentait-il maintenant ce même besoin instinctif, qu'il avait critiqué chez Delorme, de voiler ce corps supplicié ?

Cardinal faisait une pause dehors, satisfait que le froid et la neige réduisent la foule des badauds à des proportions contrôlables. Entre le légiste, les gars de l'Identité et ceux qui enlevaient le corps, il y avait tant de monde et de matériel dans la cave qu'on ne pouvait plus bouger. La nuit était tombée, la cour de devant était éclairée comme un plateau de cinéma et la file de voitures en stationnement s'étirait sur toute la longueur du bloc.

Il éprouvait une légère hésitation. Il avait fait un excellent travail, pas une action d'éclat mais un bel et bon boulot de flic, et aurait-il été un homme meilleur, se disait-il, il aurait joui de ce moment de satisfaction. Le policier honnête qu'il avait été il y a des années lui manquait, et il aurait aimé effacer sa faute, pour qu'elle ne vînt pas parasiter de pareils instants. Si Delorme enquêtait sur lui, si elle poussait suffisamment ses recherches, il se pourrait bien qu'elle trouve quelque chose. C'était peu vraisemblable, mais possible, et cela pouvait lui tomber dessus d'un jour à l'autre. Laisse-moi terminer ce travail, demanda-t-il à ce Dieu auquel il lui arrivait de croire, laisse-moi choper l'homme qui a fait ça à Todd Curry.

La meute des médias se pressait contre le cordon de sécurité entourant la scène du crime. Cette fois, il n'y avait pas que Gwynn et Stoltz du *Lode*, pas seulement Télé Sudbury. Les journaux de Toronto étaient là. Et CBC et CTV. C'est le tueur de Windigo ? voulaient-ils savoir. Cardinal n'avait rien à déclarer en dehors des faits bruts tant que la famille n'aurait pas été informée.

« Mademoiselle Legault ? Pourrais-je vous dire un mot ? » Il attira la jeune femme à l'écart des autres. « Le Tueur de Windigo, lui dit-il. Vous devez être fière de cette trouvaille. Ils se sont tous jetés là-dessus.

— Allons, le nom de Windigo s'est imposé à tous.

— Ne vous sous-estimez pas, vous en êtes l'auteur.

— Deux meurtres, et on n'est qu'en février. Cela fait presque deux fois plus que vous n'en comptez par an, n'est-ce pas ?

— Pas vraiment.

— Des meurtres de ce genre-là. Ne me racontez pas qu'il s'agit de drames familiaux. » La journaliste le scrutait intensément. Cardinal pensa à un chat guettant une souris.

« Croyez-le ou pas, mais ça va rudement s'agiter, ici. Je ne sais pas si…

— Et croyez-le ou pas, mais on ne joue pas les idiots à Télé Sudbury.

— Oh, je ne vous soupçonne pas de le faire.

— Alors, ne tournons pas autour du pot, reprit Legault. Éclairez un peu ma lanterne. »

Elle avait l'air sincère, à présent, et Cardinal avait un faible pour les gens sincères. Catherine l'était. Et lui aussi, probablement. « Si vous appelez l'assassin de Katie le Tueur de Windigo, dit-il, vous courez le risque d'exciter ce malade.

— Dois-je prendre ça pour un refus de m'en dire plus ? »

Cardinal désigna la maison. « Excusez-moi, mais on a besoin de moi, là-bas. »

Deux hommes travaillant pour les pompes funèbres locales quand ils n'œuvraient pas pour le médecin légiste venaient de sortir de la maison avec le sac contenant le corps. Ils le déposèrent dans leur fourgon. Le plus jeune des deux avait l'air rudement secoué et il clignait des yeux comme une taupe sous le vif éclat des projecteurs.

Sur ces entrefaites, Delorme était arrivée. « C'est sympa de m'avoir appelée, collègue. Décidément, vous êtes un fervent partisan du travail d'équipe.

— Je vous ai appelée. Vous étiez sortie.

— Je serais un homme, vous auriez attendu que je sois là. Si nous ne devons pas travailler ensemble, je ferais peut-être bien de retourner aux Internes. Vous expliquerez ça à Dyson.

— Vous parlez comme si vous les aviez quittées, les Internes. »

Elle le toisa des pieds à la tête. « J'ai l'impression d'entendre McLeod, savez-vous. En tout cas, si vous devenez parano, je ne peux pas grand-chose pour vous. » Elle regarda le fourgon mortuaire s'éloigner. « Ils vont directement à Toronto ? »

Cardinal hocha la tête.

« Arthur Wood… je le tuerais volontiers, ce salopard.

— Vous vous sentez d'attaque pour aller à Toronto ?

— Cette nuit ? Vous voulez dire… nous rendre à la Scientifique ? » L'excitation modifiait complètement sa voix. On aurait cru entendre une petite fille.

« Le prochain avion ne part pas avant demain matin, et je n'ai pas envie d'attendre. » Cardinal eut un signe de tête en direction du large dos de Barnhouse, qui gueulait après quelqu'un pour une raison connue de lui seul. « Je vais voir ce qu'en dit Barnhouse, et je passe vous prendre chez vous dans une demi-heure. Nous aurons doublé le fourgon avant même Gravenhurst. Je veux être arrivé là-bas avant que la Scientifique déballe ce petit cadeau. »

14

L'homicide n'est pas un délit fréquent au Canada. Si peu fréquent que la plupart des dix provinces du pays ne disposent que d'une seule unité de police scientifique, basée le plus souvent dans la plus grande agglomération. Ce dispositif, pour le moins économe, est certainement commode si vous enquêtez sur un meurtre commis à Toronto ou Montréal. Cardinal et Delorme, quant à eux, durent faire trois cents kilomètres en voiture, dont une bonne partie derrière un convoi de semi-remorques transportant du bois. À leur arrivée à la morgue, au coin de Grenville Street, un Sikh en uniforme bleu et turban blanc les annonça au téléphone.

Len Weisman les attendait dans le couloir. Il les fit entrer dans son bureau. C'était un homme de petite taille, râblé, aux cheveux noirs et drus. Il portait des lunettes design, une blouse blanche et des sandales en cuir, un rien incongrues dans ce décor médical de carreaux de faïence et de lino à la blancheur immaculée.

Avant de prendre la direction de la morgue, Weisman avait passé dix ans à la police criminelle. Sa plaque de détective et ses galons de sergent, encadrés sous verre, étaient accrochés au mur derrière son bureau, voisinant avec ses citations et une photo le représentant serrant la main du maire de Toronto.

« Je vous en prie, asseyez-vous, dit-il, affable. Faites comme chez vous. »

Chez soi à la morgue… pensa Cardinal, se demandant si Delorme se faisait la même remarque. Elle affichait une retenue inhabituelle. Dans le couloir, ils étaient passés devant le cadavre d'une très jeune femme sur une civière rangée contre le mur à côté de l'ascenseur comme un chariot de supermarché. La fermeture Éclair du sac était ouverte jusqu'à sa gorge et son visage pâle couronné d'une masse de cheveux clairs en sortait comme d'une chrysalide. Elle avait une chevelure magnifique d'un blond safran, et il était facile de l'imaginer occupée quelques heures plus tôt à la brosser avec ce mélange de fierté et de regard critique qu'une jolie femme entretient avec son image.

« Café ? Thé ? » Weisman débordait d'une vitalité proche de l'agitation, faisant deux pas vers la porte, tendant la main pour ouvrir un tiroir, ramassant un dossier sur son bureau. « Il y a un distributeur de boissons fraîches au foyer. Sprite ? Pepsi ? »

Cardinal et Delorme déclinèrent l'offre.

Weisman s'empara du téléphone comme s'il craignait que celui-ci lui échappe. « Je vais voir si notre anatomopathologiste est prête. Le patient est arrivé il y a vingt minutes seulement. »

Cardinal avait oublié cette appellation de « patient », comme si les occupants silencieux des chambres froides pouvaient se remettre de la mort.

On frappa à la porte, et l'anatomopathologiste entra. C'était une femme d'une trentaine d'années, grande

120

avec de larges épaules et des pommettes saillantes qui donnaient à son visage une beauté sculpturale.

« Docteur Gant, je vous présente les détectives Delorme et Cardinal, d'Algonquin Bay. » Puis, se tournant vers ses hôtes, il ajouta : « Vous pouvez aller avec le docteur, si vous le souhaitez. »

Ils lui emboîtèrent le pas. Le cadavre de la jeune femme avait été emmené, et le couloir blanc pouvait être celui de n'importe quel hôpital. La mort n'avait pas d'odeur, si ce n'est un faible relent de produit chimique. Ils traversèrent une grande salle d'autopsie et entrèrent dans une pièce réservée à ceux que, dans le jargon médicolégal, on appelait les « puants ». Ils se couvrirent des masques que leur remit Gant, et quand le photographe se dit prêt, le docteur enfila des gants de latex et ouvrit le sac. Delorme eut un haut-le-cœur.

« Oui, c'est moche, observa tranquillement Gant. Où l'avez-vous découvert ? Dans une remise à charbon ?

— Exactement : une remise à charbon dans une vieille maison inoccupée. Je suppose qu'il commence à dégeler.

— Très bien, nous allons d'abord le passer aux rayons. La radio est juste à côté. »

Elle refusa qu'ils l'aident à pousser la civière dans la pièce voisine où trônait une énorme machine en acier, que manipulait un homme débraillé en chemise à carreaux et blue-jean qui, chaque fois qu'il se penchait, dévoilait la naissance de ses fesses.

« Ce sac, il était comme ça, enveloppé autour de sa tête ?

— C'est une housse de coussin, docteur. Je ne sais pas pourquoi le tueur lui a recouvert la tête de cette façon. Je doute que ce soit par remords ou parce que ça lui donnait la nausée.

— Je vais appeler quelqu'un du service chimique avant d'y regarder de plus près. Commencez par le torse, Brian. »

Elle décrocha un téléphone mural et dit quelques mots d'une voix aimable mais ferme ; la personne à qui elle s'adressait aurait dû être très occupée ou très bête pour ne pas obtempérer sur-le-champ.

« Vous n'enlevez pas l'enveloppe plastique ? demanda Delorme.

— Non, nous les radiographions habillés, répondit Gant. Ça nous permet de repérer tout projectile ou fragment de lame qui pourrait être logé dans les vêtements. » Elle désigna la civière. « Le pantalon est baissé jusqu'aux chevilles, cela indique peut-être une activité sexuelle précédant l'agression. »

Le technicien prépara sa machine et ferma la porte. Puis il abaissa une manette, et un bourdonnement emplit la pièce. Les os des pieds apparurent sur l'écran fluorescent. Le rayon remonta lentement le corps, et le Dr Gant garda le silence jusqu'à ce que la cage thoracique apparaisse. « Gros traumatisme, ici : fractures des septième, cinquième et troisième côtes. Pas de corps étranger pour le moment.

— Cette tache bleue, dit Delorme, pointant son index sur une marque ronde et sombre à l'écran. Ce n'est pas une balle, n'est-ce pas ?

— Probablement une médaille ou une croix. »

L'image changea, et les os du bras commencèrent de se dessiner. « Nous examinons maintenant les extrémités », nota Gant. Elle indiqua une longue ligne blanche qui se brisait en deux comme une autoroute ouverte par un tremblement de terre. « Blessures défensives sur l'avant-bras gauche, fractures du cubitus et des os du poignet. Blessures identiques à l'avant-bras droit... clavicule brisée. »

La tête était encore coiffée de sa housse sanglante, mais la sphère fracassée du crâne envahissait maintenant l'écran. « Traumas multiples », reprit le Dr Gant. Puis, se penchant vers l'interphone : « Nous avons une espèce de trait blanc au milieu de la calotte, Brian. Pourriez-vous affiner l'image ?

— Oui, vous tenez quelque chose, là, docteur. »

Gant se rapprocha de l'écran. « Ce pourrait être un pic à glace. Peut-être un tournevis. Il a dû être enfoncé dans le crâne et le manche s'est cassé. »

Plusieurs des os de la face présentaient des fractures. Gant en fit un bref résumé : toutes étaient dues à de violents coups assénés avec un objet contondant, probablement un marteau.

La machine s'arrêta et le bourdonnement s'éteignit lentement, laissant un étrange vide dans la pièce.

Une profonde tristesse régnait. Ils avaient sous les yeux les restes d'un tout jeune homme qui avait en vain essayé d'esquiver de terribles coups. Et la mort avait pris son temps. Todd Curry avait peut-être été un ado difficile et décevant, mais il n'avait pas mérité un tel supplice.

Vlatko Setevic, du labo de chimie, les rejoignit. « Ah ! les flics du Grand Nord, vous n'avez donc jamais de victimes qui ne soient pas gelées ? »

Il déroula sur la partie de la table restée libre un ruban de papier blanc large d'un mètre sur lequel il posa le corps dans son enveloppe avec l'aide du docteur.

« Très bien, dit Setevic, on va lui enlever cette housse qu'il a sur la tête et puis je la poserai à part sur cette table derrière moi. Il faut procéder avec précaution. Ça prendra du temps. »

Setevic se mit délicatement à l'œuvre, tandis que Gant et un assistant dégageaient du torse la bâche plastique noircie de poussière de charbon et de sang. Le photographe commença de prendre ses clichés. L'enveloppe avait été attachée autour du corps avec une ficelle fine, du type employé pour les stores vénitiens. L'intérieur était recouvert d'une épaisse couche de sang coagulé. Le flash de l'appareil crépitait maintenant toutes les deux secondes.

Le corps dénudé demeurait dans sa position fœtale.

« J'ai prélevé quelques cheveux et des fibres de l'extérieur de la housse du coussin, dit Setevic. Je vais les examiner au labo. »

Delorme ne jeta qu'un seul regard au visage de Todd Curry et détourna la tête.

Le Dr Gant tourna lentement autour du corps sans le toucher. « La région pariétale gauche révèle un enfoncement provoqué par un objet lourd, peut-être un maillet. L'antérieur droit pariétal montre une dépression circulaire d'environ trois centimètres de diamètre, peut-être due à un marteau, mais on ne peut en être sûr. Il semblerait aussi que le coup donné ait causé l'arrachement partiel de la chair sur la pommette gauche.

— Il y a de l'acharnement dans cette mise à mort, fit observer Cardinal.

— Oui, les blessures témoignent d'une violence frénétique, confirma Gant. Mais il y a aussi des signes de contrôle, si je ne me trompe pas. Les coups portés révèlent une symétrie, voyez-vous ? Les deux pommettes, les deux côtés de la mâchoire, les deux tempes. Et je ne pense pas que ce soit le fait du hasard. Enfin, il y a ce trou d'environ dix millimètres de diamètre au milieu de l'os occipital. C'est la tige d'acier que nous avons visionnée à la radio. Et ce n'est pas dans un accès de folie qu'on enfonce un tournevis dans la tête de quelqu'un.

— Exact.

— N'importe laquelle de ces blessures pourrait avoir entraîné la mort, mais nous ne le saurons qu'après autopsie, et pour cela il faut attendre qu'il dégèle.

— Et combien de temps ça prendra ? demanda Cardinal.

— Au moins vingt-quatre heures.

— J'espère que vous plaisantez, docteur Gant.

— Pas du tout. Combien de temps vous faut-il pour décongeler une dinde de dix kilos ?

— Je ne sais pas… cinq, six heures.

— Et ce patient a séjourné à une température avoisinant probablement les dix ou quinze degrés au-dessous de zéro. Compte tenu de la corpulence, vous pouvez donc prévoir quatre à cinq fois plus de temps que pour votre dinde de Noël, autrement dit une bonne journée.

— Il y a quelque chose à l'intérieur », dit Delorme qui scrutait l'enveloppe de plastique.

Cardinal s'approcha, regarda à son tour puis, enfilant des gants de latex, plongea les deux mains comme un accoucheur. Avec lenteur et précaution, il retira en le tenant par les coins un objet plat, fendu et couvert de suie.

« Une cassette audio, dit Delorme. Elle a dû se coller à ses vêtements et elle s'est détachée sous l'effet de la chaleur ambiante.

— Ma foi, ne nous emballons pas, elle est probablement vierge, dit Cardinal en laissant choir la trouvaille dans un sac stérilisé. Espérons seulement qu'elle porte des empreintes. »

15

« J'avais envie de lui demander, au Dr Gant, ce qu'une jolie femme comme elle faisait dans une morgue, mais j'ai pensé qu'elle trouverait ça bizarre.

— Bien sûr qu'elle aurait trouvé ça bizarre, repartit Delorme. Moi aussi.

— Je ne sais pas, elle devrait être interniste, cardiologue, que sais-je ? Mais quel intérêt à passer son temps à autopsier des cadavres ?

— Le même intérêt que le vôtre, Cardinal : combattre les méchants. Je ne vois pas où est le mystère, moi. »

Ils se tenaient dans les locaux de la police scientifique, juste derrière les bureaux du coroner. Ils venaient de faire un relevé d'empreintes sur la cassette audio et portaient maintenant celle-ci au labo de chimie.

Setevic était penché sur un microscope. Il ne leva même pas la tête à leur entrée. « Un seul cheveu, en dehors de ceux de la victime. Neuf centimètres de long, châtain clair, race blanche, sexe probablement masculin.

— Et la fibre ?

— Rouge, trilobée.

— C'est lui, dit Cardinal.

— Vous n'en savez rien.

— Allons, il y aurait deux tueurs distincts possédant le même tapis rouge dans un village comme Algonquin Bay ? Impossible.

— Todd Curry a certainement séjourné au même endroit que Katie Pine, intervint Delorme. Et ça, c'est quasiment une certitude. De là à penser que Todd et Katie ont été transportés dans la même voiture… »

Setevic secoua la tête en souriant. « Vous ne le coincerez pas avec ça. C'est un revêtement très courant, pour appartements, caves, véhicules, et pas seulement au Canada mais aussi aux États-Unis. Je vous l'ai déjà dit après la découverte de la fillette. Faites-moi confiance, d'accord ? Dites-vous que je ne suis pas idiot. Vous avez quelque chose d'autre pour moi ? Qu'est-ce qu'il y a dans ce sac ?

— On aimerait entendre ce qu'il y a dessus. » Cardinal lui tendit la pochette contenant la cassette.

Setevic jeta un coup d'œil à l'intérieur. « Vous l'avez passée aux empreintes ?

— Oui, on en revient. Ils en ont relevé une partielle et l'ont confiée à l'ordinateur, mais nous ne sommes pas trop optimistes. Vous avez un lecteur ?

— Oui, mais pas très fameux.

— Ça ne fait rien. Nous voulons juste savoir si elle est vierge ou pas. »

Setevic les emmena dans un petit bureau encombré qu'il partageait avec deux autres chimistes. Il y avait des piles de revues scientifiques sur chaque surface disponible. « Excusez le foutoir. C'est ici qu'on rédige nos rapports et qu'on passe nos coups de fil. »

Il ouvrit un tiroir et en sortit un minuscule Aiwa poussiéreux. Il pressa le bouton de marche, et ils entendirent une voix de femme dictant les résultats d'une analyse. *L'échantillon révèle une prolifération de cellules blanches, indiquant un état avancé de...* La voix se fondit soudain dans un borborygme et s'arrêta.

« Mandy ! appela Setevic en direction de la porte ouverte. Mandy ! Est-ce qu'on a des piles de rechange pour le magnéto ? »

La dénommée Mandy arriva avec un paquet de quatre piles. Elle l'observa un instant se démener avec le clapet du compartiment avant de tendre une main parfaitement manucurée. Il lui passa l'appareil. Elle changea les piles en quelques gestes précis, appuya sur « Marche », lui redonna le lecteur, tandis que la voix reprenait sa litanie.

« Merci, Mandy. La loi et l'ordre ici présents vous remercient. »

Quand, toujours sans un mot ni un regard, elle eut disparu dans le couloir, il leva les yeux vers Delorme et lui demanda : « Vous croyez que j'ai une chance ?

— Aucune. Elle vous hait.

— Je sais. C'est mon charme slave, que voulez-vous. » Il glissa la cassette dans son logement. « Vous avez une idée de ce qui est enregistré ?

— Non, dit Cardinal. De la techno, probablement. » Le son crachota soudain dans la pièce.

Une série de petits bruits secs. Quelqu'un souffle dans le micro, tapote dessus, testant le son.

Delorme et Cardinal échangèrent un bref regard. T'excite pas, pensa Cardinal. Ce pouvait être n'importe quoi, n'importe qui, en tout cas rien qui ait le moindre rapport avec ce qu'il espérait. Il n'en retenait pas moins son souffle.

Cliquetis et froissements de tissu. Puis la voix d'un homme, une voix dure, éloignée du micro, disant quelque chose d'indistinct.

Une fille, incroyablement proche, la voix trem-
blante : « Faut que je parte. J'ai un rendez-vous à huit
heures. Ils vont me tuer si je ne viens pas. »

Le bruit d'un pas lourd. On entend soudain de la
musique en arrière-plan, la fin d'une chanson de rock.
Puis, à peine audible : «... sinon je vais me mettre en
colère.

— *Mais je ne peux pas. Il faut que je m'en aille. »*

Une voix d'homme, trop loin pour être enregistrée
clairement : « (inintelligible)... photos.

— *Pourquoi je dois porter ça ? Je ne peux pas*
respirer.

— *(gargouillis)... bientôt tu pourras t'en aller.*

— *Je n'enlèverai pas mes vêtements. »*

Bruit de pas se rapprochant. Plusieurs claques
bruyantes comme des coups de feu. Des cris. Puis des
sanglots. Qui soudain s'étouffent.

« Fumier », dit tout bas Cardinal.

Delorme regardait par la fenêtre, comme si l'appartement situé de l'autre côté de Greenville Street
présentait un formidable intérêt.

Changement de fond musical : les Rolling Stones.

Série de cliquetis.

« Peut-être un appareil photo », hasarda Delorme
sans se retourner.

La fille : « Laissez-moi partir, maintenant. Je vous
promets que je ne dirai rien à personne. Prenez les
photos et laissez-moi partir. Je jure devant Dieu que je
ne dirai rien.

— *... me répéter.*

— *Mais vous n'écoutez pas ! Il faut que j'y aille. Je*
dois répéter avec la fanfare. C'est vraiment important !
On a un concert à Ottawa et, si je ne viens pas, ils

appelleront la police ! Et vous aurez des ennuis !
J'essaye seulement de vous aider ! »

(Inaudible)

« Où ? J'habite la réserve. Chippewa. Mais mon père est policier. Il est de la PPO. Je vous avertis. Il va être furax.

(Inaudible)

« Non, je ne veux pas faire ça. Je ne veux pas. »

Bruit de pas. Bruit de tissu qu'on déchire. Puis la fillette, à peine cohérente : « S'il vous plaît, s'il vous plaît, s'il vous plaît ! J'ai rendez-vous pour répéter à huit heures. Si je ne... » Un bruit de déchirure, de l'adhésif peut-être. La voix de la fillette est réduite à un gémissement étouffé.

Les cliquetis reprennent.

Changement de musique : une chanteuse populaire.

Sanglots étouffés.

Cliquetis.

Encore des cliquetis.

Froissement.

Un homme tousse, proche du micro.

Une minute et demie de silence.

Un dernier clic, et le magnéto s'éteint.

Le reste de la bande était vierge, ainsi que l'autre face. Pour en avoir la certitude, ils écoutèrent toutefois pendant une demi-heure, tous trois plongés dans un silence minéral. Du temps passa avant que l'un d'eux émette de nouveau un son. « Vous avez quelqu'un dans la maison qui puisse tirer un son plus clair de cette cassette ? demanda enfin Cardinal d'une voix qu'il trouva trop forte.

— Euh... non, répondit Setevic, encore sous le choc.

— Parce que nous venons d'entendre la mort d'une fillette, et je veux savoir tout ce qu'on peut sortir de cette bande. Il n'y a personne aux Documents qui saurait quoi faire ?

— Aux Docus ? Ils analysent surtout les signatures, les manuscrits, les faux en écriture. Mais… »

Setevic se racla la gorge. C'était un balèze, un homme qui n'avait manifestement pas froid aux yeux, pensait Cardinal, mais ce qu'ils venaient d'écouter l'avait secoué. « Je vais vous donner un numéro de téléphone, dit-il enfin. Il y a un type que la PPO aime bien consulter. »

Le nouveau siège de la Radiodiffusion canadienne, dans Front Street, avait coûté affreusement cher aux contribuables, et Cardinal comprenait pourquoi. L'atrium, baigné par un flot de douce lumière tombant d'un dôme de verre huit étages plus haut, était une véritable serre plantée d'arbres exotiques. Un superbe marbre brillait sous vos pas. Cardinal pensa qu'on ne l'avait pas saigné pour rien.

Delorme et lui suivirent une hôtesse rayonnante à travers un dédale de couloirs, croisant des hommes minces et pâles, jusqu'à ce que leur guide pousse une porte laquée rouge et les invite à entrer dans un studio d'enregistrement faiblement éclairé.

Un homme en veste pied-de-coq se tenait devant une console de mixage, un casque d'écoute sur la tête. Un nœud papillon semblait éclater de coquetterie sur la chemise blanche immaculée. Jamais Cardinal n'avait vu homme vêtu avec plus de recherche.

La réceptionniste les annonça d'une voix forte. « Brian, ce sont vos amis de la police.

— Merci. Prenez place. Je suis à vous dans un instant », leur dit-il sans élever la voix, à la différence de la plupart des gens coiffés d'écouteurs.

Cardinal et Delorme s'assirent derrière lui sur des chaises pivotantes à haut dossier. « Oh, fit Delorme en caressant le tissu de son siège. Nous nous sommes trompés de métier. »

Le studio sentait la moquette neuve, et même les murs en étaient recouverts ; l'atmosphère était agréablement feutrée.

Pendant les cinq minutes suivantes, ils observèrent les mains pâles du technicien voleter doucement au-dessus des commandes, ici abaissant un grave, là donnant un peu de volume. Un graphique lumineux dansait sur l'écran, tandis que se reflétait dans la vitre au-dessus de la console l'expression à la fois absente et sérieuse du visage de l'homme qui semblait mû par une intelligence désincarnée.

Les haut-parleurs diffusaient une interview, deux voix masculines discourant d'un même ton pontifiant sur le fédéralisme. Delorme, qui s'ennuyait ferme, clignait des yeux. L'émission s'arrêta enfin ; le technicien enleva son casque et pivota vers eux. « Brian Fortier », dit-il d'une voix au timbre riche et sonore, une voix d'homme de radio. Il tendit une main devant lui, sans la diriger précisément, et Cardinal comprit que Brian Fortier était aveugle.

Delorme et lui se présentèrent.

Fortier eut un geste du pouce vers la console. « Je nettoyais du matériel d'archives en vue de leur rediffusion, expliqua-t-il. C'étaient John Diefenbaker et Norman DePoe. On n'en fait plus, des comme eux, de nos jours.

— Diefenbaker ? Il a transformé ma ville natale en arsenal nucléaire, quand j'étais gosse, dit Delorme.

— Alors, vous êtes d'Algonquin Bay.

— Exact, et vous… du Nord ?

— Pas du tout… j'suis un petit gars de la vallée d'Ottawa. » Il parla en français à Delorme, des paroles que Cardinal ne comprit pas vraiment, mais qui eurent le don de détendre sa collègue. Fortier ajouta quelque chose qui la fit rire comme une petite fille. Cardinal avait pataugé dans l'apprentissage du français jusqu'au lycée, mais il n'avait pas eu besoin de connaître la langue à Toronto, et, le temps de revenir à Algonquin Bay, il avait oublié ce qu'il avait appris. Il devrait prendre des cours pour adultes à la fac, se dit-il pour la énième fois, se reprochant sa paresse.

« On m'a dit à la PPO que vous aviez une bande pour moi ? »

Cardinal sortit la cassette de l'enveloppe. « Son contenu ne doit pas sortir d'ici, monsieur Fortier. Cela ne vous ennuie pas ?

— Je connais la musique, c'est une enquête en cours.

— Et je vous demanderai de porter ces gants de latex pour la manipuler. Cette cassette a été trouvée dans… »

Une main blanche l'interrompit. « Ne me dites rien… ça parasiterait mon écoute. »

Fortier enfila les gants, et ils observèrent ses doigts palper la cassette, la retourner dans tous les sens, s'immobilisant pour palper et penser comme de petits animaux indépendants. « Elle est verrouillée. J'ignore ce qu'il y a dessus, mais il semblerait que son utilisateur ait voulu la protéger. Toutes ces cassettes audio sont pratiquement identiques… Quelle est la marque ?

— Denon. Trente minutes. Oxyde de chrome. Nous savons qu'elle est d'un type courant, disponible un peu partout.

— Ma foi, vous n'en trouverez pas dans de petites localités, mais certainement dans une agglomération comme Algonquin Bay. Ce n'est pas un produit bon marché. Il coûte à peu près cinq fois plus qu'une cassette ordinaire.

— Voulez-vous dire que seul un professionnel en aurait l'usage ?

— Un professionnel ou quiconque ayant un goût prononcé pour la qualité utiliserait un magnéto à bandes, qui offre plus de rapidité et de flexibilité qu'un lecteur de cassettes. Mais les Ampex et les Denon, comme celle-ci, offrent un certain confort d'écoute.

— Elle a peut-être été volée dans un magasin, supposa Delorme.

— Les vendeurs ont tendance à ranger les plus chères derrière le comptoir ou, du moins, près de la caisse. » Fortier secoua doucement la tête de droite à gauche comme pour capter un arôme envolé.

« À quoi pensez-vous ? demanda Cardinal.

— En vous répondant qu'un professionnel dédaignerait ce genre de cassette, je parlais d'un spécialiste de l'enregistrement audio. Mais les musiciens s'en servent tout le temps. Si je voulais enregistrer un échantillon de ma musique, je le ferais sur une cassette de bonne qualité. Il y a même des marques spécifiques pour ça, comme Tascam, Fostex. Le son est propre, si on peut parler de "propre" en pop-musique.

— Et les comédiens qui espèrent décrocher une audition ?

— Ils présentent une vidéo, histoire de montrer à quoi ils ressemblent sur une scène. Mais les candidats au poste de speaker, par exemple, nous envoient des cassettes. »

Fortier ouvrit un lecteur sur la console et y inséra la cassette. Le matériel professionnel modifiait considérablement l'écoute. Et telle une image floue dont la définition s'améliore quand on fait le point, le son devint beaucoup plus clair, lorsque les doigts de Fortier ajustèrent divers boutons, voletant comme des oiseaux-mouches au-dessus de la console.

« Le ruban est un peu détérioré. Apparemment, il n'a pas été conservé dans de bonnes conditions.

— C'est le moins qu'on puisse dire », murmura Cardinal.

Le chuintement de la bande avait maintenant complètement disparu, et l'on aurait pu croire Katie présente dans la pièce. Sa terreur, ses tentatives de dissuader son bourreau, l'invention d'un papa policier donnaient à Cardinal l'envie de hurler. Fortier inclinait la tête comme un chien de chasse, identifiant les bruits au fur et à mesure : « Voix d'une très jeune fille... douze, treize ans. Cet accent est celui d'une Indienne.

— Exact. Et l'homme ? »

Fortier enclencha le bouton « Pause ». « Il est trop éloigné du micro pour en juger. Il n'est pas français ni même francophone. Pas de la vallée d'Ottawa non plus. Peut-être du sud de l'Ontario. Il n'a pas cette prononciation très ronde des voyelles qu'ont les gens du Nord. Mais il y a hélas trop de distance entre le micro et lui pour qu'on ait matière à analyse. »

Quand la bande arriva à son terme, Fortier donna ses impressions d'une traite, comme s'il redoutait d'oublier quelque chose en reprenant son souffle. « D'abord, cette bande a été enregistrée sur un bon appareil avec un bon microphone.

— On aurait donc affaire à un pro ? »

Fortier secoua la tête d'un air impatient. « Nullement. Il a mal placé son micro. Résultat, il capte trop de bruits, trop d'air. Un professionnel va toujours au plus près de la source.

— Vous pouvez nous dire quelque chose du lieu ?

— On va repasser la bande. J'ai commencé par isoler les voix pour mieux les faire ressortir. Je vais en faire autant pour l'arrière-plan. » Il abaissa certaines touches, en releva d'autres puis, le doigt immobilisé sur « Lecture », il leva la tête. « Je vous avouerai, sergent, que je n'ai jamais écouté quelque chose de plus terrible.

— Je m'inquiéterais si vous ne le pensiez pas. »

Et Fortier pressa le bouton de marche. « Quelque chose que je perçois, et qui vous échappe peut-être : ils sont dans une petite pièce aux murs nus… plancher en lattes… je capte un écho quand il marche… semelles de cuir, gros talons, probablement des bottes de cowboy. »

Même la voix de Katie semblait lointaine, maintenant. Mais les pas, le froissement des vêtements, les gifles… tous ces bruits emplissaient le studio.

« Pas beaucoup de circulation dehors. Une seule voiture et un seul camion en… quinze minutes ? On n'est pas près d'une grande route. C'est une vieille maison… On peut entendre vibrer la vitre de la fenêtre quand le camion passe.

— Moi, je n'y arrive pas, avoua Delorme.

— Moi, si. Comme chez les chauves-souris, la cécité développe l'ouïe. Il prend des photos, maintenant. » Il mit en pause. « Une idée qui me vient : faites enregistrer le son de l'obturateur et du mécanisme de bobinage de la pellicule. Avec ça, vous pouvez comparer avec d'autres types d'appareils. »

Delorme regarda Cardinal. « C'est une bonne idée. »

Fortier continuait de réfléchir à ce qu'ils venaient d'entendre. « Je ne suis pas un mordu, pour des raisons évidentes, mais cet appareil est de type ancien… pas de servomoteur, pas d'avance automatique, et le déclenchement de l'obturateur n'est pas électronique mais mécanique. Ce qui situe le modèle au milieu des années soixante-dix. L'obturateur est lent, ce qui indique une lumière faible, et on peut en déduire que la nuit est tombée.

— Bravo, monsieur Fortier, apprécia Cardinal. Continuez. »

Le son revint. « Je n'en ai pas la certitude, mais cette pièce est à mon avis située en étage. Les bruits de la voiture et du camion me semblent provenir d'en bas.

— Qu'est-ce qui vous faire dire ça ?

— L'écoute du bruit des moteurs à explosion est l'une des toutes premières choses qu'un aveugle développe.

— Et la musique ? Nous savons quand Katie a été enlevée. Si nous pouvons découvrir quelle est la station de radio qui passait ces morceaux, nous pourrons situer le jour et l'heure du meurtre.

— Désolé de vous décevoir, sergent Delorme, mais je ne pense pas que cette musique provienne d'une radio.

— Mais il y a trois chanteurs différents.

— Oui, et je peux vous les nommer : Pearl Jam, les Rolling Stones et Anne Murray. Je suis sûr que vous connaissez l'album des Stones et, si vous le désirez, je peux vous donner les titres des deux autres chansons. Mais j'ai deux remarques à faire : d'une part, c'est un choix bien étrange. Les deux premiers morceaux pourraient être radiodiffusés l'un après l'autre sans problème, mais je ne connais pas un seul animateur qui ferait suivre les Stones par Anne Murray. D'autre part, le temps de silence entre les diffusions est bien trop long. Il n'y a pas une seule station de radio, même la plus reculée dans le Nord, qui laisserait un pareil temps mort.

— Mais on ne l'entend pas changer de disque. Il appuie sur une touche, et la musique commence.

— Je suppose… ma foi, je suis sûr que c'est un enregistrement maison.

— Vous voulez dire qu'il aurait enregistré un disque, acheté ou emprunté à la bibliothèque, par exemple ?

— Ce n'est pas un disque mais un CD. Je perçois très bien ce lustre électronique qui leur est propre, cette espèce de vernis cuivré. Oui, il y a pas mal de gens qui empruntent des CD à la bibliothèque pour les enregistrer. Mauvais pour les droits d'auteur.

— Mais s'il utilise déjà un lecteur de cassettes pour enregistrer ce qui se passe dans la pièce…

— Cela signifie simplement qu'il dispose de deux magnétos. »

16

Le restaurant Sundial[1], juste à la sortie d'Orillia sur la route 400, est aussi circulaire que son nom le suggère. La salle à manger est lumineuse et très agréable avec ses hautes fenêtres cintrées, et le personnel accueillant. Cardinal y faisait toujours halte en rentrant de Toronto.

Delorme revint des toilettes, louvoyant entre les tables et les banquettes de vinyle rose. Elle avait une expression absente, et quand elle s'assit, ce fut d'une voix curieusement basse qu'elle suggéra de reprendre la route avant que la neige se mue en blizzard.

« Pas tout de suite, dit Cardinal. Je viens de commander une tarte à la noix de coco.

— Dans ce cas, je prendrai un autre café.

— C'est une tradition chez moi : m'arrêter au Sundial et goûter à leur tarte à la crème de noix de coco. C'est le seul endroit où j'en aie jamais mangé. »

Delorme acquiesça d'un signe de tête sans détourner son regard de la fenêtre. Elle semblait troublée. Cardinal

---

1. Cadran solaire. (N.d.T.)

songea un instant à lui en demander la raison mais il jugea préférable de n'en rien faire.

La serveuse revenait avec la tarte et le café, et Cardinal régla l'addition. « Je ne suis pas convaincu que les stations de radio soient un cul-de-sac, comme le pense Fortier. Et puis, nous n'en avons pas trente-six à vérifier.

— Je m'occuperai des prêts à la bibliothèque, si vous voulez.

— Vous m'avez l'air un peu déprimée. »

Delorme haussa les épaules. « Quand nous avons écouté la bande, j'ai pensé qu'on allait choper ce salaud très rapidement... demain, au plus tard à la fin de la semaine. Parce que c'est plutôt rare de tomber sur l'enregistrement d'un meurtre, non ? Et puis nous avons apporté la cassette à un expert, et qu'avons-nous ? Rien.

— Patience, Delorme. Fortier peut très bien trouver quelque chose le temps de terminer son amplification numérique. S'il parvient à isoler la voix du tueur...

— Il a dit que c'était impossible.

— D'accord, mais il y a la piste appareil photo.

— C'est vrai, et ça m'a redonné de l'espoir tout à l'heure dans le studio. Tout cela avait un aspect tellement scientifique. Mais réfléchissez : même si nous savons qu'il s'agit d'un Nikon de 1976, par exemple, en quoi cela va nous avancer ? Ce serait différent si c'était un appareil fabriqué l'an passé, parce qu'il y aurait une facture, peut-être même un reçu de carte de crédit. Mais un vieux Kodak ? Une antiquité qui est peut-être passée par dix propriétaires ?

— Vous êtes vraiment déprimée. »

Delorme était assise légèrement de biais sur la banquette, de manière à voir le parking. Une neige fine tombait depuis leur départ de Toronto. Un semi-remorque démarrait, ses essuie-glaces balayant le pare-brise. « Quand j'étais petite, dit-elle au bout d'un moment, je trouvais que ce restaurant ressemblait plus à un navire spatial qu'à un cadran solaire.

— Moi aussi, et je le pense encore. »

Sur l'emplacement libéré par le camion, un père aidait sa petite fille à remonter la fermeture Éclair de sa parka ; elle portait un bonnet vert avec un pompon qui lui battait le dos. Leurs souffles se mêlaient en une même brume, et Cardinal prit soudain conscience de cette peur enfouie quelque part dans son cœur en même temps que des regrets. Il y avait toujours un amour tissé d'angoisse entre un père et sa fille, se dit-il, d'où notre instinct particulier de protection.

« Vous avez une fille à l'université, n'est-ce pas ? lui demanda Delorme, comme si elle avait deviné à quoi il pensait.

— Oui. Elle se prénomme Kelly.

— En quelle année est-elle ?

— Deuxième année aux Beaux-Arts. Et elle est très brillante, ajouta-t-il malgré lui.

— Vous auriez pu prendre le temps de passer la voir.

— Kelly n'est pas à Toronto. Elle étudie aux États-Unis. » Comme vous le savez parfaitement, détective Delorme, bien que vous jouiez assez bien les innocentes. Enquêtez autant que vous voulez sur moi, si on vous en a donné l'ordre, mais ne vous attendez pas à ce que je vous aide.

« Pourquoi aux États-Unis ? Parce que votre femme en est originaire ?

— Sa mère est américaine, effectivement, mais ce n'est pas pour cette raison que Kelly est là-bas. Yale est la meilleure école d'arts plastiques de tout le continent.

— Oui, c'est une très célèbre université, mais je serais bien en peine de la situer.

— New Haven. Connecticut.

— New Haven ?

— Sur la côte Est. Un coin plutôt moche. » Vas-y, Delorme, demande-moi maintenant si j'ai les moyens d'offrir à ma fille de telles études. Demande-moi d'où me vient l'argent.

Mais Delorme se contenta de secouer la tête d'un air étonné. « Yale. Elle a bien de la chance. Qu'étudie-t-elle, disiez-vous ?

— Les arts plastiques. Kelly a toujours voulu être peintre. Elle a beaucoup de talent.

— Une fille intelligente, on dirait, et qui n'a pas envie d'être flic.

— Une fille intelligente. »

L'atmosphère était tendue dans la voiture, alors qu'ils roulaient vers le nord. L'un des essuie-glaces crissait à chaque passage, et Cardinal l'aurait volontiers arraché. Il alluma la radio et n'écouta pas plus de deux mesures de *Both Sides Now* de Joni Mitchell avant d'éteindre. À l'approche de Gravenhurst, les premiers rochers du Bouclier précambrien surgirent de chaque côté de la route. Cardinal, qui avait toujours le sentiment d'arriver chez lui en franchissant cette large passe taillée dans le granit, éprouva cette fois une sensation d'étouffement.

Dans la matinée, il avait appelé du bureau de la Scientifique, afin de tenir son supérieur informé de leur découverte. Dyson ne lui laissa même pas le temps d'ouvrir la bouche. « J'ai un nom pour vous, Cardinal.

— Un nom ?

— Margaret Fogle.

— Eh bien ?

« — J'ai dans la main, tout chaud sorti de la machine, un fax de nos collègues de Vancouver. Il se trouve que Mlle Fogle est non seulement en vie mais qu'elle se porte comme un charme et qu'elle est sur le point d'accoucher, lâcha Dyson, jubilant.

— C'est une bonne, une très bonne nouvelle, répliqua Cardinal.

— Allons, ne le prenez pas mal, Cardinal. L'erreur est humaine. »

Cardinal ne releva pas et se borna à relater aussi sèchement que possible sa matinée à la Scientifique.

Ils passaient Bracebridge, où les embranchements se devinaient à peine dans les tourbillons de neige, quand Delorme évoqua de nouveau la piste musicale, et l'échange de points de vue qui s'ensuivit eut pour effet de les détendre. Cardinal prit en même temps conscience de l'intérêt qu'il portait aux opinions de sa collègue. Peut-être fallait-il en chercher la raison du côté de ce visage fin, de ce regard grave. Ils ne se connaissaient pas assez pour que ce fût autre chose.

D'accord, pensa-t-il en ouvrant un débat interne avec lui-même, tu soupçonnes ta partenaire d'enquêter sur tes activités. Comment gérer cette situation pour le moins désagréable sans déraper ? Il décida qu'il ferait son possible pour l'aider. Il lui donnerait l'occasion avec une apparente innocence d'accéder à son vestiaire, à son bureau (si ce n'était déjà fait). Diable, il la laisserait même fouiner chez lui. Yale était ce qui jouait le plus en sa défaveur, et elle savait déjà ce qu'il en était à ce sujet. Il y avait peu de chance qu'elle découvre quoi que ce soit d'autre, en tout cas pas pour le moment.

Une fois qu'ils eurent dépassé Huntsville, Cardinal eut le sentiment de réintégrer enfin son territoire. Il avait toujours du plaisir à travailler avec les gens de Toronto, dont il appréciait grandement le professionnalisme. Mais il aimait le Nord : la pureté, les collines rocheuses, les forêts et l'impossible luminosité des cieux. Par-dessus tout, il chérissait le sentiment de travailler pour ce pays qui l'avait formé, le sentiment de protéger un espace où, enfant, il s'était senti protégé. Toronto offrait un large éventail de carrières, sans parler d'avantages financiers, mais il ne s'y sentirait jamais chez lui.

Chez lui. Cardinal souhaita soudain que Catherine fût à ses côtés. Il ignorait toujours quand cette douleur frapperait. Les heures pouvaient passer sans que son attention fût une seule minute distraite de l'enquête qu'il menait, et puis il éprouvait soudain un poids sur la poitrine, une souffrance et une faim. Catherine lui manquait alors terriblement, même Catherine la folle, Catherine la paranoïaque.

La nuit descendait. La neige tombait dans la lumière des phares en un rideau de dentelle.

Le lendemain matin, il neigeait encore. Cardinal et Delorme étaient dans le bureau de Dyson, qui leur lisait le profil du tueur qu'avait établi la police montée. Comment le sergent-détective avait obtenu du quartier général d'Ottawa une réponse aussi prompte était un mystère pour Cardinal. Les câbles des fax avaient dû surchauffer. Et Dyson, dans une véritable caricature de lui-même, se moquait du rapport qui lui avait coûté tous ces efforts.

« *L'analyse des photographies des lieux se heurte au fait que seul un des deux emplacements est celui d'un meurtre, le tueur ne s'étant servi de la mine de Windigo que pour se débarrasser du corps de sa victime*. Oh, vraiment ? C'est merveilleux, dit-il, s'adressant au document qu'il tenait à deux mains. Allons, raconte-moi quelque chose que je ne sais pas. »

Sans lever la tête, il feuilleta une page ou deux, parcourant un paragraphe de-ci de-là. « *Différentes causes de la mort... asphyxie... traumatismes multiples...* Blablabla et blablabla... *garçon attaqué étant assis... face à l'agresseur, ce qui indique qu'il connaissait celui-ci et lui accordait un certain degré de confiance...* Ma foi, nous le savons tous, ça.

— Ce que je ne comprends pas, intervint Cardinal, c'est que vous ayez fait appel aux profileurs de la PM à ce stade de l'enquête. À votre place, j'aurais attendu que nous ayons davantage d'éléments à leur fournir.

— Et quand donc on en saura plus ?

— Vous auriez dû m'en informer d'abord. Nous savons tous que ces cow-boys sont capables de bousiller une affaire avant même qu'on puisse dire ouf ! Rappelez-vous l'histoire Kyle Corbett, bon Dieu. Je ne veux même pas savoir comment ils s'y sont pris, cette fois-là. Mais on ne peut pas en dire autant de leurs profileurs, qui sont plus qu'excellents. Grace Legault, alias Miss Indice-d'écoute, m'a appelé hier soir ; elle voulait savoir quand nous mettrions dans le coup ces fameux profileurs. Je lui ai répondu que nous n'en avions pas besoin à ce stade de l'enquête. Maintenant, j'ai l'air d'un idiot.

— Écoutez, c'est une idée du chef, et c'est une bonne idée. Vous devriez le remercier. Ne savez-vous pas que l'attaque est la meilleure défense ? Ça nous débarrassera des médias pendant un moment, et sur la photo on sera en compagnie de nos frères et sœurs en uniforme rouge, ce qui est toujours de la bonne publicité.

— Mais il n'y a rien dont la Scientifique de Toronto ne puisse se charger... »

Dyson n'attendit pas que Cardinal aille jusqu'au bout de sa pensée. Il reprit sa lecture grotesque : « *Fillette emmenée hors d'un lieu très fréquenté... pas de trace de lutte... révèle de nouveau une certaine familiarité...*

— Les enfants, même les ados, l'interrompit Delorme, font preuve de confiance, si la personne sait comment les aborder. Souvenez-vous de ce satyre il y a quelques années... il prétendait travailler à l'hôpital et leur disait que leur mère venait d'être transportée aux urgences.

— Je m'étonne seulement qu'ils appellent ça un rapport, dit Dyson en donnant une pichenette au paquet de feuilles.

— Que voulez-vous qu'ils tirent de quelques photos du salon et de la cave d'une vieille maison inoccupée ? rétorqua Cardinal.

— Tiens, vous défendez les cow-boys, maintenant ? Combien de meurtres elle a résolus, cette profileuse dont ils sont tellement fiers, hein ?

— Vous parlez de Joanna Prokop ? Elle a profilé Laurence Knapschaefer à partir de la voiture qu'il conduisait. Elle en a davantage dans le cerveau que toute la division de l'Ontario réunie. »

Dyson tourna la dernière page et fit la grimace. « *La nature des deux sites indique un solitaire... la connaissance de la mine révèle un habitant de la ville ou de la région... Ah, nous y voilà : ce tueur révèle une tendance à l'organisation en même temps que des pertes de maîtrise de soi. Il n'a pas peur d'aborder ses victimes potentielles. Il possède le charme et le talent de conviction requis pour piéger un jeune individu. La maison abandonnée, le puits de mine, l'enregistrement sur bande magnétique, tout cela exige une soigneuse préparation. L'agresseur a probablement un emploi stable. Peut-être est-il un maniaque de la propreté, peut-être est-il un de ces obsédés qui font des listes ? Peut-être a-t-il un travail qui exige un grand sens de l'organisation ?* Sa manière de disposer de Todd Curry ne me paraît pas très propre, grogna Dyson, mais je ne dois pas avoir les mêmes critères que les culottes rouges. *Par ailleurs*, dit-il, reprenant sa lecture, *les marques de folie meurtrière sur le jeune Curry dévoilent une personnalité explosive... Le tueur est aussi quelqu'un qui perd de plus en plus le contrôle de lui-même, qui est de moins en moins ponctuel dans son travail.* Vraiment, qu'est-ce qu'on pourrait bien tirer de ce machin ? C'est Docteur Jekyll et Mister Hyde qu'il faut rechercher. Ce qui est possible quand le bonhomme est Hyde, mais comment le reconnaître quand il est Jekyll ?

— En tout cas, pas en restant assis à vous écouter. » Cardinal se leva et s'en alla.

Delorme l'imitait quand Dyson l'arrêta. « Attendez une seconde. J'ai des visions, ou bien monsieur est-il devenu un peu trop susceptible ? »

Delorme comprit bien sûr qu'il ne s'agissait plus de l'affaire Pine-Curry. « Il vous en veut de ne lui avoir rien dit.

— Ouais, ce doit être ça. Et comment ça se passe pour vous ?

— Très bien.

— Côté finances ?

— Rien encore. Les banques ne lâchent pas facilement leurs informations. Mais si vous voulez mon impression, je ne pense pas...

— Vos impressions ne m'intéressent pas, Delorme, et elles n'intéressent pas le patron non plus. Nous avons tous l'impression que le sergent John Cardinal est un policier de grande valeur. Nous avons tous l'impression qu'il est d'une honnêteté irréprochable. Aussi, je vous remercie, mais on en a assez comme ça, des impressions. Ce que je veux, c'est deux ou trois faits solides, qui expliqueraient comment Kyle Corbett a pu nous échapper trois fois de suite. Cardinal tient pour responsables les hommes de Musgrave. Très bien, mais comment un flic d'Algonquin Bay peut-il s'offrir une baraque dans Madonna Road ? Et envoyer sa fille à Yale ? Vous avez une idée du coût d'une année à Yale ?

— Je me suis renseignée : vingt-cinq mille dollars canadiens.

— Ça comprend la pension ?

— Non, monsieur, seulement les frais pour études. Nourriture, logement, livres et fournitures, tout cela se monte à quarante-huit mille dollars par an.

— Bon sang ! »

17

L'autocar tourna le coin de la rue et vint s'arrêter sous l'auvent de la gare, laissant dans son sillage des pans de neige tourbillonnante.

Les passagers débarquèrent, les jambes engourdies, les uns échangeant des embrassades avec des proches qui les attendaient, les autres gagnant les cabines téléphoniques ou se hâtant vers la station de taxis. Un petit groupe se rassembla devant la soute d'où le chauffeur sortait les bagages dans la fumée du moteur tournant au ralenti.

L'homme tira une guitare dans un étui rigide et la remit à un frêle jeune homme frissonnant dans une parka trop légère. Il avait de longs cheveux qu'il devait souvent dégager de ses yeux d'un geste devenu machinal. Des yeux ronds sous de hauts sourcils en arc lui donnaient l'air de s'étonner de sa propre existence. Il passa à son épaule la bretelle d'un énorme sac à dos et, ramassant son instrument, s'en fut vers la consigne ; il lui fallut prendre deux casiers pour tout ranger. Puis, serrant le col de sa parka sur sa gorge, il prit la direction de la station de taxis. Il se pencha pour échanger quelques mots avec le chauffeur, rejeta ses cheveux en arrière d'un mouvement de tête, et monta.

C'était la dernière voiture. Il n'y avait qu'un seul autre véhicule sur le parking de la gare routière, une Pinto grise, le moteur tournant et les vitres embuées.

Le taxi parcourut exactement quatre pâtés de maisons, tourna à gauche et déposa son client devant Alma's Restaurant. Le garçon gagna l'entrée de l'établissement en franchissant comme un équilibriste les congères glacées flanquant le trottoir. Il avait froid dans ses chaussures basses, qui prenaient la neige ; ses bottes fourrées étaient dans son sac, à la gare.

Il était l'unique client. Sur un petit écran de télé derrière le comptoir, Chicago jouait contre les Canadiens. L'ours barbu qui prit sa commande ne quittait pas des yeux le match. Quand il lui apporta son assiette, le poste vomit un tonnerre d'acclamations. « Merde, grogna l'ours, j'espère que c'est pas Chicago qui a marqué.

— Je pensais aller boire une bière quelque part, dit le garçon. Vous savez où traînent les jeunes du coin ?

— Les jeunes de mon âge ? demanda l'autre qui n'était pas vieux.

— Non, du mien.

— Essayez le Saint-Charles. » L'ours agita une patte comme un agent de la circulation. « La prochaine à droite en sortant d'ici, et deux rues plus loin, vous tombez dans Main. C'est juste en face.

— Merci. »

C'était le genre de gargote qu'un chauffeur de taxi pouvait recommander : des banquettes en vinyle, des tables en Formica, des plantes en plastique partout et, en dépit du nom, pas d'Alma en vue. Le garçon, assis au comptoir, contemplait la rue silencieuse. L'enseigne de néon rouge rosissait la neige qui continuait de tomber. Les chances de s'amuser un peu lui semblaient bien minces. Néanmoins, quand il eut fini son hamburger, il s'en fut en quête du Saint-Charles.

Il fut un temps où le Saint-Charles passait pour l'un des meilleurs hôtels de la ville. Pendant des décennies, sa situation à l'angle d'Algonquin et de Main attirait autant les visiteurs désirant séjourner en plein centre-ville que les touristes cherchant un accès facile au lac Nipissing, à deux cents mètres de là. La gare ferroviaire était à moins de cinq minutes à pied, et l'hôtel était la première construction d'importance que découvraient les voyageurs arrivant de Québec ou de Montréal. À cette époque, le Saint-Charles se flattait d'offrir aux visiteurs et aux hommes d'affaires charme, confort et service de qualité.

Cette époque était bien révolue. Quand le Saint-Charles ne put concurrencer les prix pratiqués par des établissements self-service tels que les Castle Inn et autres Birches Motel, il convertit ses étages en appartements de location occupés depuis par une population nomade et marginale. Il ne reste plus de l'ancien hôtel que son bar, le Saint-Charles Saloon, veuf de son élégance passée et désormais le lieu où la jeunesse d'Algonquin Bay apprend à boire. La direction n'est pas très regardante sur l'âge de ses clients, et la bière est servie dans d'énormes chopes.

Le garçon, qui s'appelait Keith London, se tenait au bar, regardant autour de lui en tirant sur sa cigarette avec la retenue prudente du nouveau venu. La salle tenait de l'entrepôt avec ses deux longues tables au centre, où des bandes de jeunes menaient grand tapage. Le long des murs, de minuscules tables rondes réunissaient de petits groupes de buveurs. Au-dessus de la porte des toilettes, une plaque de cuivre datant de la belle époque annonçait DAMES SEULEMENT. Un juke-box beuglait du Bryan Adams. Le plafond n'était qu'un cumulus de fumée de cigarettes.

Keith London finit sa bière et se demanda s'il allait en prendre une autre. Ce hamburger avait été sa seule nourriture depuis Orillia. La foule semblait avoir dépassé ce moment où on peut faire une place à un étranger. Le couple à sa gauche critiquait âprement certains de leurs amis communs. L'homme à sa droite contemplait d'un air autiste la partie de hockey que diffusait un écran silencieux. L'esprit d'aventure de Keith déclinait rapidement.

Il commanda une autre Sleeman. Si rien d'intéressant ne se passait, il finirait sa bière et irait prendre une chambre dans le motel que lui avait indiqué le chauffeur de taxi.

Il en était à la moitié de sa chope quand un homme en manteau de cuir se détacha du juke-box pour venir au bar et se caler entre lui et le couple voisin. Le manteau était du genre à dissimuler un fusil à pompe.

« Chiant, ce bistro, dit-il en pointant le goulot de sa Labatt en direction de la salle.

— J'sais pas. Ils ont l'air de bien se marrer. » Keith désigna d'un mouvement du menton les grandes tables d'où continuaient de fuser les rires.

« Les crétins s'amusent toujours. » L'homme porta la bouteille à sa bouche comme un clairon et en vida d'un trait la moitié.

Keith se tourna sur le côté, feignant un intérêt soudain pour le juke-box.

« Le hockey. Tu lui enlèverais son hockey… tout le pays mourrait d'ennui.

— J'suis pas vraiment fan, mais c'est quand même un sacré jeu », dit Keith, avant de s'éloigner en direction des toilettes.

Il était devant l'urinoir quand il entendit la porte s'ouvrir et le froissement du manteau de cuir. Il y avait plusieurs vasques libres mais l'homme s'installa à côté de lui. Keith se lava les mains et regagna le bar ; il lui restait la moitié de sa chope à vider.

L'autre revint un moment plus tard et s'accouda au comptoir, le dos tourné à la salle, et Keith eut l'impression que le type le fixait dans le grand miroir derrière le bar. « J'crois bien que j'ai un cancer à l'estomac, grommela le bonhomme. Quelque chose qui cloche là-dedans.

— Dur », dit Keith, se reprochant de ne pas éprouver davantage de compassion.

La sono jouait maintenant un vieux Neil Young. Son voisin battait bruyamment la mesure de son poing. « Je sais ce qu'on pourrait faire, dit-il, agrippant soudain le bras de Keith. Aller à la plage.

— À la plage ? On doit se les geler, là-bas.

— C'est super, la plage en hiver. On pourrait s'acheter un pack de six.

— Non, merci, je préfère rester à la chaleur.

— J'plaisantais, reprit le type, serrant toujours le bras de Keith. On pourrait faire une virée à Callander. J'ai un lecteur de CD dans la caisse. Quel genre de musique tu aimes ?

— Toutes sortes de musiques. »

Une femme, qui semblait sortir de la brume, demanda à Keith s'il avait une cigarette. L'homme lâcha aussitôt Keith et lui tourna le dos, comme si quelque charme venait d'être rompu.

Keith présenta à la fille son paquet de Player's. Il ne lui aurait pas prêté la moindre attention si elle ne lui avait pas adressé la parole. Ronde, molle, sans poitrine, elle avait un visage rendu particulièrement disgracieux par une peau marbrée et luisante, semblable à un masque.

« Mon ami et moi on te trouve intéressant. Tu n'es pas d'ici ?

— Ça se voit tant que ça ?

— Viens boire une bière avec nous. On s'ennuie à mourir. »

Allons, peu importe la tête des gens, se dit Keith, c'est exactement le genre de chose qu'on espère et qui n'arrive jamais : des gens amicaux qui s'intéressent à quelqu'un. Il s'en voulait d'avoir trouvé cette fille si laide.

Elle l'emmena à une petite table dans un coin, près du juke-box, où un gars qui devait avoir dans les trente ans pelait l'étiquette de sa bouteille de Molson d'un air tellement appliqué qu'on aurait dit que c'était là une tâche de la plus haute importance. Il leva la tête à leur approche et demanda avant même qu'ils s'assoient : « Alors, j'avais raison ? Il est de Toronto ?

— Vous êtes incroyables, tous les deux, répondit Keith. Je suis arrivé de Toronto il y a à peine une heure.

— Ma foi, il n'y a rien d'incroyable, dit la femme en regardant son ami emplir de bière leurs trois verres. Tu as l'air bien trop cool pour être de ce trou perdu.

— C'est pas mal, comme coin, protesta Keith. D'accord, ce type au bar craignait un peu.

— Ouais, on a vu ça, dit l'homme. On s'est dit qu'il fallait te venir en aide.

— Mais je vois que vous avez des cigarettes !

— Je me suis dit que c'était le seul moyen de t'aborder, dit la femme. J'ai du mal à aborder les étrangers. » Son compagnon alluma une Export A et offrit le paquet d'un mouvement sec du poignet. Difficile de dire qu'il était beau. Le crâne planté de mèches noires et grasses, héritage probable d'une période punk, il avait une peau si pâle que transparaissait sous les yeux et aux tempes le dessin bleu des veines. Le regard aigu, sa manière ramassée et intense de se pencher au-dessus de la table fascinaient Keith. L'homme semblait exprimer qu'il avait des choses importantes à faire dans la vie mais que, pour le moment, il vous versait de la bière, vous tendait du feu. Oui, Keith trouvait cela irrésistible, et il se demanda ce qu'un type pareil faisait avec cette femme au visage en fibre de verre.

« Dans ce cas, je vous pardonne, dit-il. À propos, je m'appelle Keith.

— Moi, Edie, et lui, Eric, dit la femme.

— Eric et Edie. Pas mal du tout. »

Keith se fit plus bavard après la deuxième chope. C'était une faiblesse dont il était conscient mais contre laquelle il se savait impuissant. « Quelle pipelette ! » le moquait parfois sa copine. Il raconta à Eric et Edie qu'il avait passé son bac et s'accordait une année sabbatique à voyager à travers le pays avant d'entrer en fac. Il avait déjà visité la côte Est et mettait maintenant le cap sur Vancouver. Puis il discourut de politique et d'économie, exposa son idée du Québec et de ces foutues Provinces maritimes[1]. Merde, je suis une machine à parler, pensa-t-il. Faut qu'on m'arrête.

« Terre-Neuve[2], mes amis, quel désastre. La moitié de la province est au chômage parce qu'on a bouffé tout

1. Provinces canadiennes de la Nouvelle-Écosse, du Nouveau-Brunswick et de l'île du Prince-Édouard. *(N.d.T.)*
2. Province du Canada comprenant l'île du même nom et le Labrador. *(N.d.T.)*

le poisson. Vous vous rendez compte ? Plus une seule morue dans la mer ! Sans le pétrole, c'est l'île entière qui serait au chômage. » Il renversa la tête en arrière. « L'île entière. »

Le couple n'avait pas l'air de s'ennuyer. Edie gardait le visage dans l'ombre, pour cacher son étrange peau, mais elle ne cessait de lui poser des questions. Et Eric faisait de même de temps à autre, relançant Keith, qui n'en demandait pas tant. C'était comme une interview.

« Qu'est-ce qui t'amène à Algonquin Bay, Keith ? demanda Edie. Tu connais quelqu'un ici ? Un parent ?

— Non, toute ma famille habite Toronto, et depuis toujours. De bons vieux anglicans purs et durs, tu vois ce que je veux dire ? »

Edie acquiesça d'un signe de tête, mais Keith douta qu'elle eût compris. Elle ne cessait de porter la main à son visage et de ramener ses cheveux sur ses joues, comme deux rideaux.

« Je n'avais aucune raison de m'arrêter à Algonquin, leur dit-il, mais j'ai un pote qui est passé ici il y a deux ans et il m'a dit qu'il s'était bien marré.

— Il t'a filé des adresses où dormir, tout ça ? T'as pas pris une chambre de motel, hein ?

— Pas encore, mais j'crois bien que j'irai au Birches. Le chauffeur de taxi m'a dit que c'était correct pour le prix. »

Ils lui posèrent d'autres questions. Sur Toronto, si c'était une ville dangereuse, les films qu'on y passait, les groupes de rock, les clubs branchés. Comment il pouvait supporter tout ce monde dans les rues, cette agitation, le métro ? D'autres chopes arrivèrent, des paquets de cigarettes, c'était exactement le genre de scène conviviale chère à Keith, le type de rencontre qui faisait tout le sel du voyage. Edie était proprement suspendue aux paroles d'Eric, et Keith commençait à comprendre ce que cet homme aimait en elle : l'adoration.

« On a bien pensé visiter Toronto, disait-elle, mais c'est tellement cher. Incroyable, le prix des hôtels, là-bas.

— Venez chez moi, dit Keith. Je pense être de retour en août au plus tard. J'ai de quoi vous loger. Je vous montrerai la ville. Ça vous plaira vachement, j'en suis sûr.

— C'est vraiment très sympa de ta part…

— Mais le plaisir sera pour moi. Vous avez de quoi écrire ? Je vais vous donner mon adresse. »

Eric, qui observait depuis un bon moment une parfaite immobilité, sortit de sa poche un petit bloc-notes et en arracha une page qu'il lui tendit avec un stylo-bille.

Pendant que Keith notait adresse, téléphone, e-mail et tout ce à quoi il pouvait bien penser, Edie et Eric s'entretenaient tout bas.

Eric lut attentivement ce qu'avait écrit Keith, avant de rempocher papier et stylo et de dire d'un ton décidé : « On a une chambre d'amis, Keith. Tu peux dormir chez nous, tu sais.

— Oh ! Hé ! je ne cherchais pas à me faire inviter.

— Non, non, on le sait bien.

— C'est… super généreux de votre part, et je ne sais vraiment pas quoi vous dire. Je ne voudrais pas m'imposer. Vous êtes sûrs que ça vous dérange pas ? Que c'est pas une manière de me rendre la politesse ?

— Non, on pratique pas la politesse, dit Eric en contemplant sa bière. Jamais.

— Tu sais, Keith, ici, on s'encroûte, intervint Edie. Alors, un étranger de passage, ça nous distrait. En fait, c'est toi qui nous rends service. C'est tellement intéressant de t'entendre raconter tes voyages et tout ça.

— Fascinant, approuva Eric. Rafraîchissant, même.

— Tu comprends et tu sens bien les gens, Keith. Peut-être que c'est parce que tu as roulé ta bosse. À moins que ce soit de naissance ?

— Non, c'est pas de naissance », répondit Keith en levant un index professoral. Oh, mec, écoute-toi carburer à la Molson. Et il repartit, il ne pouvait pas s'en empêcher, décrivant l'ignorant qu'il avait toujours été, même que c'était la raison qui l'avait poussé à bourlinguer, mais que c'était avec les filles, avec ses professeurs et aussi ses copains qu'il avait appris à se connaître lui-même. Et quand on se connaissait soi-même, on en apprenait beaucoup sur les autres.

Eric se pencha soudain en avant. C'était un geste plutôt théâtral après tant d'impassibilité. « T'as quelque chose d'artistique en toi, dit-il. Oui, tu dois être un artiste, je le sens.

— Bien vu, Eric. Je suis musicien, pas un professionnel, mais je me défends pas mal.

— Un musicien. Bien sûr. Et je parie que tu joues de la guitare. »

Keith reposa doucement son verre sur la table comme s'il était d'une extrême fragilité. « Comment peux-tu savoir que je joue de la guitare ?

— Tes ongles, dit Eric en lui resservant de la bière. Ils sont longs à ta main droite, et courts à la gauche.

— Bon sang, Edie, c'est un véritable Sherlock Holmes que tu as épousé. »

Étaient-ils mariés ? Il ne se souvenait plus s'ils le lui avaient dit.

« Il se trouve que j'ai un peu de matos pour enregistrer, reprit tranquillement Eric. Si tu as le talent que tu prétends, on pourrait faire une bande. Rien de délirant. Juste une cassette quatre pistes.

— Quatre pistes ? Quatre pistes, c'est génial. J'ai encore jamais fait un truc pareil.

— On peut t'enregistrer à la guitare sur deux pistes, les mixer, et ça en laisserait trois autres pour un synthé, une basse, une batterie, ce que tu veux.

— Formidable. Tu as déjà réalisé beaucoup de bandes ?

— Quelques-unes, mais je suis pas un pro.

— Moi non plus. Mais ça me plairait bien. Tu ne me ferais pas marcher, par hasard ?

— Si je plaisante, tu veux dire ? » Eric se renversa sur sa chaise. « Je ne plaisante jamais.

— Il prend ça très au sérieux, tu sais, intervint Edie. Il a deux magnétophones, un à cassettes et un à bandes. Et quand Eric fait un enregistrement, c'est vraiment quelque chose. »

18

« Si tu veux qu'ils crèvent lentement, tire-leur dans le ventre. Dans la région du nombril. Ils agonisent pendant des heures, et en souffrant, je te le dis. »

Edie tenait le Luger comme il le lui avait appris, une main soutenant l'autre, pieds écartés, jambes légèrement fléchies. *J'ai l'impression d'être une gamine qui joue aux gendarmes et aux voleurs. Mais quand le coup part, je ne connais rien de meilleur.*

« Réserve ton tir au ventre pour les grandes occasions, Edie. Pour l'instant, imagine qu'il vient vers toi. Il n'a pas envie de parlementer, pas envie de te faire prisonnière. Il n'a qu'un seul objectif : ta mort. Ton travail ? Refroidir ce salopard. C'est ton droit et ton devoir de le tuer. »

Ses mains me montrent comment presser la détente. Je sens les os de ses longs doigts sous la peau.

« Un tir à la tête, c'est toujours le premier choix, tu entends, Edie ?

— Un tir à la tête, c'est toujours le premier choix.

— Tu vises toujours la tête, sauf si tu es à plus de vingt mètres. Dans ce cas, tu cherches la poitrine. La poitrine, c'est le deuxième choix. Répète.

— La poitrine est le deuxième choix. La tête, le premier.

— Bien. Et tu vides tout ton chargeur. Il ne faut jamais en tirer une seule et puis regarder le résultat. Tu vides le chargeur. PAN ! PAN ! PAN ! »

J'ai fait un de ces bonds quand il a gueulé ça ! J'ai même poussé un cri mais il ne m'a pas entendue, tellement il est concentré quand il m'apprend des choses. On dirait que ses cheveux se dressent sur sa tête. Ses yeux deviennent deux puits noirs.

« Edie, ma fille, tu leur mets tout ce que t'as. Il a un gilet pare-balles ? Peu importe. Trois de ces pruneaux, et le mec est sonné, pas pour longtemps, mais assez pour que tu t'arraches.

— Mes bras me font mal. » *Il ne m'écoute pas. C'est un marine. Un maître tyrannique. Un professeur-né, et moi son élève-née. Je suis faible mais il me rend forte.*

« Respire à fond, Edie, et retiens ton souffle juste avant d'appuyer sur la queue de détente. C'est quand tu veux. »

Mais Edie tardait à tirer, et Eric grogna : « Quand tu veux, ça veut pas dire demain. Tu serais déjà morte deux fois. »

Edie tira enfin et, comme chaque fois, la puissance de la détonation la surprit. « Le recul est drôlement puissant, dit-elle. J'en ai les bras qui tremblent.

— Tu as fermé les yeux, Edie. Tu toucheras jamais rien ni personne de cette façon. » Eric s'en fut d'un pas lourd dans la neige vérifier la cible. Il en revint avec ce qu'Edie appelait sa gueule de marbre. « La chance du débutant. Une en plein cœur.

— Je l'ai tué ?

— Un pur hasard. Il t'aurait arraché la tête il y a une heure tellement tu es lente. Refais-le. Vise la poitrine. Et bon sang, garde les yeux ouverts. »

Elle se prépara, et il lui répéta ses observations précédentes. « Bien sûr, si tu veux qu'ils crèvent lentement, tu leur loges deux ou trois balles dans le ventre. T'as déjà vu un asticot sur un hameçon ?

— Il y a longtemps, quand j'étais petite.

— C'est comme ça qu'ils gigotent. Ahhhh ! » Eric porta les mains à son ventre et tomba à genoux et puis sur le dos et se contorsionna horriblement en feignant de vomir. « Voilà ce qu'ils font, dit-il, couché dans la neige. Ils se tordent de douleur. Pendant des heures.

— Je suis sûre que tu en as déjà vu à qui c'est arrivé.

— Tu sais pas ce que j'ai vu. » La voix d'Eric s'était faite froide et dure. Il se releva, épousseta la neige de son blue-jean. « Ça te regarde pas ce que j'ai vu. »

Edie tira de nouveau, manquant tout, la cible, l'arbre, et Eric poussa un cri de joie. Il avait été de bonne humeur pendant toute la matinée ; c'était toujours le cas quand ils avaient un invité. Avoir un invité libérait quelque chose en lui. Il l'avait réveillée tôt ce matin et lui avait proposé cette balade dans les bois, une leçon de tir, et elle savait que ce serait une bonne journée. Il la tenait par-derrière, maintenant, rectifiant sa prise sur la poignée. « T'inquiète pas. Si c'était trop facile, ça serait pas aussi fun.

— Et si tu me montrais comment ? Laisse-moi te regarder. Ça m'aidera à apprendre. » Cette attitude de soumission agissait toujours comme un charme.

« Tu veux voir le maître à l'œuvre ? D'accord, bébé. Regarde bien. »

La tête inclinée de côté, tel un chiot, Edie écouta Eric lui expliquer de nouveau l'importance de la bonne position des mains, de la flexion, de la visée. Il était au mieux de sa forme quand il lui racontait ces choses qu'il avait apprises à Toronto ou Kingston ou encore Montréal. Excepté une excursion à Toronto avec sa classe quand elle était au lycée, Edie n'était jamais sortie d'Algonquin Bay. À l'âge de vingt-sept ans, elle n'avait jamais vécu de manière indépendante ni rencontré quelqu'un comme Eric. Un homme parfaitement autonome et si beau.

Journal d'Edie, daté du 7 juin de l'année précédente : *Je ne vois pas ce qu'il peut bien trouver à une créature aussi affreuse que moi. Moi avec mon horrible visage et ma poitrine plate comme une limande. Il ne sait pas combien il est superbe. Si mince, avec des muscles noueux, et cette démarche, les épaules un peu voûtées, qui me donne des faiblesses dans les jambes.* Elle imaginait souvent le visage d'Eric, si bien dessiné, si fin, sur un grand écran de cinéma. Une gueule pareille aurait attiré les foules.

Avec, sous les yeux, ces cernes d'artiste hanté par le génie. Je le vois, oui, en haut d'une falaise battue par la mer, le vent soufflant dans ses cheveux, une longue écharpe blanche flottant derrière lui.

Il s'était présenté à la caisse de Pharma City avec de l'after-shave, une boîte de Kleenex, et il lui avait demandé des piles Double-A et un flacon de Power Up.

Que je sois maudite, avait-elle écrit, toujours dans son journal, ce premier jour où il lui était apparu au drugstore, *si je n'ai pas rencontré l'homme le plus puissant de l'univers. Il s'appelle Eric Fraser et travaille à Troy Music Centre et, pour moi, il a le visage d'un dieu. Quels yeux !* Elle relisait de temps à autre ces pages, pour se souvenir du vide de son existence avant que n'entre dans sa vie Eric Fraser. *Même son nom est beau.*

« Jamais essayé PowerUp ? » il lui avait demandé. La caisse enregistreuse fonctionnait mal et, pendant que le gérant s'occupait à la réparer, ils avaient eu le temps de bavarder.

« C'est comme No-Doz, non ? Des pilules à la caféine ?

— Oh, ils peuvent toujours dire que c'est seulement de la caféine. Ils peuvent dire ce qu'ils veulent, mais faites-moi confiance, vous pouvez faire des trucs incroyables avec PowerUp.

— Rester éveillé toute la nuit, hein ? »

Mais il s'était contenté de secouer la tête en souriant d'un air rusé. « Des trucs incroyables. »

Elle ne se doutait pas alors qu'il était très au-dessous de la vérité.

Tout de noir vêtu, sec et affilé comme un cran d'arrêt, il avait mis ses lunettes noires, et vous auriez juré qu'il faisait partie d'un groupe de rock underground. Et Edie était littéralement stupéfiée qu'un mec aussi beau et aussi intelligent et à la coule qu'Eric Fraser pût s'intéresser à une nulle, à une paumée comme Edie Soames. Trois jours avant qu'elle ne mentionne pour la première fois Fraser dans son journal, elle avait écrit : *Je ne suis rien, ma vie est moins que rien. Edie = un gros et grand zéro.*

Eric alla vérifier la cible, son souffle en écharpe blanche derrière lui. Il dessinait une silhouette incongrue sur fond de neige, ainsi vêtu de noir, avec ses cheveux hérissés et ses lunettes de soleil. Il revint en brandissant comme un trophée la cible de papier. « Joli travail. Tu commences à montrer une certaine sûreté. Ça n'est plus seulement du bol. »

Ils balancèrent la cible à l'arrière de la Pinto rouillée d'Edie et redescendirent la colline pour rejoindre la nationale, Eric prenant ses aises sur le siège passager. Il possédait sa propre voiture, une Windstar bleue de plus de dix ans qu'il entretenait parfaitement, mais Eric Fraser ne conduisait que s'il y était contraint.

Edie tourna à gauche près de l'ancien ciné-parc pour gagner Trout Lake. Elle se gara à la marina sous une pancarte indiquant PARKING RÉSERVÉ AUX RIVERAINS. Le lac d'un blanc aveuglant était parfaitement lisse, à l'exception des huttes de pêche. Des enfants patinaient sur la plage publique aménagée en patinoire.

Évitant la circulation en bordure du lac, ils grimpèrent la colline. De temps en temps, un traîne sauvage[1] chargé d'enfants les croisait dans un crissement de planches. Eric aimait se promener à pied, il aimait le grand air. Il lui arrivait de marcher pendant trois, quatre heures, le temps d'aller à Four Mile Bay et d'en revenir ou bien de pousser jusqu'à l'aéroport. Elle n'aurait jamais cru ça de lui ; il avait l'air tellement citadin. Mais ces randonnées dans la neige et le silence des collines semblaient apaiser cette tension qu'on sentait toujours en lui. Pour Edie, c'était un honneur de partager ces moments avec lui.

Ils enjambèrent une clôture métallique avachie et continuèrent de grimper au-delà de la nouvelle station de pompage. Edie soufflait comme une forge bien avant qu'ils parviennent au sommet et s'arrêtent en bordure du cercle gelé du réservoir. Un petit avion chaussé de patins vrombit un instant au-dessus d'eux, alors qu'il

1. Traîneau sans patins, fait de planches minces recourbées à l'avant. (*N.d.T.*)

virait lentement vers le lac. Ils se tenaient accrochés au grillage interdisant l'accès au réservoir. Edie pouvait parfaitement repérer l'endroit, deux cents mètres plus bas, où ils avaient enterré Billy LaBelle. Elle se garda bien, toutefois, d'en faire la remarque à Eric. C'était à lui d'aborder le sujet.

« Tu sais te taire, lui avait-il déclaré une fois. Et j'aime beaucoup ça. » Il avait été d'humeur maussade ce jour-là, et Edie avait été terrifiée à l'idée qu'il lui annonce son intention de se séparer d'elle, lui dise qu'il en avait assez de son visage de poisson gelé. Contre toute attente, il lui avait fait des compliments. C'était bien la première fois qu'on la félicitait de quelque chose, et elle chérit ces paroles comme autant de pierres précieuses. Depuis, elle pouvait rester des heures sans émettre un son. Quand il lui venait de méchantes pensées ou qu'elle était de nouveau saisie par ce dépit amer que lui inspirait sa propre laideur, elle se souvenait de ce que lui avait dit Eric cette fois-là. Et c'était dans un profond silence qu'elle pouvait, comme à présent, contempler à côté de lui un cercle d'eau gelée.

« J'ai faim, dit-il finalement. Peut-être que je vais manger quelque chose avant de m'effondrer.

— Tu veux venir dîner ?

— Non, je dînerai de mon côté. » Il n'aimait pas qu'elle le regarde manger. C'était l'une de ses particularités.

« Et si notre invité se réveille ? » Eric lui avait appris à ne jamais prononcer le nom de leurs proies.

« Après ce que tu lui as refilé ? J'en doute. »

Edie se retourna et embrassa du regard les collines et le lac en bas. Des senteurs de pin et de feux de cheminée flottaient dans l'air.

« J'aimerais bien ne pas être obligée de travailler pour vivre, dit-elle. J'aimerais qu'on passe notre temps ensemble. Qu'on voyage. Qu'on apprenne des choses.

— Travailler, c'est perdre son temps, approuva-t-il. Et les gens avec qui je bosse… putain, que je les hais, ces salauds.

— Tu parles d'Alan. » Alan était le patron, toujours sur le dos d'Eric, à lui demander ceci et cela et à lui expliquer sans cesse ce qu'Eric savait déjà.

« Pas seulement Alan. Cari aussi. Putain de pédé. Je les déteste tous. Ils se croient tellement parfaits. Et avec ce qu'ils me payent… j'suis obligé de vivre dans une porcherie. »

Edie commençait à avoir froid mais elle ne disait rien. Quand il se mettait à parler des gens qu'il haïssait, elle savait ce qui allait venir. Il y aurait une fête, comme l'appelait Eric. Ils avaient déjà mis en sûreté leur invité d'honneur. Edie sentit son cœur battre plus vite, et elle éprouva soudain le besoin d'aller aux toilettes. Elle pinça les lèvres, retenant son souffle.

« Je pense qu'on pourrait accélérer un peu les choses, dit Eric d'un ton détaché. On pourrait faire notre petite fête plus tôt que prévu. On ne veut pas que notre pensionnaire s'ennuie, pas vrai ? »

Edie souffla sans bruit. Elle avait les yeux humides. De la piste des traîne sauvage en dessous d'eux montaient les cris joyeux des enfants, dont les collines glacées propageaient l'écho.

Boum, boum, boum. Le bruit donnait à Edie l'envie de hurler. Elles avaient fini de dîner une demi-heure plus tôt ; que voulait-elle encore ? *Boum, boum, boum.* J'ai l'impression que c'est sur mon crâne qu'elle tape avec sa canne. Jamais une minute de répit. Je fais un

167

travail de merde toute la journée, dans un magasin de merde, dans une ville de merde, et quand je rentre à la maison, c'est... *boum, boum, boum.*

« Edith ! Edith, où es-tu ? J'ai besoin de toi ! »

Edie s'écarta de l'évier, une assiette mouillée dans la main, et hurla en direction de l'escalier : « J'arrive ! » Puis, baissant la voix : « Espèce de vieille salope. »

L'une des branches de l'arbre dans le jardin grattait la fenêtre d'un doigt de glace. Comme il lui avait paru vert et doux quelques mois plus tôt. Eric était entré dans sa vie, et l'été avait été le plus verdoyant qu'elle eût jamais vu.

Boum, boum, boum. Elle ignora le martèlement de la canne de sa grand-mère, souhaitant seulement que la branche gelée verdoie de nouveau. L'été entier avait été riche de couleurs, saturé d'un million de tons d'émeraude et de lapis, ruisselant du bonheur de connaître Eric. De l'ennui et du néant, Eric avait fait naître la passion. Le tout avait succédé au rien. De la misère avait éclos le frisson.

Je suis un territoire conquis, avait-elle écrit dans son journal. *J'appartiens à Eric. Il m'a prise d'assaut.* Ces mots lui rappelèrent un autre assaut, celui des rafales de vent et de pluie qui avaient cinglé les eaux grises du lac Nipissing en septembre dernier.

Ils avaient tué la fillette indienne. Enfin, Eric l'avait tuée, physiquement parlant, mais elle s'y était pleinement associée, l'aidant à attirer la gosse, retenant celle-ci prisonnière dans sa maison et assistant à la mise à mort.

« Vois-tu cette expression dans ses yeux ? il lui avait demandé. Il n'y a rien de tel que la peur. C'est la seule expression sur laquelle on ne se trompe jamais. »

La gamine était attachée au cadre en cuivre du lit, bâillonnée avec sa propre culotte et une écharpe par-dessus. On ne voyait plus que son petit nez et ses yeux marron foncé, presque noirs, grands ouverts. Deux puits de terreur dans lesquels on pouvait boire jusqu'à plus soif.

« Tu peux le faire juste comme ça », avait dit Eric quelques nuits plus tôt. Ils avaient bavardé dans le salon à la lumière des chandelles, grand-mère endormie dans sa chambre à l'étage. Eric aimait venir la nuit et s'asseoir avec elle, pas pour boire ni manger, mais seulement parler ou partager de longs silences. Cela faisait des semaines qu'il lui exposait ses idées, lui donnait des livres à lire. Il s'était penché vers la table basse, la lueur de la bougie accentuant le dessin anguleux de son visage, et avait mouché la flamme entre le pouce et l'index.

Et c'était juste comme ça — avec un délicat pincement des narines — qu'il lui avait ôté son dernier souffle. Ça n'aurait eu absolument rien de violent, sans la lutte et les soubresauts de la fillette.

Edie avait senti ses jambes la trahir, et son cœur se soulever, mais Eric l'avait soutenue, lui avait préparé du thé, lui assurant qu'il fallait un peu de temps pour s'y habituer, mais que finalement il n'y avait rien de plus grand au monde que de donner la mort.

Il avait raison. Le respect de la vie n'était qu'une invention semblable à la limitation de vitesse : un règlement auquel on pouvait à son gré se soumettre ou non. Eric lui avait fait découvrir qu'on n'était pas obligé d'être bon, que rien ne vous forçait à l'être. Et cette prise de conscience, c'était du kérosène pur dans vos veines.

Il faisait très chaud ce jour-là pour un mois de septembre et, quand la fillette fut morte, Edie eut l'impression que soudain la pièce s'emplissait d'oiseaux, chantant dans la douceur de l'air, tandis que le soleil inondait d'or la fenêtre.

Eric glissa le corps dans un sac de marin qu'il balança sur son épaule, et ils partirent dans sa Windstar pour Sheperd Bay où il avait loué un petit bateau et aussi du matériel de pêche, témoignant d'une minutie et d'une prévoyance qu'Edie admirait. Eric traversait rarement une rue sans avoir en tête un plan d'action.

Ce n'était qu'une embarcation en aluminium de trois mètres cinquante équipée à l'arrière d'un Evinrude de 30 chevaux. Une fois qu'Eric eut lancé le moteur, il fut heureux de laisser la barre à Edie. Il s'assit à la proue à côté du sac, les cheveux au vent. Le vent venait de se lever et semblait traverser le léger blouson de Nylon d'Edie. Il se rafraîchit brusquement quand elle sortit de l'anse pour entrer dans la vaste étendue du lac Nipissing. Les nuages se fondaient dans un horizon s'assombrissant de minute en minute. Edie longeait le rivage et ils ne tardèrent pas à passer devant Algonquin Bay, les murs de calcaire de la cathédrale se découpant en blanc sur le ciel charbonneux. La ville semblait bien modeste vue de loin, guère plus grande qu'un village, mais Edie eut soudain peur que quelqu'un s'étonne de voir ce couple dans un petit bateau se dirigeant vers la tempête. Cela pouvait entraîner l'arrivée d'une vedette de la police, et ils demanderaient à voir ce qu'il y avait dans le sac. Edie donna des gaz, et la coque frappa la houle de plus belle.

Eric désigna l'ouest, Edie changea de cap, laissant la ville derrière eux. Il n'y avait pas une seule autre embarcation en vue dans ce paysage vaporeux. Eric lui sourit en levant le pouce, comme si elle était son copilote en mission de bombardement.

L'île apparut bientôt au loin, le puits de mine s'élevant des eaux tel un monstre marin. Edie fila droit dessus et, à l'approche de l'îlot, réduisit la vitesse. Eric lui fit signe d'en faire le tour. Il n'y avait rien ni personne en dehors de la mine abandonnée. Ils scrutèrent le lac : vide de toute embarcation.

Edie contourna une pointe rocheuse et s'engagea vers la rive. Le clapot les secouait durement et, quand Eric se leva, il dut s'accrocher au plat-bord pour ne pas tomber à l'eau. Il sauta sur un rocher avec le bout et tira le canot au sec sur la plage de galets, qui résonnèrent contre la coque.

« Je n'aime pas la gueule de ces nuages, dit-il. Faisons vite. »

Le sac pesait une tonne.

« Bon Dieu, quel poids mort, cette vieille Katie, grogna-t-il.

— Très drôle, Eric.

— Tu peux la lâcher maintenant, je la tiens bien.

— Tu ne veux pas que je t'aide ? Il y a une sacrée pente.

— Non, reste dans le bateau. J'en ai pas pour longtemps. »

Edie regarda Eric grimper la grève d'un pas chancelant, le sac sur l'épaule. Une bonne chose que le coin fût désert, car à cette distance le contenu ne laissait guère de doute. Le dos de la fillette et les vertèbres se dessinaient sous la toile, ainsi que ses pieds. Elle devinait aussi la barre d'acier qu'Eric avait glissée à l'intérieur du sac pour briser le cadenas de l'entrée de la mine.

De grosses gouttes de pluie commencèrent à s'écraser dans le canot avec un bruit de gravier tombant dans un seau. Edie se recroquevilla dans son blouson de Nylon. Les nuages passaient au-dessus à une vitesse incroyable, et les eaux se couvraient d'écume.

Eric était parti depuis dix minutes quand un puissant vrombissement se rapprocha et un petit hors-bord déboucha de la pointe. Le garçon à la barre se leva pour saluer Edie d'un grand signe de la main. Elle lui rendit son salut en grinçant des dents. Fous le camp, connard. Fous le camp !

Mais le bateau se rapprocha. Le garçon, se soutenant au pare-brise, lui cria : « Ça va bien ?

— Oui, rien qu'un petit problème de moteur. » C'était la pire des réponses, et Edie la regretta aussitôt.

Le hors-bord avançait lentement parmi les rochers. « J'peux jeter un œil si vous voulez.

— Non, ça n'est rien. J'ai noyé le moteur, et j'attends que l'essence redescende dans la pompe. Ça ira.

— Je peux vous attendre.

— Non, vous allez vous mouiller.

— Je suis déjà trempé. »

Que se passerait-il si Eric revenait avec le sac sur l'épaule ?

« Ça fait longtemps que vous attendez pour redémarrer ?

— Je ne sais pas, répondit Edie, qui commençait à paniquer. Dix, quinze minutes. Mais ça va bien, ne vous inquiétez pas.

— Laissez-moi essayer, dit-il en collant son hors-bord contre le canot. J'peux pas abandonner une demoiselle en détresse, ajouta-t-il avec un grand sourire.

« — Non, je vous en prie. Ce moteur se noie facilement, alors je vais attendre un peu. »

Elle vit alors Eric apparaître à une trentaine de mètres, dans le dos du garçon, et, à la vue de celui-ci, reculer vivement dans l'ombre des pins.

L'autre crétin continuait de faire du charme à Edie. C'était un adolescent à l'air niais, le visage boutonneux. « Vous êtes d'Algonquin ? »

Edie acquiesça. « Je vais réessayer, maintenant. » Saisissant la poignée, elle tira sur la corde. Le moteur toussa une fumée bleue mais ne démarra pas.

Du coin de l'œil, elle pouvait voir Eric qui se rapprochait sous le couvert des arbres. Dans une minute au plus, il serait juste derrière le garçon. La barre d'acier luisait dans sa main.

« La pression est bonne ? Vaudrait peut-être mieux pomper sur le réservoir.

— Quoi ? » Edie tira de nouveau sur la corde.

« Le gros bidule sur le réservoir, il faut appuyer dessus. Vous voulez que je le fasse ? »

Edie fit ce qu'il disait et sentit une résistance grandir jusqu'à ce qu'elle en ait mal aux doigts. Elle fit un nouvel essai et, cette fois, le moteur démarra bruyamment. Elle sourit au garçon. Eric n'était plus qu'à une quinzaine de mètres, caché parmi les pins.

« Je peux vous accompagner jusqu'au port, ça me dérange pas.

— Non, merci. Je préfère rentrer seule. »

Le garçon mit les gaz. « Traînez pas trop dans le coin, mademoiselle. Ça va souffler plus dur. » Il passa en marche arrière, les vagues explosant contre la poupe du hors-bord. Quand il se fut dégagé de la passe rocheuse, il lui adressa un grand salut et repartit en bondissant sur l'eau.

Edie regarda Eric, qui avait l'air d'un bûcheron sous les pins, avec sa barre sur l'épaule. « Bon Dieu, dit-elle, j'ai bien cru qu'il s'en irait jamais. »

Eric attendit que le garçon ne soit plus qu'un point minuscule au loin pour monter dans le canot.

« Bon Dieu, répéta Edie, j'ai cru que j'allais me pisser dessus.

— Ç'aurait été vraiment fastoche de lui fracasser le crâne. » Eric laissa choir la barre qui heurta avec fracas le fond en aluminium. « Il a eu de la chance que j'en aie pas eu envie. »

Un grondement de tonnerre déchira le ciel, et des éclairs illuminèrent l'horizon.

Boum, boum, boum.

« D'accord, d'accord ! »

Elle monta.

La vieille femme gisait dans son lit, appuyée contre les oreillers. Il faisait chaud dans la chambre à l'air confiné. Le poste de télévision était allumé, mais il n'y avait pas d'image.

« Qu'est-ce que tu veux ?

— Le machin a disparu, dit-elle en désignant l'écran neigeux.

— Et tu m'appelles pour ça ? Il doit être encore sous les couvertures.

— Non, j'ai regardé partout. »

La télécommande était par terre, sur la descente de lit. Elle la pointa sur le poste et l'actionna jusqu'à ce qu'elle tombe sur un film.

Sa grand-mère lui prit l'objet des mains. « C'est en français ! J'en veux pas, du français !

— Qu'est-ce que ça peut te faire, il n'y a pas le son.

— Quoi ?

— Je te dis qu'il n'y a pas le son !

— Je veux un peu de compagnie, c'est tout. Des gens avec qui je pourrais parler, si je les rencontrais. » Comme si Alex Trebek[1] allait passer prendre le thé sur le chemin des studios.

Edie ouvrit la fenêtre, remplit le verre d'eau sur la table de nuit, tapota les oreillers, et posa sur le lit deux magazines qu'elle avait chipés au drugstore. Oh, Eric, sauve-moi de tout ça.

« Edie, ma chérie ? » Le ton doucereux lui donnait la nausée.

« Je n'ai pas le temps. Eric doit venir.

— Je t'en prie, ma douce. Pour ta vieille mémé ?

— Mais je t'ai lavé les cheveux il y a trois jours. Je ne peux quand même pas tout laisser tomber pour te faire une mise en plis. Tu ne vas pas au bal, que je sache.

— Quoi ? Que dis-tu ?

— J'ai dit que tu ne risquais pas de bouger d'ici !

— S'il te plaît, ma chérie. Tout le monde a envie d'être belle.

— Pour l'amour du Ciel !

— Viens, ma petite, on va regarder un peu la télé ensemble. » Elle tripota la télécommande, jusqu'à ce que le son soit assourdissant. Un reporter évoquait la découverte du corps de Todd Curry, promettant de plus amples informations au journal de six heures. Le *Lode* de la veille avait fait paraître une photo de lycée du jeune homme, sur laquelle il avait l'air bien plus innocent qu'il n'était en réalité. Était-ce un deal de drogue qui avait mal tourné ou bien l'acte d'un serial killer ? Rendez-vous à dix-huit heures pour en savoir plus.

1. Célèbre animateur de jeux télévisés. *(N.d.T.)*

Edie prit la bassine et lava les cheveux de sa grand-mère. Ils étaient si fins qu'elle en eut pour quelques minutes, mais elle détestait l'odeur de chien mouillé que dégageait la vieille. Elle lui plaça les bigoudis pendant que l'autre hurlait des réponses fausses au jeu télévisé qui faisait suite au flash.

Quand elle eut fini, elle vida la bassine et elle était sur le palier quand un coup de sonnette la fit tressaillir violemment et lâcher la cuvette. C'était la police, elle en était sûre. Mais quand elle entrebâilla le rideau, elle fut envahie d'un sentiment de joie. *Sitôt qu'Eric apparaît, le gouffre dans lequel je vis devient soudain un lieu plaisant et lumineux. L'obscurité qui m'entoure n'est plus qu'un produit de mon imagination. Soudain, il y a de l'air, de l'espoir. Soudain, une merveilleuse lumière baigne mon puits sans fond !*

19

« C'est vraiment fascinant, je dois reconnaître », disait la bibliothécaire. Elle avait la taille épaisse, le teint pâle, et des yeux bleus brillant derrière une paire de lunettes d'une laideur étonnante. « Croyez bien que je n'ai pas le goût du macabre, mais je ne connais rien de mieux qu'un bel assassinat pour vous éveiller l'esprit et mettre vos neurones au travail, vous ne trouvez pas ?

— Qui a parlé d'assassinat ? répliqua calmement Delorme. Je n'ai rien dit de tel, il me semble.

— Allons, je vous ai vus à la télé, vous et cet autre policier, la nuit où on a découvert la petite Pine. Horrible affaire. Et aussi quand on a retrouvé le garçon dans cette maison. Non, non, officier, on n'oublie pas une chose pareille. Ça n'est pas Toronto, ici, vous savez. Alors, les deux crimes sont liés ? Rien que d'y penser, j'en ai des frissons.

— Madame, l'enquête est en cours, et je ne peux rien vous dire.

— Bien sûr que vous ne pouvez pas. Les policiers doivent garder secrets certains détails, sinon n'importe

177

quel vieux fou irait avouer que c'est lui, et qui saurait alors la vérité ? Mais, tout de même, quel peut être le motif dans cette histoire ? Ce garçon avait seize ans, du moins d'après le *Lode*, autrement dit c'était encore un enfant, et qui pourrait tuer un enfant sinon un monstre ? Deux enfants, devrais-je dire. Le *National Post* l'appelle le Tueur de Windigo. De quoi vous glacer le sang. Tout de même, vous devez bien avoir une piste, non ? »

La bibliothécaire, entourée de volumes d'Agatha Christie et de Dick Francis, vivant au fil des pages d'Erle Stanley Gardner et de P.D. James, semblait prendre Delorme pour un personnage sorti d'un roman policier dans le seul dessein d'égayer sa journée. Une fine sueur perlait sur sa lèvre supérieure.

« Au risque de me répéter, madame, je ne peux vraiment rien vous dire. Vous trouvez quelque chose ? »

La bibliothécaire frappait le clavier de son ordinateur avec une frénésie meurtrière. « Cette machine, dit-elle d'une voix sifflante de colère, n'est pas vraiment le dernier cri. C'est même une véritable épave, cette saleté. »

Laissant la femme torturer les touches, Delorme s'approcha des casiers de CD. Autour d'elle, des jeunes gens parcouraient les rayons à la recherche d'une lecture. Adolescente, elle avait elle-même passé de longues heures ici, même si le lieu était réputé pour sa pauvreté en ouvrages de langue française. Elle préférait faire ses devoirs dans cette salle silencieuse, parmi les odeurs de papier et d'encre, le doux froissement des pages, plutôt qu'à la maison dans la clameur des matchs de hockey télévisés et les gueulantes de son paternel pour ou contre ses Canadiens adorés. Delorme avait aussi beaucoup rêvassé ici. Il lui tardait alors d'aller à l'université, mais elle s'était étonnée elle-même durant sa dernière année à Ottawa d'éprouver le mal du pays. C'était parfois étrange d'être flic dans sa ville natale — elle avait dû appréhender plus d'un ancien camarade de classe —, mais elle n'était pas faite pour la grande ville. Elle avait trouvé les gens d'Ottawa froids comme des glaçons.

Le catalogue de la bibliothèque ne contenait ni Pearl Jam ni les Rolling Stones, mais elle trouva l'album d'Anne Murray. La pochette était maculée de centaines d'empreintes de doigts. Elle la glissa dans une enveloppe et regagna le comptoir.

« Mon Dieu, auriez-vous trouvé une preuve ?

— J'ai trouvé le Anne Murray, mais pas les deux autres.

— Nous n'avons jamais eu Pearl Jam, ce qui n'est pas une surprise. Quant aux Rolling Stones, ils étaient ici, mais leur compil avait tellement de succès qu'elle a été détériorée et retirée des rayons… » Elle frappa une touche. «… il y a deux ans. Maintenant, dites-moi, officier, vous ne savez pas comment est morte cette fillette ?

— Madame…

— Je sais, je sais. Je suis trop curieuse. Mais je vous ai sorti quelques noms. » Elle ajusta ses lunettes pour jeter un coup d'œil à la feuille de papier sur laquelle elle avait noté l'information. « L'album que vous avez là a été emprunté par Leonard Neff, Edith Soames et Colin McGrath. Il se trouve que je me souviens très bien de ce McGrath. Son comportement était choquant. Nous avons dû lui demander de quitter les lieux.

— Choquant de quelle manière ? Il était soûl ?

— Oh, certainement, mais ce n'était pas une excuse pour m'insulter de la sorte. J'ai même failli appeler vos collègues… je revois ma main trembler sur ce téléphone.

— Et les autres, Mlle Soames et M. Neff ? Vous en avez le souvenir ? »

La femme ferma les yeux comme si elle priait, puis déclara d'un air de conviction : « Non, pas du tout. »

Delorme sortit son calepin. « Il me faudrait les adresses de ces trois-là. »

Delorme avait fait l'impasse sur les magasins de disques d'Algonquin Bay. Aucun de ces albums n'était une nouveauté, tous les trois étaient très populaires, et il n'y avait aucune raison de penser qu'ils avaient été achetés en ville. Cardinal avait lui aussi éliminé la musique. Si Delorme avait découvert que la bibliothèque possédait ces trois CD et qu'ils avaient été empruntés autour du 12 septembre par la même personne, cela aurait pu avoir une signification. Mais revenir avec la seule Anne Murray ne déboucherait sur rien. Après six années aux Enquêtes internes, Lise Delorme savait reconnaître une impasse quand elle en voyait une.

Elle n'en avait pas moins le cœur qui battait un peu plus vite en suivant cette maigre piste. Ce CD dans son enveloppe lui donnait pour la première fois depuis une semaine l'illusion d'une direction, car il menait tout de même quelque part. Et puis, il était son seul et unique indice.

M. Leonard Neff habitait une maison moderne en brique dans Cedarvale, une zone résidentielle aménagée avec une précision stérile en haut de Rayne Street. Il y avait un filet de hockey installé dans l'allée, et deux gamins en maillots aux armes des Canadiens de Montréal se renvoyaient le palet. La Taurus garée devant avait plusieurs paires de skis sanglées sur la galerie. Des sportifs, les Neff, apparemment. Les ouvertures étaient équipées de triples vitrages et ne vibraient sûrement pas au passage d'un camion. D'ailleurs, de camion, il n'en passait certainement pas dans les rues de Cedarvale, Cedar Crescent, Cedar Mews ou Cedar Place, autant de noms illustrant si bien l'exceptionnelle inventivité langagière du conseil municipal.

Le deuxième arrêt de Delorme fut le domicile du « choquant » M. McGrath. Il résidait dans un petit immeuble à l'embranchement de Airport Road. Delorme descendit de voiture et tendit l'oreille. Le grondement d'un avion d'Air Ontario s'apprêtant à atterrir emplissait le ciel. La route 17 passait à cinquante mètres de là, provoquant un bourdonnement permanent. Une femme lourdement chargée de sacs de provisions grimpa les marches et s'efforça de sortir ses clés. Delorme fut auprès d'elle en trois enjambées. Elle lui tint la porte et entra dans le hall avec les remerciements de la dame. L'appartement de M. McGrath était au rez-de-chaussée, tout au fond du couloir. Delorme s'immobilisa et, de nouveau, écouta. On n'entendait plus la circulation, seulement les bruits provenant d'autres appartements : un aspirateur, le cri d'un perroquet, le bavardage métallique d'un jeu télévisé.

Le dernier nom de la liste semblait être celui d'une vieille fille : Edith Soames. Bon, je sais que c'est une impasse, se dit Delorme, il n'y a pas une seule probabilité qu'une vieille dame ait tué Todd Curry ou Katie Pine, mais il faut bien faire avec ce qu'on a, on fonce, et on voit après.

Edith Soames habitait à deux blocs seulement de la maison où Delorme avait grandi et, pendant un moment, elle s'abandonna à la nostalgie. Elle passa devant l'endroit où, à l'âge de six ans, Larry LaFramboise lui avait fendu la lèvre. Au coin, il y avait le North Star Coffee Shop, où elle avait surpris Thérèse Lortie — avec qui elle avait été amie — clamer que Lise Delorme pouvait être parfois une véritable pute. Un peu plus loin, c'était le jardin public et le banc où Geoff Girard lui avait annoncé qu'il n'avait pas l'intention de l'épouser. Elle se rappela la soudaine chaleur des larmes coulant sur ses joues.

Elle approchait maintenant de la maison où elle avait vécu. Elle n'avait pas envie de s'y attarder mais, à la dernière minute, elle ralentit et regarda. La construction était plus délabrée que jamais. Elle avait coutume de s'asseoir avec George sur les marches branlantes du perron, dissimulant leurs attouchements sous une couverture. Un soir, son père était sorti et avait poursuivi le garçon jusque dans Algonquin Avenue, avec Lise, âgée de seize ans, qui lui hurlait après. Et c'était dans l'ombre de ce même porche qu'elle s'était fait déflorer, pas par Geoff, mais par un autre. Peut-être Thérèse Lortie avait-elle dit vrai.

Son père avait disparu depuis belle lurette, quelque part dans l'ouest à Moose Jaw ou Dieu sait où, et sa mère était morte. Geoff Girard était marié, installé à Shepard's Bay, et père de pas moins de quatorze blondinets et blondinettes. La grande bâtisse avait été divisée en appartements, comme la plupart des anciennes demeures du quartier.

La maison Soames était aussi décrépite que les voisines. L'enduit de la façade imitant la brique avait noirci et tombait par plaques autour des fenêtres d'époque avec leur double-vitrage contre les tempêtes. Delorme se souvint de son père montant sur une échelle avec l'une de ces énormes vitres serrée dans ses mains. Elles vibraient toujours au passage des camions.

La porte d'entrée s'ouvrit, et une dame âgée sortit sous le porche, aidée par une jeune femme d'une vingtaine d'années, peut-être la petite-fille ou une infirmière. Elles avançaient à petits pas prudents, empêtrées dans leurs lourds manteaux et la crainte de la vieille de glisser sur les marches verglacées. La jeune la soutenait par le coude, le front barré d'un pli irrité.

Delorme sortit de la voiture et les attendit sur le trottoir. « Excusez-moi, dit-elle, montrant sa plaque de police. J'enquête sur une série de cambriolages dans le voisinage. » Ça n'était pas entièrement faux : Arthur Wood avait dévalisé plusieurs appartements dans le coin, mais cela remontait à trois ans.

« Quoi ? demanda la vieille femme d'une voix forte. Que dit-elle ?

— Des cambriolages ! » beugla la jeune. Elle regarda Delorme d'un air de dire : que voulez-vous, elle est sourde comme un pot. « Personnellement, nous n'en avons pas souffert, dit-elle.

— Vous n'auriez rien remarqué d'inhabituel ? Une fourgonnette en stationnement ? Des étrangers au quartier ?

— Non, on n'a rien remarqué d'anormal.

— Quoi ? Qu'est-ce qu'elle dit ? Dis-moi ce qu'elle dit !

— Ça va bien, mémé ! C'est rien ! »

Delorme leur adressa les recommandations rituelles : garder leurs portes et leurs fenêtres fermées. La jeune femme promit qu'elle y veillerait. Delorme éprouvait une certaine pitié pour elle : un eczéma ou bien une forme d'acné particulièrement virulente lui avait rosi et vitrifié la peau. Elle n'était pas laide, mais l'expression de chien battu et le regard fuyant disaient la douloureuse conscience de sa disgrâce. La vie ne lui promettait guère qu'une existence amère en compagnie de sa grand-mère, et cette fille le savait.

« Qu'a-t-elle dit ? Dis-moi ce qu'elle a dit !

— Viens, mémé ! On va trouver le magasin fermé si on ne se dépêche pas.

— Mais j'aimerais savoir ce qui se passe, Edie ! »

Ainsi, la plus jeune était-elle Edith Soames. Un prénom désuet, mais qui pouvait aussi bien leur être commun ; cela ne faisait guère de différence. Une jeune femme solitaire avait emprunté à la bibliothèque l'un des albums d'une chanteuse très populaire dans le pays, un disque que des centaines de milliers de gens avaient acheté, emprunté ou enregistré. Cela ne voulait rien dire.

Delorme les laissa à leur lente progression en direction de MacPherson Street. Ç'aurait été si bon de rapporter à son collègue méfiant qu'elle venait de faire un grand pas en avant dans l'enquête. Quand elle tourna le coin de la rue, chassant un peu sur le verglas, Delorme se dit qu'elle venait de perdre sa matinée.

20

Eric Fraser ouvrit le boîtier de sa toute nouvelle caméra vidéo Sony dernier cri, engagea une bande extraite d'un paquet de trois emballé sous vide — cadeau du Future Shop's —, et referma le volet d'une petite tape. Se tournant vers Edie, il lui demanda d'être naturelle, de faire comme s'il n'était pas là, ce qui n'eut d'autre effet que de l'embarrasser davantage.

« Pourquoi me filmer pendant que je lave la vaisselle ? Tu ne peux pas attendre que je fasse quelque chose de plus intéressant ? » Elle récurait le fond d'une casserole. « Je ne me suis même pas brossé les cheveux. »

Comme si cela pouvait faire une différence. Tout ce qu'il voulait, c'était essayer son nouveau joujou avant de s'en servir sur le terrain. Son terrain. La dernière bande avait été franchement mauvaise, bousillée par cette caméra minable dont il s'était servi.

Avec l'objectif grand angle, il eut dans le champ Edie, les étagères et la porte de derrière avec sa vitre fendue et l'arbre rabougri couvert de neige. Imbattables, ces Japs, dans le domaine de la vidéo ; l'objectif était vraiment de première, et le son aussi devait être super, à en croire les caractéristiques techniques qu'il avait lues attentivement.

La balayette qu'Edie ne cessait de plonger dans les verres produisait un bruit de succion qui énervait prodigieusement Eric. Il avait envie de la frapper. *J'sais pas pourquoi je me donne toute cette peine pour elle*, se dit-il, vraiment, *j'sais pas pourquoi*. C'était une réflexion qu'Eric Fraser se faisait souvent. Cependant, il lui était difficile de résister à la vénération dont Edie l'entourait. Il n'avait jamais rien vécu de semblable. *Et si elle n'a pas l'aspect que j'aimerais qu'elle ait*, se dit-il encore, *je ferais peut-être mieux de ne plus voir une femme en elle, mais plutôt un animal domestique, une espèce de reptile apprivoisé.*

« Eric, nous avons déjà parlé de ça quand nous avons enregistré… Tu sais. Enregistré…

— Todd Curry se faire éclater la tête. C'est rien que des mots, Edie. Et les mots, c'est fait pour être prononcés. » Il la détestait quand elle tournait ainsi autour du pot.

« On ne peut pas faire un film de ce truc-là.

— Ce truc-là. Quel truc-là ? Parle, Edie. Parle.

— Je croyais qu'on était d'accord, que c'était le meilleur moyen de se faire prendre. On en a parlé, et on était du même avis.

— Quel truc, Edie ? Quel truc ? Parle. Je dirai plus rien si tu te mets à finasser.

— Un truc comme fracasser le crâne de Todd Curry. Un truc comme étouffer Katie Pine et Billy LaBelle. Voilà, tu es content ?

— On a pas enregistré Billy LaBelle. On l'aurait fait si tu l'avais pas laissé s'étouffer avec sa putain d'écharpe.

— Ce n'est pas ma faute. C'est toi qui l'avais bâillonné. »

Eric n'insista pas. Le visage d'Edie, cette peau de tambour, était rouge tomate. C'était tellement bandant de l'entendre prononcer ces mots. « Étouffé ». « Fracassé ». Eric savoura ces consonances pendant un moment avant de reprendre : « Les gens veulent voir de la violence, Edie. Ils en ont besoin, tu comprends, ils en ont toujours eu besoin. Tout comme ils ont toujours eu besoin de l'infliger. » « Infliger ». Encore un mot qui résonnait délicieusement. *Infliger.*

« On ne peut pas continuer à se servir d'une caméra, Eric. Et ce serait une pure folie de montrer ce film à quelqu'un. »

Infliger, infliger. Eric se grisait de ces trois syllabes.

« Combien de temps peut-on garder les films de ces… fêtes ? C'est trop risqué, voilà tout. »

Eric ouvrit le boîtier pour extraire la bande. Il y avait une prise pour un micro, et il tourna ses pensées vers la musique. Quel serait le meilleur accompagnement ? Heavy metal ? Techno ? La voix d'Edie le tira de sa rêverie. « Il y avait un flic devant la porte, ce matin. Une femme. »

Eric leva la tête en se disant qu'il n'y avait pas lieu de paniquer, que ce n'était rien, même pas une alerte.

« Elle avait garé sa voiture juste en face. Elle nous a dit qu'il y avait eu une série de cambriolages dans le quartier. »

Quoi, avaient-ils commis une erreur ? s'interrogea Eric. La police les soupçonnait-elle ? Non, il n'y avait décidément aucune raison qu'on les suspecte. Il fit part de cette conclusion à Edie en affectant un ton calme et confiant. Allons, que pouvait être le quotient intellectuel de tous les flics réunis dans un bled enneigé comme Algonquin Bay ?

« Ça m'a fichu la trouille, Eric. Je ne veux pas aller en prison.

— Mais tu n'iras pas. »

Eric n'était pas d'humeur bavarde, ce soir-là, mais il n'avait pas envie qu'Edie l'abandonne, et il voyait bien qu'elle avait besoin d'être rassurée. Ça n'était pas bien difficile. Edie était comme le cadran d'un téléphone : il suffisait d'appuyer sur la bonne touche. Pour lui calmer les nerfs, faire le 1. « Si on était surveillés par les flics, cette femme ne t'aurait jamais abordée. Si elle t'avait soupçonnée de quoi que ce soit, elle se serait bien gardée de se trahir elle-même en te parlant, c'est évident. L'explication la plus logique, c'est qu'elle enquêtait sur des cambriolages, comme elle l'a dit. On n'a pas à s'en faire. » Jamais Eric n'avait aussi longuement parlé à Edie au cours de ces dernières semaines.

Et déjà elle réagissait. Elle était toujours devant l'évier, lui tournant le dos, et il vit au relâchement de ses épaules qu'elle se détendait. « Tu le penses vraiment, Eric ?

— Je le pense pas, je le sais. » Il dit cela avec une assurance qui acheva de soulager Edie. Et de l'assurance, il en avait, non ? Une présence policière dans le coin avait de quoi vous inquiéter, bien sûr, mais ça lui servirait à se montrer plus prudent, plus vigilant. Jusqu'à la découverte du corps de Katie Pine, les flics étaient restés des silhouettes abstraites, ombres noires réservées aux cauchemars. Puis ils étaient apparus à la télévision, prenant soudain forme humaine. Et avec le cadavre de Todd Curry, ils étaient devenus plus familiers encore, surtout l'un d'eux — un grand type au visage triste.

La télévision avait aussi popularisé le Tueur de Windigo. Eric en était presque arrivé à croire au mythique assassin. Il imaginait un homme insignifiant, peut-être portier d'immeuble ou cadre moyen, qui hantait les parcs, où il ravissait ses jeunes victimes. Il ne pensait pas du tout que ce fût lui, le Tueur de Windigo. Ça n'était que ragots de télé, colportés par ces connards du journal télévisé en mal d'histoires de fantômes.

Mais la police, elle, avait pris une consistance charnelle. Des os et des muscles, sans parler des cervelles, qui guettaient dehors, sous la neige. Qu'ils le guettent. Ça ne l'en rendrait que plus fort.

« Je préférerais mourir plutôt que d'aller en prison, disait Edie. Je ne tiendrais pas une journée là-dedans. »

Personne n'ira en taule, la rassura Eric. Cette fliquesse n'était sûrement pas venue pour eux. Il zooma jusqu'à ce que le nez et la pommette emplissent le champ. Merde, quelle reine de beauté j'ai dans l'œil. Mais c'est là la force cachée de mon Edie : le dégoût que lui inspire sa propre image est le gage de sa fidélité. Le contrôle absolu d'un autre être humain n'était pas négligeable même s'il s'agissait d'Edie. Pour une approbation sans limites, appuyez sur 2. « Tu ne vas pas te dégonfler, comme tous les autres minables, hein ? Je te prenais pour quelqu'un de différent, Edie, mais peut-être que je me suis trompé.

— Oh, ne dis pas ça, Eric. Tu sais que je serai toujours à tes côtés. Toujours, quoi qu'il se passe.

— Je croyais que tu avais du cran, que tu étais solide. Mais je commence à avoir des doutes.

— Je t'en prie, Eric. Ne perds pas confiance en moi. Je ne suis pas aussi forte que toi.

— Tu n'agis pas comme si tu me croyais fort. Parce que je suis forcé de vivre dans un trou à rats, tu penses que je suis pareil aux autres. Je suis différent, Edie. Je suis extraordinaire, et tu ferais bien de l'être aussi, parce que je n'ai pas de temps à perdre avec des nuls.

— Je serai forte, je te le promets. Mais, tu comprends, il m'arrive d'oublier que… »

Un bruit sourd répété les figea, l'oreille tendue. Mais ce n'était que cette vieille bique avec sa canne.

Edie avait pâli. « J'ai cru que c'était Keith, murmura-t-elle. Ce n'est peut-être pas une bonne idée de le garder ici. C'est dangereux, tu ne penses pas ?

— Ne prononce pas son prénom. Combien de fois je vais devoir te le répéter ?

— Notre invité, si tu préfères. Ce n'est pas risqué ? »

Fatigué de la rassurer, Eric prit sa caméra et descendit dans la cave. Il y avait une porte près de la chaudière. Il sortit une clé de sa poche, ouvrit le cadenas et pénétra dans une petite chambre humide où Keith London gisait, profondément endormi.

La pièce était parfaitement carrée ; elle avait été aménagée par l'ancien propriétaire de la maison, qui la louait à des étudiants. Keith était étendu sur le dos, la bouche ouverte, une main serrant la couverture sur sa poitrine, l'autre pendant au bord du lit ; on aurait dit quelqu'un de mort dans son bain. Une lucarne en haut du mur, qu'Eric avait barricadée de planches, laissait filtrer de fines lames de lumière. Les murs étaient lambrissés de pin brut bon marché.

Eric alluma l'ampoule nue au plafond, sans que bronche le dormeur.

Il était évident que Keith n'avait pas bougé de sa couche, mais Eric vérifia tout de même si leur invité n'avait pas tenté de forcer la petite fenêtre et la porte. Les véritables réjouissances n'avaient pas encore commencé, mais Keith s'était déjà révélé une bonne prise.

Son portefeuille contenait plus de trois cents dollars, et ils l'avaient aidé à retirer une très belle guitare Ovation à la consigne de la gare.

Eric cadra Keith sans filmer. Il actionna le zoom, remplissant le champ du visage du garçon. Un début de barbe ombrageait le menton. Un plombage luisait dans le fond de sa bouche grande ouverte et, sous les paupières, de petits spasmes oculaires témoignaient d'un rêve en cours.

Tout en fredonnant, Eric se baissa pour tirer sur la couverture et dénuder Keith jusqu'aux genoux, puis il parcourut, toujours à travers le viseur de la caméra, le torse imberbe, le ventre lisse, zooma sur le pénis, petit et flasque. Entendant le pas d'Edie dans l'escalier, il recouvrit Keith jusqu'au menton.

« Il est encore dans les vapes, constata Edie. Ce cocktail est vraiment costaud. » Elle se pencha au-dessus du lit. « Hé, debout les morts ! Lève-toi et marche, p'tit génie ! »

Eric lui tendit la caméra. Edie régla l'objectif jusqu'à ce qu'elle obtienne une image nette. « Il a l'air tellement drôle, dit-elle. Et tellement bête. »

Plus tard, Edie écrivit dans son journal : *Je parie que c'est ainsi que nous apparaissons aux anges et aux démons. Ils voient tout le mal que nous faisons, ils voient toutes nos faiblesses. Nous sommes là, totalement inconscients de ce que nous faisons, caressant nos doux rêves, et pendant tout ce temps ces êtres surnaturels volent au-dessus de nous, se moquent de nous, guettant le bon moment pour faire éclater nos ballons. Ce garçon ne le sait pas encore, mais je veillerai à ce qu'il saigne.*

21

Héritage probable de son éducation catholique, l'idée d'être domicilié dans Madonna Road avait toujours séduit Cardinal. Le vocable pesait son poids de compassion, de pureté et d'amour. La Madone était la mère qui avait enduré la perte de son fils crucifié, la femme à qui on avait ouvert les portes du Ciel, la sainte qui avait plaidé la cause des pécheurs et des pécheresses devant un Dieu qui, avouons-le, était foutrement coriace.

Ce nom de Madonna que lui avaient donné les Italiens était aujourd'hui associé hélas à une star de pop-musique qui avait remplacé la compassion par le business, la pureté par l'immoralité et l'amour par la pornographie. Il n'empêche, Madonna Road était un chemin paisible, étroit et incurvé le long de la rive occidentale de Trout Lake, où les bouleaux grinçaient doucement dans le froid, la neige glissant de leurs branches à petits bruits feutrés.

Cardinal n'allait plus à la messe depuis fort longtemps, mais l'habitude de l'examen de conscience lui était restée. Il avait assez d'honnêteté pour s'avouer que la plupart du temps cette pratique le laissait plus agacé qu'apaisé. Et agacé, il avait des raisons de l'être en ce moment même : cette maison modeste dans Madonna Road n'était qu'une glacière. « Cottage au bord du lac parfaitement isolé contre le froid », affirmait l'annonce immobilière, mais sitôt que la température descendait si bas qu'on ne voyait plus le mercure, le seul moyen de garder un peu de chaleur était d'allumer un feu d'enfer dans la cheminée et de charger à fond le poêle à bois. En dépit du caleçon sous le pantalon de velours, de l'épais tricot sous la chemise de laine, il avait enfilé un peignoir pour ne plus avoir froid. Il sirotait un café brûlant mais avait les mains glacées. Ça lui avait pris dix minutes pour remplir la bouilloire, avec ces foutues canalisations gelées. Sur cette route d'une Madone bien peu miséricordieuse, le vent soufflait du lac, cinglant les fenêtres au triple vitrage aussi coûteux qu'inefficace.

La surface des eaux était d'un blanc tellement éclatant qu'il vous faisait mal aux yeux. Cardinal tira les rideaux dans le vain espoir de se protéger de cette banquise. Quelque part de l'autre côté du lac, peut-être au beau milieu de la ville, le tueur vaquait à ses occupations. Peut-être savourait-il lui aussi la chaleur d'une tasse de café, pendant que la mère de Katie Pine pleurait sa fille, que Billy LaBelle était enseveli quelque part dans cette blancheur, que Todd Curry gisait sur une table d'autopsie à la morgue de Toronto. Le tueur écoutait-il de la musique — Anne Murray, une autre voix ? — ou arpentait-il la neige lumineuse, son appareil photo en bandoulière ? Cardinal se promit de rendre visite à l'association locale de photographie, si toutefois il en existait une. Le tueur pouvait difficilement faire tirer ses pellicules au drugstore du coin ; il devait donc disposer d'un labo d'amateur, d'où la possible appartenance à un club.

Ces réflexions l'amenèrent à penser à Catherine. Le plus désolant dans sa maladie était la perte de son énergie créative. Quand elle allait bien, il y avait partout dans la maison des clichés qu'elle développait elle-même. Elle sortait, des boîtiers à chaque épaule, tout excitée par quelque nouveau projet. Quand sa dernière dépression l'avait frappée, elle avait abandonné en premier la photo, comme jetée par-dessus bord d'un bateau en train de sombrer. Il l'avait appelée à l'heure du déjeuner, et elle lui avait paru plutôt bien. Il avait même caressé prudemment l'idée qu'elle puisse rentrer bientôt à la maison.

À présent, le téléphone l'attendait avec l'implacable mutisme d'un bourreau. Cardinal avait pris la résolution, au terme d'une longue nuit d'insomnie, d'appeler Kelly ce matin pour lui annoncer qu'elle devrait se chercher une faculté moins chère à partir du prochain trimestre ; autrement dit, ses jours à Yale étaient comptés. Elle avait passé sa licence d'arts plastiques à York, et rien ne l'empêchait d'y poursuivre son troisième cycle. Dès l'instant où il avait pris cet argent, un sentiment de culpabilité avait germé en lui. Ce n'était pas seulement la perspective d'être débusqué par Delorme… Il y avait peu de risque qu'elle y parvienne jamais. Mais mois après mois, année après année, la culpabilité avait peu à peu rongé comme un acide sa détermination et mentir lui était à présent insupportable.

Le pire était de savoir qu'il n'était ni l'époux ni le père que Catherine et Kelly aimaient. Elles se trompaient sur lui en pensant qu'il était bon. Bien que son crime fût sans victime — qui se soucierait jamais que Cardinal eût dans un moment de faiblesse soulagé un gangster d'une grosse somme d'argent ? —, cela faisait des années qu'il était en quelque sorte un étranger à sa propre famille. Kelly avait respecté le père et le flic qu'il avait été, mais hélas qu'il n'était plus depuis ce geste fatidique. Le sentiment de solitude qui en découlait était devenu trop douloureux.

Ainsi avait-il pris la décision de lui expliquer ce qu'il avait fait et qu'il ne pouvait plus lui offrir Yale. Merde, cette gosse avait un QI de 140, et elle n'avait pas encore compris ? Comment envoyer son enfant à Yale, quand on était un simple inspecteur de police dans une petite agglomération ? Pensait-elle vraiment que l'argent eût pour origine la vente de la maison de ses grands-parents, longtemps auparavant ? Catherine aussi ? L'aveuglement devait être de famille. Très bien, il lui dirait, qu'elle finisse son semestre, et puis quand il aurait clos cette petite enquête en cours et arrêté le tueur de Katie Pine et des autres, il irait tout avouer à Dyson et au patron. Il serait rayé des cadres, sûrement, mais n'irait probablement pas en prison.

Il décrocha et composa le numéro de Kelly aux États-Unis. L'une de ses camarades de chambre répondit — Cleo ? Barbara ? il ne saurait jamais laquelle — et cria à Kelly que c'était pour elle.

« Salut, mon petit papa. » Quand avait-elle recommencé à m'appeler ainsi ? se demanda Cardinal. Du « papa », il y en avait eu, et il y en avait toujours. Pour le « petit papa », il fallait remonter dans le temps. C'était peut-être l'influence américaine ou la distance.

« Salut, Kelly ! Comment ça marche ? » Il se trouva plat, sec, bêtement distant. Pourquoi était-il incapable de l'appeler « ma princesse » ou « mon cœur », comme le font les pères à la télé ? Pourquoi ne pas lui dire que la maison était plus froide sans elle ? Sans Catherine ?

Que cette minuscule bicoque devenait soudain vaste comme un aéroport ?

« Je suis sur un projet gigantesque pour mon cours de peinture, papa. Dale m'a démontré que les très grands supports me réussissaient mieux que les petites toiles sur lesquelles je me suis escrimée jusqu'ici. J'ai l'impression d'une libération. Tu ne peux pas savoir combien ça me fait du bien. Mon travail est cent fois meilleur.

— Ça m'a l'air très bien, tout ça. Et on dirait que ça te plaît beaucoup. » Ainsi dit-il, alors qu'il pensait : bon sang, si tu savais comme cela m'émeut de te savoir heureuse, de sentir que tu grandis, que la vie te passionne et te comble.

Kelly lui racontait qu'elle apprenait enfin à maîtriser la peinture, et normalement Cardinal se serait réjoui d'un tel enthousiasme. Au cours de sa nuit blanche, il s'était arrêté devant la chambre de sa fille, contemplant un instant le lit étroit dans lequel elle avait dormi pendant une semaine, et il avait pris le livre de poche qu'elle venait de lire, pour le seul besoin de toucher ce qu'elle avait elle-même touché.

Et de nouveau il se tenait sur le même seuil, le téléphone sans fil coincé sous son menton. La pièce était d'un joli jaune pâle, avec une grande fenêtre donnant sur les bouleaux, mais elle n'avait jamais été le territoire de sa fille. Cardinal et Catherine avaient emménagé à Madonna Road après le départ de Kelly pour l'université. Un père de série télévisée lui confesserait maintenant qu'il avait pris le livre de poche qu'elle avait lu juste pour toucher ce qu'elle avait elle-même touché. Mais jamais Cardinal ne pourrait dire une chose pareille.

« Ah, une chose encore, petit papa. On est toute une bande à avoir prévu une virée à New York, la semaine prochaine. Ce sont les derniers jours de l'exposition Francis Bacon et, franchement, je ne voudrais pas rater ça. Évidemment, c'est une dépense à laquelle je ne m'attendais pas, il y en a pour deux cents dollars : repas, essence et tout.

— Deux cents américains ?

— Euh… oui. Deux cents américains. C'est beaucoup, n'est-ce pas ?

— Ma foi, je ne sais pas. C'est important pour toi ?

— Pas au point de ne pouvoir m'en passer si tu trouves ça trop cher. C'est ma faute, je n'aurais pas dû t'en parler.

— Non, non, ça va bien. Du moment que ça te profite.

— Je sais que je te coûte une fortune. Je fais tout ce que je peux pour ne pas dépenser. Tu n'imagines pas toutes les choses que je ne fais pas.

— Je sais. C'est d'accord. Je te ferai un virement sur ton compte, cet après-midi.

— Tu es sûr que ça ne te gêne pas ?

— Bien sûr que non, mais l'année prochaine, ce sera différent, Kelly.

— Tu peux le dire que ça sera différent, parce que j'aurai terminé tous mes cours, et je n'aurai plus qu'à présenter ma réalisation de fin d'études : deux ou trois toiles pour l'exposition de groupe, mais ce sera à Dale de décider du nombre. Je pourrai prendre un travail à mi-temps, l'an prochain. Je regrette que tout soit aussi cher, petit papa. Des fois, je me demande comment tu y arrives. Et je ne sais pas te dire combien je te suis reconnaissante.

— Ne t'inquiète pas pour ça.

— J'espère bien qu'un jour je gagnerai plein d'argent avec ma peinture et que je pourrai te rendre tout ce que tu m'as donné.

— Vraiment, Kelly, ne dis pas des choses pareilles. » Le téléphone était poissé de sueur dans la main de Cardinal, et son cœur cognait dans sa poitrine. La gratitude que lui exprimait Kelly avec tant de spontanéité le désarmait totalement. Il sentit au plus profond de son être une porte se fermer. Un verrou claqua, et une pancarte suspendue à la fenêtre annonçait : *Fermé jusqu'à nouvel ordre*.

« Tu m'as l'air un peu sur les nerfs, papa. C'est le travail ?

— La presse nous tire dessus, et j'ai l'impression qu'elle continuera de gueuler jusqu'à ce qu'on fasse donner l'aviation. Bref, je ne progresse pas comme je voudrais.

— Tu y arriveras. »

Ils se séparèrent sur un échange d'informations météorologiques : il faisait beau et chaud du côté de Kelly, et s'il ne neigeait pas, il gelait à pierre fendre à Algonquin Bay. Cardinal balança le téléphone sur le canapé et se tint immobile au milieu du salon, tel un homme venant de recevoir de terribles nouvelles. Il y eut un bruit soudain dehors, et il lui fallut quelques secondes pour l'identifier. Alors, il s'élança, traversa la cuisine au pas de course et, ouvrant la porte, beugla : « Fous-moi le camp, espèce de gros rat ! »

Il eut le temps de voir le volumineux arrière-train du raton laveur disparaître sous la maison. Généralement, ces animaux hibernaient à cette époque de l'année, mais la chaleur que le plancher de la maison dégageait avait suffi pour que l'animal en conclue à l'absence d'hiver. La première fois que Cardinal avait surpris la gueule masquée, la bestiole examinait une moitié de pomme qu'elle serrait dans ses pattes noires. Elle sortait maintenant deux ou trois fois par semaine pour renverser la poubelle dans le garage et fourrager parmi les ordures.

Frissonnant furieusement, Cardinal se hâta de ramasser les bouts d'emballage plastique et les os de poulet éparpillés dans le garage, et rentra au moment même où le téléphone sonnait.

Il lui fallut trois sonneries pour se rappeler où il avait laissé le sans-fil. Il le dénicha parmi les coussins du canapé, juste avant que Delorme ne raccroche.

« Oh, je commençais à penser que vous étiez déjà en route.

— Non, mais j'allais le faire. Que se passe-t-il ?

— On a reçu la bande-son du gars de CBC et, avec elle, il y a la version... numérisée, c'est bien cela ? » Jamais Cardinal n'avait autant apprécié l'interrogatif chez cette Canadienne française.

« L'avez-vous déjà écoutée ?

— Non, le colis vient juste d'arriver.

— J'accours. »

22

Keith se redressa, complètement sonné, dans son lit. La pièce dans laquelle il se trouvait lui paraissait bien peu familière, et il se demandait si ce n'était pas parce qu'elle tournait de plus en plus lentement autour de lui, tel un manège ralentissant. Quand le mouvement cessa enfin et que sa vision redevint normale, il vit quatre murs lambrissés d'une frisette de pin brut, tachée et gondolée par l'humidité ; un fauteuil en bois auquel il manquait un pied et dont les accoudoirs étaient noircis par des brûlures de cigarettes ; un petit chauffage électrique qui bourdonnait par moments comme si quelque insecte y était prisonnier. L'air sentait le fuel, le moisi et le béton humide.

Puis la mémoire lui revint : il avait récupéré ses affaires à la gare routière, pendant qu'Eric et Edie l'attendaient dehors dans une petite voiture. Il se souvenait d'avoir bu une bière dans leur cuisine, mais pas de s'être couché ou déshabillé. Après la bière, le néant. Il se sentait les membres lourds et sans force, comme s'il avait dormi trop longtemps. Il se frotta le visage ;

sa peau était étrangement chaude et semblable à du caoutchouc. Sa montre, qu'il avait dû oublier d'enlever dans sa hâte à se débarrasser de ses vêtements, indiquait trois heures. Il avait une pressante envie d'uriner.

La pièce ne devait pas faire plus de huit mètres carrés mais elle avait deux portes. Posant les pieds sur le sol humide et froid, Keith s'assit au bord du lit. Il resta longtemps ainsi, et il se serait endormi de nouveau si sa vessie ne s'était rappelée à lui. Il se força à se lever et dut s'appuyer au mur pour ne pas perdre l'équilibre. La première porte qu'il essaya était fermée ou coincée, mais la seconde, heureusement, donnait sur un cabinet de toilette, le lavabo et la cuvette presque miniaturisés pour s'adapter à l'exiguïté du lieu.

Regagnant son lit en titubant, il aperçut l'étui de sa guitare appuyé dans un coin. Il eut tout juste le temps de constater la disparition de son sac marin et de ses vêtements avant de sombrer dans un puits noir d'inconscience.

À son réveil — des heures… des jours plus tard ? —, Eric était assis au bord du lit, un grand sourire aux lèvres. « Lazare se réveille », dit-il doucement.

Keith s'appuya péniblement contre le châlit en bois et resta le buste incliné sur un côté sans avoir la force de se redresser. Il avait la bouche et la gorge terriblement sèches et, quand il essaya de parler, sa voix n'était qu'un murmure rauque et pâteux. « Ça fait longtemps que je dors ? »

Eric approcha deux doigts si près du visage de Keith que celui-ci eut le plus grand mal à les distinguer.

« Deux jours ? » Comment était-ce possible ? Il n'avait jamais autant dormi de sa vie. Au moment de l'adolescence, il lui était arrivé de roupiller seize heures d'affilée et, une fois, cloué au lit par de la fièvre, il s'était absenté pendant vingt heures. Mais deux jours ?

Si c'était exact, alors il devait être très malade. Une personne en bonne santé ne dort pas pendant quarante-huit heures. Ça s'appelait un coma. Keith allait faire part de ses réflexions à Eric, quand celui-ci lui posa une main froide sur le front et la tint un moment ainsi d'un air songeur. « Hier, tu avais plus de trente-huit. Edie a pris ta température. Sous l'aisselle.

— Où sont mes affaires ? Je crois que je ferais bien d'aller voir un médecin.

— Edie a mis tes vêtements à laver. Tu as vomi.

— Vraiment ? C'est affreux. » Keith se frotta la gorge, qu'il avait en feu. « Il y a de l'eau ?

— Au lavabo. » Eric désigna la porte du cabinet de toilette. « Mais tu ferais mieux de boire ça. » Il lui tendit un bol fumant. « Concocté par Edie. Elle l'a rapporté du drugstore. T'inquiète pas, Edie est préparatrice en pharmacie. »

Cela sentait le citron et le miel. Keith prit une gorgée, se brûlant la langue. C'était un remède contre la grippe, probablement rien d'autre que de l'aspirine et un fébrifuge ; en tout cas, le goût était agréable et ça lui faisait du bien de boire chaud. Keith se sentit beaucoup mieux après ça. Sa vision était plus claire. Il désigna le Polaroid qui pendait au cou d'Eric. « C'est pour quoi faire ?

— Des essais. Edie et moi, on est très branchés sur la photo et la vidéo. C'est même une des raisons pour lesquelles on t'a remarqué dans ce bar. On espérait que tu accepterais de jouer dans notre film.

— Quel genre de film ?

— Oh, un à petit budget. Expérimental. Poétique. Je voulais te le demander l'autre soir mais dans l'état où tu étais…

— Ce n'est pas grave. Si je peux vous aider… »
Keith se glissa dans le lit et se tourna sur le côté. Dormir
lui semblait être de nouveau une excellente idée.

Eric brandissait un journal. « Je te présente le *Lode*,
la feuille de chou d'Algonquin. » Il feuilleta bruyamment les pages, s'éclaircit la voix et commença de lire
d'une voix lente et posée. « *De nombreuses forces de
police se pressaient ce matin au coin de Timothy et
Main Street, où le corps d'un individu de sexe masculin,
non identifié, vraisemblablement assassiné, a été
découvert dans la cave d'une maison inoccupée. Les
enquêteurs n'ont pas exclu la possibilité que le meurtre
ait été commis par la même personne qui a tué Katie
Pine en septembre dernier. D'après le détective John
Cardinal, la victime, qui a été sauvagement battue, présente de multiples blessures au visage, et son appareil
génital a été frappé à coups de pied au point d'être
presque complètement séparé du corps.*

— Bon Dieu, dit Keith. Ça s'est passé ici ?

— Oui, ici, à Algonquin Bay, et pas très loin de cette
maison.

— Bon Dieu, répéta Keith. Tu te rends compte, se
faire massacrer de cette façon. Sûrement pas une
bagarre ordinaire dans un bar.

— Pas de jugement prématuré, tu veux ? Ils ne
disent pas quel genre de type était la victime. Peut-être
que c'est lui qui a commencé. Peut-être que le monde
se porte mieux sans lui. Il me manque pas, à moi. Et à
toi ?

— Personne ne mérite de mourir comme ça. Quoi
qu'il ait fait.

— Tu es un tendre, toi. Edie les repère toujours, les
tendres. Ta copine, elle doit être amoureuse de toi,
hein ? C'est quoi, son prénom, déjà ?

— Karen. Ouais, je sais pas trop. Elle serait plus heureuse si je savais ce que je veux faire plus tard. En ce moment, elle en a un peu ras le bol.

— Parle-moi un peu des pratiques sexuelles à Toronto… j'me suis laissé dire que la fellation, c'était très à la mode. Karen est une adepte de la…

— Bon sang, Eric… » Keith glissait lentement dans les eaux du sommeil, chaudes comme le sang. Je vais dormir encore un petit peu, se disait-il, et puis je vais foutre le camp d'ici.

« Je n'ai pas pu m'empêcher de remarquer ton pénis, Keith, quand on t'a déshabillé. Une belle paire de couilles que tu as là. Elle en a de la chance, Karen. »

Keith aurait aimé lui dire de lui foutre la paix, mais il ne put transmettre le message jusqu'à sa langue. Ce miel et ce citron l'avaient complètement défoncé.

Eric posa une main sur le genou de Keith. « Les gens savent pas toutes les choses terribles que j'ai vues, les viols répétés, les agressions sexuelles. J'ai passé de mauvais moments, Keith, et des fois ça me trouble beaucoup. Tu ne veux pas que je te caresse les couilles ? »

Merde, qu'est-ce qu'il y avait dans ce grog ? se demandait Keith, tentant vainement de refaire surface.

Le temps passa. Cinq minutes, ou peut-être vingt. Eric remonta la couverture jusqu'au menton de Keith. « Je suis impatient de tourner, tu sais. Et Edie aussi. Tu es vraiment fait pour le rôle. Tu disais aimer les expériences. Eh bien, ce film en sera une, et nouvelle, crois-moi. »

Keith parvint enfin à mouvoir sa langue. « Qu'est-ce qui m'arrive ? Je peux même plus bouger. » Il plongeait dans le néant, et se demandait si tout cela était réel ou bien imaginaire, mais Eric Fraser se pencha et lui embrassa le front. « Je sais », murmura-t-il.

23

« Félicitez-moi, Cardinal. Cette cassette est ici, et je ne l'ai même pas touchée. Vous n'auriez pas attendu, vous. Vous l'auriez écoutée cinq fois déjà.

— Personne n'est parfait, répliqua Cardinal, martelant le sol de ses bottes pour en décoller la neige. Weisman vous a appelée ?

— Non, et vous ne voulez pas que je lui casse trop les pieds, n'est-ce pas ?

— Ça fait deux jours, tout de même. Combien de temps faut-il pour une expertise dentaire ? »

Delorme signifia son ignorance d'un haussement d'épaules, et le mouvement anima ses seins, vision qui provoqua une bouffée de chaleur à Cardinal. Bon sang, s'en voulut-il, Catherine est à l'hôpital. Et puis Lise Delorme est peut-être un canon, mais elle a aussi pour mission de m'épingler, et je ne me laisserai pas attirer par elle. Si j'étais quelqu'un de plus fort, je ne me poserais même pas la question.

Delorme tendit à Cardinal un paquet de la taille d'une boîte à chaussures, contenant une cassette à l'aspect neuf, soigneusement enveloppée dans du plastique bullé. En travers du label CBC, on avait écrit au feutre : « Son traité et enregistré par numérisation. »

« J'ai emprunté le baladeur de Flower, dit Delorme. On peut y brancher deux paires d'écouteurs. » Elle lui en passa une, et ils se coiffèrent chacun d'un serre-tête.

Cardinal dégagea un espace sur le bureau de Delorme pour s'asseoir, tenant le fil qui les reliait tels des siamois rattachés l'un à l'autre par les oreilles. Il mit l'appareil en marche et regarda par la fenêtre une gratte poussant devant elle une énorme vague de neige. Immédiatement, il mit sur « Pause ». « C'est beaucoup plus clair, maintenant, fit-il observer. On n'entendait pas cet avion, avant.

— Vous pensez à Airport Drive ? » Le visage de Delorme s'animait délicieusement sous l'effet de l'excitation. Cardinal pouvait presque voir la petite fille qu'elle avait dû être. Pendant un instant fugace, il pensa qu'il se trompait peut-être, qu'elle avait réellement quitté ses fonctions aux Internes, et qu'il ne faisait pas l'objet d'une enquête. Il retourna à la bande-son et à l'horreur.

Tout chuintement avait disparu. Quand les fenêtres vibraient, on avait l'impression de pouvoir tendre les mains et les plaquer sur les vitres. Les pas du tueur résonnaient tels des coups de feu. Quant à la terreur de l'enfant, la qualité de l'enregistrement ne changeait guère ce qu'ils avaient ressenti lors de la première audition. Ils écoutèrent jusqu'aux dernières larmes qu'avait versées Katie Pine. Les pas de l'assassin s'éloignèrent du micro, et un nouveau bruit se fit entendre.

Delorme arracha son casque. « Cardinal ! Vous avez entendu ?

— Repassez cette partie. »

Delorme rembobina. De nouveau, les sanglots, le claquement des bottes, et puis, juste avant que le tueur arrête la bande, le carillon solennel d'une horloge. C'était exactement au troisième tintement que le silence se faisait.

« C'est incroyable, s'étonna Delorme. Ça n'apparaissait pas du tout sur la cassette originale.

— Oui, c'est excellent, Lise. On n'a plus qu'à comparer ce son avec la pendule de notre suspect. Il y a juste un petit problème, c'est que nous n'avons pas de suspect. »

Cardinal utilisa le téléphone de Delorme pour appeler CBC.

« J'en déduis que vous avez reçu la bande. » La voix d'homme de radio de Fortier parvenait à Cardinal avec une clarté et une profondeur dignes d'un traitement numérique.

« Vous avez fait là un travail remarquable, monsieur Fortier. Et j'ai même peur que vous ayez trop bien fait.

— Je vous assure que c'est l'exact contenu de la cassette que vous m'avez laissée, si c'est à cela que vous pensez. Avec un égaliseur analogique, vous ne pouvez qu'augmenter ou supprimer les fréquences. Avec le numérique, par contre, vous avez la possibilité de jouer sur les différentes sources. J'ai isolé chacune d'elles sur une piste séparée — une pour les fenêtres, une pour la pendule, une pour la voix, une pour la petite. Ce que vous avez en main, c'est le mixage final, impropre comme preuve matérielle devant un tribunal, bien sûr, mais peut-être utile dans une enquête.

— Vous ne pouvez rien faire d'autre pour la voix de l'homme ? On dirait qu'elle sort d'un puits.

— Non, c'est sans espoir, je le crains. Il est tout simplement trop loin du micro.

— En tout cas, ce que vous avez réussi là, c'est… drôlement fort.

— N'importe quel ingénieur du son aurait pu arriver au même résultat, à la seule condition qu'il puisse entendre le carillon. J'ai un avantage… ma cécité. Et cependant, ce n'est qu'après la quatrième ou cinquième écoute que j'ai perçu la pendule.

— Une horloge à balancier, on dirait.

— Non. Écoutez-la bien. Elle n'a pas cette résonance qu'ont les horloges. C'est une pendule, et certainement ancienne. Ce qu'il vous faut, c'est un spécialiste de l'horlogerie… un vieux Suisse. Vous lui faites entendre le carillon, et il vous dira la marque, le modèle et le numéro de série. »

Cardinal riait. « Si je peux faire quoi que ce soit pour CBC, appelez-moi.

— Une rallonge de budget, ce serait parfait. Mes hommages à l'officier Delorme. Elle a une très belle voix.

— Vous savez, Brian, le haut-parleur est branché.

— Non, détective, il ne l'est pas. Joli coup, tout de même. »

Cardinal avait un grand sourire en raccrochant.

« Il vous plaît, n'est-ce pas ? remarqua Delorme, qui l'avait observé. Vous êtes plutôt du genre ours mal léché, mais vous aimez bien Fortier.

— Il a dit que vous aviez une très belle voix.

— Vraiment ? Et au sujet de l'horloge ?

— Une pendule ancienne, d'après lui. Il dit qu'il nous faudrait un expert horloger.

— Dans Algonquin Bay ? Quel expert ? Au rayon montres de Wal-Mart ?

— Il doit bien y avoir un réparateur. Peut-être pas ici, mais à Toronto. »

208

Le téléphone sonna et Delorme prit la communication. Elle écouta pendant un moment puis annonça en tendant le combiné à Cardinal : « Weisman.

— Len, qu'est-ce qui se passe ? Où en est notre expertise dentaire ?

— Putain de dentiste, ce type est pas croyable. Quand il ne répond pas, il filtre ses appels. Je le convoque, et je l'attendrais encore, si je ne m'étais pas déplacé moi-même. Et vous savez pourquoi ce monsieur ne répondait pas ? Parce qu'il a facturé des soins qu'il n'a jamais pratiqués. Son dossier au nom de Todd Curry indique assez de plombages pour paver le lac Ontario. Or, on n'a relevé que cinq obturations sur le patient à la morgue.

— Mais ces cinq-là, Len, est-ce qu'elles correspondent ?

— Heureusement, cet escroc a noté à l'encre rouge ce qu'il a réellement fait : cinq petits amalgames qui riment parfaitement : notre patient est bien Todd William Curry. »

24

Les parents de Todd Curry habitaient un trois pièces à Mississauga, une vaste agglomération à l'ouest de Toronto, où des centres commerciaux sans charme et des gratte-ciel d'habitation côtoient des étendues boisées sillonnées de rivières et de ruisseaux. Les Curry ne vivaient pas dans la zone verte. Avertis de la visite de deux policiers d'Algonquin Bay, ils avaient briqué leur logement ; il y avait dans l'air une odeur de détergent et chaque coussin était à sa place.

« Ils nous ont prévenus que vous viendriez, leur précisa Mme Curry en les invitant à entrer. Mon mari a demandé sa journée au bureau.

— J'espère que ça n'a pas trop déplu à votre patron, dit Cardinal à l'homme qui se leva d'un air énergique d'un fauteuil bien rembourré.

— Je ne m'inquiète pas à ce sujet. La boîte me doit près d'une année en jours de congé. » Il serra fortement la main de Cardinal, sans doute soucieux de prouver que le chagrin n'avait pas entamé sa vigueur. Il parvint même à sourire, mais cela dura le temps d'un flash d'appareil photo, et puis il se laissa retomber sur son siège.

Cardinal se tourna vers la mère. « Madame Curry, est-ce que Todd avait de la famille à Algonquin Bay ou dans la région ?

— Il y a son oncle Clark, à Thunder Bay. Mais c'est à des centaines de kilomètres de là.

— Alors, des amis ? Un copain de lycée ?

— Je ne sais pas. En tout cas, de tous ses camarades que nous connaissions, il n'y en avait aucun d'Algonquin Bay. »

Le père parut s'arracher à ses pensées. « Et ce jeune gars qui est venu ici l'été dernier ? Celui qui avait une tennis différente à chaque pied ?

— Tu parles de Steve ? Mais Steve est de Stratford, chéri.

— Non, non, je parle de quelqu'un d'autre.

— Ma foi, celui qui avait des tennis dépareillées, c'était Steve, et il habitait Stratford. Tu sais que j'ai toujours eu une meilleure mémoire que la tienne.

— Oui, c'est vrai. Je te l'accorde. »

Une fois, à Algonquin Bay, Cardinal s'était rendu sur le lieu d'une explosion due au gaz. La façade de l'immeuble avait été littéralement arrachée, et trois étages s'étaient écroulés. À travers la fumée et la poussière, hommes et femmes erraient telles des âmes au purgatoire. Une explosion de douleur venait de frapper les Curry, et ils tentaient de se reconnaître dans la brume des larmes.

« Todd aurait-il eu une raison particulière de s'arrêter à Algonquin Bay ?

— Non, aucune. Peut-être que ç'a été la curiosité. Peut-être qu'il a rencontré quelqu'un dans le train. Todd est un garçon impulsif… était. » Mme Curry porta la main à sa bouche comme pour y repousser cette terrible conjugaison au passé. Son visage était en cet instant l'image même du désarroi.

M. Curry s'était levé. « Allons, allons, dit-il, son bras passé autour des épaules de sa femme. Pourquoi tu ne t'assieds pas sur le canapé ?

— Je ne peux pas. Je ne leur ai même pas offert du thé. Voulez-vous un peu de thé ?

— Non, merci, répondit gentiment Delorme. Madame Curry, nous savons que Todd a touché à la drogue, pendant un temps. Auriez-vous un souvenir lié à cette... période — peut-être un nom qui aurait été mentionné lors de sa comparution au tribunal, un nom qui aurait pu le conduire à Algonquin Bay ?

— Todd avait tiré un trait sur la drogue. Il n'en prenait plus. Voilà, je l'ai dit... prenait. Ce ne sont que des mots, après tout, n'est-ce pas ? » Elle parvint à esquisser un sourire. « Vous êtes sûre que vous ne voulez pas un peu de thé ? Il y en a pour deux minutes. »

C'était une nouvelle expérience pour Delorme que de tenter d'arracher des indices à des êtres en grande affliction. Elle chercha d'un regard de l'aide auprès de Cardinal mais il garda le silence. Il pensait : faudra vous y habituer.

« Je ne connaissais pas Todd, madame Curry, mais, abordons ça différemment. Je veux dire... » Delorme se mordit la lèvre. « Réflexion faite, c'est une bonne idée, cette tasse de thé. Puis-je vous aider ? »

Cardinal se tourna vers le père. « Ça ne vous ennuierait pas que je jette un coup d'œil dans la chambre de Todd, pendant ce temps ?

— Quoi ? La chambre de Todd ? » M. Curry se gratta la tête. Dans toute autre situation, le geste aurait paru comique. Il eut un rire nerveux. « Excusez-moi, mais je ne sais plus où j'en suis. La chambre de Todd, oui, c'est logique, je suppose. Vous avez besoin d'en savoir plus sur lui, et je le comprends. Alors, allez-y, faites votre travail et ne vous gênez pas pour moi.

— C'est par là ?

— Oui. La deuxième porte à droite. Oh, je vais vous montrer. » Il conduisit Cardinal dans un couloir. Il y avait deux chambres à gauche, des toilettes à droite, une salle de bains au fond. C'était là tout l'appartement. M. Curry ouvrit la porte et fit signe à Cardinal d'entrer, mais il resta lui-même sur le seuil. La chambre de son fils semblait située pour lui en quelque lieu sacré dont il n'était pas autorisé à fouler le sol. Il balayait la pièce d'un regard anxieux, comme si la mort avait insufflé aux objets les plus ordinaires — un ballon de basket-ball à moitié dégonflé dans un coin, un skateboard cassé sur une étagère — le pouvoir de le terrasser devant cet étranger.

« Vous n'êtes pas obligé de rester, monsieur.

— Ça va bien, officier. Faites ce que vous avez à faire. »

Cardinal se tenait en silence au milieu de la chambre, essayant de déchiffrer l'histoire que lui racontait le petit univers d'un adolescent. Une grosse radiocassette trônait sur la commode, flanquée de piles de cassettes. Des posters de stars du rap étaient punaisés aux murs : Tupac, Ice T., Puff Daddy. Il y avait une petite table de travail dont le plateau, entièrement recouvert par un planisphère, reposait de chaque côté sur un bloc de tiroirs et d'étagères. Un petit ordinateur cachait l'Afrique du Nord. Cardinal était certain que c'était M. Curry qui avait construit ce bureau. Il passa sa main le long de l'Antarctique. « Joli meuble », dit-il en s'agenouillant pour examiner les bouquins de Todd.

« Oui, je l'ai fabriqué. C'est tout ce qu'il y a de simple mais ça m'a pris tout de même du temps. Todd le détestait, bien sûr.

— Oh, les ados sont difficiles à satisfaire.

— Todd et moi, on ne s'entendait pas très bien, je l'avoue. Je ne savais pas comment le prendre. J'ai tout essayé — l'indulgence comme la sévérité — mais rien ne marchait. Maintenant, j'aimerais tellement qu'il soit là.

— Vous auriez fini par vous entendre, j'en suis sûr, dit Cardinal. La plupart des familles y arrivent, tôt ou tard. » Les titres sur les étagères : *L'Ile au trésor*, *L'Attrape-Cœur*, quelques numéros de *Hardy Boys*, tous poussiéreux. Le reste de la bibliothèque tenait en romans de science-fiction aux couvertures criardes. Cardinal fut tenté de parler de sa fille à M. Curry, de lui raconter qu'adolescente elle lui criait souvent qu'elle le haïssait, et qu'aujourd'hui ils s'entendaient si bien. Non, se reprit-il, ce serait malvenu.

« Todd et moi, on n'aura plus jamais l'occasion de faire la paix, c'est ça le plus terrible. » M. Curry fit soudain un pas dans la pièce et agrippa fortement le bras de Cardinal. « Sergent, quoi que vous fassiez dans ce monde, ne remettez pas votre vie au lendemain. Une chose importante que vous reportez ? Une chose à propos de laquelle vous vous dites : attendons le bon moment pour la faire ? Je parle de ce qui est destiné à quelqu'un que vous aimez ou à n'importe qui d'autre comptant pour vous… Ne le remettez jamais à plus tard, vous m'entendez ? Prononcez les mots, quels qu'ils soient. Passez à l'acte. Tous les jours, on apprend une catastrophe, une tornade, un naufrage, on entend parler de ce Tueur de Windigo, que sais-je encore, et on se dit que ça n'arrive qu'aux autres. En vérité, on ne sait jamais. On ne sait jamais quand ceux qu'on aime se lèvent un matin, franchissent cette porte et puis ne reviennent plus. Non, on ne le sait jamais. Mais excusez-moi, c'est terrible, je bafouille…

— Non, monsieur, vous êtes fort.

— Je ne le suis pas. Je n'ai pas beaucoup d'expérience dans ce genre de chose, et je ne peux guère vous aider. Je travaille dans les assurances, ajouta-t-il, comme pour s'excuser d'un handicap.

— Dites-moi, est-ce que Todd utilisait beaucoup son ordinateur ? » Il y avait quelques manuels d'informatique et des logiciels de jeux sur l'une des étagères du bureau, et Cardinal avait remarqué la ligne reliant le Macintosh à une prise de téléphone.

« Todd n'était pas un hacker, si c'est à ça que vous pensez. Il s'en servait surtout pour son travail, quand il voulait bien travailler. Mais ce Mac est un mystère pour moi. Nous avons des PC, au bureau. »

Cardinal ouvrit la penderie. Il y avait un costume, un blazer, deux pantalons à pinces, le genre de vêtement que ne devait pas porter souvent un garçon comme Todd. Sur une étagère au-dessus de la tringle, des boîtes de jeu étaient empilées : Monopoly, Scrabble, Trivial Pursuit.

Dans la commode, Cardinal trouva — à côté des classiques blue-jeans déchirés et des T-shirts lacérés — des bracelets de cuivre et d'étain, une grosse chaîne, un collier de cuir clouté et des poignets de force assortis. Cela ne voulait pas dire grand-chose ; c'était très tendance chez les mômes, aujourd'hui.

« Ma femme est brisée, disait M. Curry, qui avait repris position sur le seuil. Et c'est ce qui est le plus dur, de voir quelqu'un que vous aimez souffrir autant, et de ne pouvoir… » Il venait de parler de chagrin et, maintenant, tel un démon répondant à l'appel de son nom, le chagrin se jetait sur lui et le dévorait. En un instant, le vaillant M. Curry n'était plus qu'une pâle silhouette voûtée que secouaient les sanglots.

Bien que sensible à la douleur de cet homme, Cardinal garda le silence. Il voyait par la fenêtre la tour voisine. Du parking, en bas, montait la plainte hystérique d'une alarme de voiture. Au loin, la tour CN de Toronto brillait au soleil du matin.

Au bout de quelques minutes, les pleurs cessèrent derrière lui, et il donna à M. Curry un petit paquet de mouchoirs en papier qu'il avait acheté sur la route. Il ouvrit les tiroirs de la commode l'un après l'autre, tâtant les côtés et le fond.

« Désolé de chialer comme ça. Vous devez avoir l'impression d'être dans un feuilleton télévisé.

— Non, monsieur, je n'ai pas du tout cette impression. »

Cardinal pouvait sentir sous ses doigts le magazine derrière le tiroir. Il sortit celui-ci, s'excusant en pensée auprès du garçon, sachant qu'il y avait là quelque chose de plus secret et de plus personnel que de l'herbe ou un tube de colle. Il se souvenait du tas de *Playboy* de sa propre jeunesse, mais c'était un homme nu qui faisait la couverture de la revue qu'il venait d'extirper.

Il entendit nettement M. Curry suspendre son souffle. Il replongea la main et sortit trois autres magazines.

« Ça montre combien je connaissais mal mon propre fils. Je n'aurais jamais supposé une chose pareille. Jamais.

— Je ne me tracasserais pas, à votre place. Ça m'a tout l'air d'être de la simple curiosité. Il a aussi *Playboy* et *Penthouse*, vous voyez.

— Tout de même, c'est une surprise.

— Personne n'est un livre ouvert. Ni vous ni moi…

« — Je préférerais que sa mère n'en sache rien.

— Mais certainement. Rien ne vous oblige à le lui dire. Pourquoi n'allez-vous pas vous reposer un peu dans le salon, monsieur Curry ?

— Edna est une femme très forte mais ceci...

— Vous feriez bien d'aller auprès d'elle.

— Oui, merci. Vous avez raison, je vais voir ce que fait Edna. » Cardinal eut soudain le sentiment qu'aux yeux d'un adolescent, le père de Todd avait dû passer pour une mère poule.

Le Macintosh semblait le regarder de son œil froid et vitreux. Cardinal connaissait assez bien les Mac pour découvrir ce que celui-ci avait dans le ventre. Deux minutes plus tard, il abandonnait, plutôt déconfit. Il s'en fut chercher Delorme. Elle était assise sur le canapé en compagnie de Mme Curry, qui lui montrait les photos d'un album de famille.

Delorme n'était pas non plus très chevronnée en informatique, mais Cardinal l'avait vue ce matin même travailler sur le Mac de Flower. Il en avait éprouvé le sentiment d'être vieux. Il lui semblait que les ordinateurs n'avaient pas de secrets pour les moins de trente-cinq ans, et il en éprouvait de la frustration. Delorme maniait la souris comme un petit jouet.

« Est-ce qu'on peut voir ce qu'il enregistrait ?

— C'est ce que je suis en train de faire. Threader est un logiciel utilitaire. Vous le programmez pour aller au plus vite dans vos portails favoris. Ça économise le temps de connexion, donc de l'argent. Seuls ceux qui sont souvent en ligne s'en servent. »

L'affichage à l'écran changea, révélant une liste de newsgroups. Cardinal lut à haute voix : « Email, HouseofRock, HouseofRap... de la musique rap ? C'est pas ordinaire pour un gosse blanc.

— Mon Dieu, ce que vous retardez !

— D'accord, c'est quoi ce machin, « Connexions » ? Il tapota de son index une icone représentant un couple s'embrassant. « Un genre de téléphone rose ?

— Pas nécessairement. On va se connecter et on verra bien. »

Delorme cliqua. Il y eut une sonnerie, puis l'indicible musiquette métallique de modems entrant en contact. « C'est comme de vous balader dans vos baies préférées, dit Delorme. Alors, qu'avons-nous déniché ? »

Elle cliqua à travers les messages. Il y avait tout un baratin sur de nouveaux jeux, puis un échange de tuyaux pour se procurer des billets d'un concert d'Aerosmith au Sky-Dome.

« Ah, voilà sa boîte courrier. Oh, il les aime brûlants, ses e-mails.

— Plutôt », dit Cardinal. Il était content de se tenir derrière Delorme, parce qu'il n'aurait pas osé croiser son regard.

« Vous voyez, tout cela est complètement anonyme, lui fit remarquer Delorme. Il se faisait appeler Galahad dans ce groupe de discussion.

— En tout cas, ça colle avec son magazine homo. Il a au moins une dizaine de correspondants.

— Oh ! regardez, ce type le connaît par son vrai nom. »

Todd, lut Cardinal, *je suis désolé que ça n'ait pas marché entre nous. Tu me parais être un bon garçon, et je te souhaite de réussir, mais il vaut mieux ne pas nous revoir. Et même nous reparler, bien que, sur ce point, je reste ouvert. Jacob.*

« Vous avez vu la date, John ?

— Oui, le 20 décembre. Cette nuit-là, Todd se présentait au Centre Crisis. Dites donc, on tient peut-être quelque chose. »

Delorme passa en revue les précédents courriers du même Jacob. Il était explicitement question de sexe et d'invitations à venir rendre visite, passer la nuit.

« Difficile d'imaginer une meilleure embuscade, dit Cardinal. On jauge sa victime sur la Toile, et on n'a plus qu'à l'attirer à soi. »

Ils lurent d'autres messages, qui n'avaient pas tous le sexe pour sujet. Certains parlaient gravement de la difficulté d'accepter son homosexualité. Ma foi, pensait Cardinal, il s'agit de mettre le garçon à l'aise. Avec l'alcool, la sympathie était probablement l'arme la plus efficace dans l'arsenal d'un séducteur.

« Y a-t-il moyen de découvrir le nom et l'adresse de ce type ?

— L'adresse, j'en doute. Le nom, peut-être. Mais je suis un peu rouillée, et ça risque de prendre du temps. » Delorme actionna de nouveau la souris, pendant que Cardinal, agenouillé devant les tiroirs, examinait la collection de jeux vidéo. Dix minutes plus tard, Delorme lui toucha l'épaule. « Voyez. »

Cardinal se releva et regarda.

« C'est la liste du groupe dont fait partie Jacob. Et il y a son adresse e-mail ». Elle lut : « "Le top, body-building, oral, e-mails chauds…" Dans l'une des discussions, il mentionne Louis Riel… vous vous souvenez de cette affaire ?

— Petite rébellion homo, non ?

— Pas si petite que ça. De toute façon, j'imagine que lui aussi fait partie de l'histoire, alors je vais dans le groupe de discussion histoire, d'accord ? » L'affichage changea. « Prochain arrêt : discussion histoire, répertoire

des membres. Je cherche l'adresse e-mail de Jacob… »
Elle tapait tout en parlant. « Et voyez sur quoi on tombe !
Même adresse.

— C'est Jacob ?

— C'est Jacob. Sauf que dans ce groupe-là, il utilise
son vrai nom. » Elle tapota l'écran de son index. Cardinal lut : *Jack Fehrenbach, 47 ; e-mail (français ou
anglais). Algonquin Bay.*

« Fehrenbach est professeur au lycée d'Algonquin
High. Vous êtes sûre de son identité ?

— Pas sûre à cent pour cent. Mais son compte doit
probablement être à son nom.

— Kelly l'a eu comme prof pendant une année. Ce
pourrait être aussi quelqu'un qui se sert de ce nom, un
élève qui lui en voudrait, par exemple ?

— Possible. Mais le service Internet facture votre
carte de crédit, ce qui rendrait les choses drôlement
compliquées.

— Vous avez fait là un travail de première, Lise.
Vraiment. »

Delorme sourit. « C'est vrai, je ne suis pas trop
mauvaise. »

25

La nausée s'était finalement dissipée. Pendant des jours, elle avait plané au-dessus du lit, et le plus léger mouvement lui donnait encore le tournis et envie de vomir. À peine avalait-il un peu de nourriture que le lit devenait une barque chahutée par les vagues.

À d'autres moments — le plus souvent juste avant qu'Eric lui apporte son plateau —, il avait moins mal au cœur et se disait qu'il allait bientôt revoir le soleil et respirer l'air frais. Puis survenaient des hallucinations : les colonnes du lit devenaient des minarets, ses pieds sous la couverture étaient des dunes, le bruit d'une goutte d'eau tombant dans le lavabo résonnait comme un roulement de tambour. Il s'imaginait cloué par la fièvre dans quelque décor exotique, Bahreïn ou Tanger. Il avait l'impression d'avoir un voile sur les yeux et des muscles aussi inertes que de la viande.

La silhouette au bord du lit était floue et tremblante. L'odeur de confiture et de pain grillé était irrésistible.

Depuis quand n'avait-il rien avalé ? « Dieu, qu'est-ce que j'ai faim, dit-il.

— Tiens. »

Eric lui mit l'assiette sous le nez. L'arôme manqua faire défaillir Keith. Il put avaler quatre tranches de pain, et en éprouva aussitôt une impression de force, comme s'il allait pouvoir se lever et faire des choses. « Eric, j'ai besoin d'un téléphone.

— Désolé, mais Edie n'en a pas. Moi oui, mais j'habite à l'autre bout de la ville.

— Elle n'a pas le téléphone ?

— Non, je viens de te dire.

— Karen va s'inquiéter. Je l'appelle régulièrement. Ça fait combien de temps que je suis malade... trois jours ?

— Quatre. »

Keith se redressa sur sa couche. Il avait les muscles douloureux après une si longue immobilité.

« Tu es encore trop faible pour sortir, Keith. Pourquoi ne pas lui écrire ?

— Elle habite Guelph. Le temps que la lettre arrive, elle sera tellement furieuse qu'elle ne la lira peut-être même pas. Vous avez un e-mail ?

— Non. Tu peux me donner son numéro, je lui passerai un coup de fil.

— Merci, Eric, mais je ferais mieux d'aller voir un docteur. Ce n'est pas normal de dormir comme ça. J'appellerai Karen de l'hôpital.

— D'accord. T'as qu'à te lever et voir si tu peux marcher. » Eric quitta le bord du lit pour s'asseoir sur la chaise bancale. Au prix d'un gros effort, Keith parvint à poser les pieds par terre. Puis, le regard fixé sur l'appareil de chauffage, il réussit à se redresser. Il resta un instant debout en vacillant, esquissa un pas en avant mais, abandonnant soudain, retomba lourdement sur le lit. « Pourquoi je n'ai plus de force ?

— Avec tous tes voyages, tu as sûrement attrapé une saloperie.

— S'il te plaît, Eric, emmène-moi à l'hôpital.

— Désolé, mais j'sais pas conduire.

— Allez. » Il s'efforçait de durcir sa voix, mais il avait le plus grand mal à garder les yeux ouverts. « Tu m'as dit que tu avais un fourgon. L'autre nuit. Tu as dit que tu apporterais ton matos pour le film dans ton fourgon.

— Mon permis n'est plus valable. J'ai découvert ça, ce matin. Expiré il y a six mois.

— Alors, demande à Edie de me conduire. Bon sang, pourquoi j'ai encore sommeil ? »

L'obscurité se refermait sur lui. Une fois de plus il s'enfonçait dans un couloir brumeux, comme poussé sur des patins vers une lumière déclinante. À moins que ce ne fût la tour CN ? Des insectes gros comme des chats pendaient du plafond au-dessus de lui. De leurs mandibules s'écoulait une bave blanchâtre qui lui brûlait la peau.

Il dormit, émergeant de temps à autre, pour se rendormir aussitôt.

Enfin il se réveilla, l'esprit un peu moins embrouillé. Le démon qui suçait son énergie semblait avoir relâché son étreinte et, hormis les douleurs musculaires, il se sentait presque normal. Il découvrit un bloc de papier à lettres, un stylo et même une enveloppe timbrée. Il se mit à écrire à Karen, une lettre remplie d'amour et de désir. Il se souvenait avec tendresse du visage de la jeune fille, de son corps. Il lui revint le souvenir de leurs étreintes, et il les décrivit en quelques images fortes. Il immobilisa sa plume, cherchant un autre mot que « ravissement ». « Enchantement » ne lui plaisait pas, et il avait déjà employé deux fois « plaisir ». « Félicité », pensa-t-il. Et il allait écrire le mot quand un bruit au-dessus arrêta sa main : la sonnerie étouffée mais reconnaissable entre toutes d'un téléphone.

26

Edie en avait mal au ventre de rire.

« *Ça fait une semaine que je suis malade comme un chien*, lisait Eric. *Tu ne peux pas savoir ce que ça peut être barbant et douloureux de gerber pour la dixième fois de suite.*

— Tu vois, Eric, Keith a bien aimé mes cocktails à l'ipéca[1]. Mes potions magiques à gerber. C'est le mélange avec le Valium, la recette. Ça donne le petit plus qui change tout. » Oh, comme elle aimait quand Eric riait. Pourquoi n'était-il pas ainsi tout le temps ? Drôle, cool. Dans de pareils moments, elle pouvait presque croire qu'ils formaient un couple ordinaire, rien qu'un homme et une femme se payant une tranche de rigolade. On en oubliait l'hiver et ce froid qui n'en finissait jamais. Elle ne pensait même plus à son visage. Oh oui, elle l'avait vu dans les yeux de Keith, ce regard sur elle, qu'elle connaissait si bien, cet examen de la tête

---

1. Racine d'un abrisseau du Brésil, dont la poudre est vomitive. (N.d.T.)

aux pieds et cette lueur de répulsion derrière le sourire qui se voulait amical. Mais cela n'avait plus d'importance quand Eric était avec elle, quand Eric était heureux.

« Vaudrait mieux diminuer l'ipéca et continuer le Valium, disait Eric. J'ai pas envie qu'il me dégueule dessus dès qu'on lui en donne. Écoute la suite. »

Le *boum, boum, boum* habituel éclata soudain au-dessus d'eux. Putain, mémé, lâche-moi. Je suis avec l'homme que j'aime et, pour une fois dans ma vie, je m'amuse. Pourquoi tu nous empêches de vivre ?

Eric répliqua aux appels de la vioque en reprenant sa lecture d'une voix plus forte. « *Je séjourne chez un jeune couple. Ils sont bizarres mais le fait est, Karen, que sans eux je serais probablement mort.*

— Tu entends ça, Eric ? Sans nous, Keith serait probablement mort.

— *La femme, Edie, travaille dans un drugstore et elle a toutes sortes de remèdes gratuitement. Enfin, c'est elle qui le dit. À mon avis, elle doit les faucher.*

— Le sale petit con, dit Edie. Il va regretter d'avoir écrit cette lettre, Eric. Tu vas voir. Je vais le faire hurler. »

Nouveau *boum, boum, boum* à l'étage.

« *Je pense à toi, je rêve de toi, tu me manques. J'aimerais faire l'amour avec toi, tu me donnes tellement de plaisir !* » Suivait un passage des plus explicites qu'Eric lut d'une voix drôle et aiguë qui les fit se tordre de rire jusqu'à verser des larmes.

« *Eric m'a dit qu'ils n'avaient pas le téléphone dans la maison, mais je viens juste d'en entendre un sonner, ce qui est un peu troublant.*

— Un peu troublant d'entendre le téléphone sonner, hein, Keith ?

— On va t'en donner, du troublant. On va te troubler les couilles à mort.

— Et la tête aussi, espèce de petite merde… Quoi ? Que se passe-t-il ? »

Eric s'était tu, soudain.

« Qu'y a-t-il, Eric ? »

Il lui montra la lettre, pointant de l'index une ligne au bas de la feuille. C'était l'adresse d'Edie. « Merde alors, comment il a pu s'en souvenir, bourré comme il était ? »

Eric plia la missive et la rangea dans l'enveloppe qu'ils avaient ouverte à la vapeur. « De toute façon, je vais la balancer dans les chiottes et tirer la…

— Que se passe-t-il, ici ? Pourquoi n'es-tu pas montée quand je t'ai appelée ? »

Appuyée sur sa canne, la grand-mère d'Edie se tenait sur le pas de la porte et regardait sévèrement sa petite-fille.

« Désolée, mémé, lui cria Edie. On écoutait de la musique !

— Quelle musique ? Je n'entends pas de musique. J'ai tapé et tapé, Edie, et tu n'es pas venue. Oui, tapé et tapé. Pourquoi Eric est-il encore ici ?

— Salut, la vieille, dit Eric avec un gentil sourire. Tu veux que je te fende le crâne ?

— Qu'est-ce qu'il dit ?

— Rien, mémé. Viens, je vais t'aider à remonter. »

Mais la grand-mère n'en avait pas fini. Il était difficile de l'arrêter quand elle avait quelque chose en tête. « Je ne comprends pas pourquoi tu ne viens pas quand je t'appelle, Edie. Je ne t'en demande pas trop, pourtant. Des tas de gens exigeraient bien plus d'une fille qu'ils auraient élevée comme si elle avait été la leur.

« — C'est parce qu'elle vous déteste, mémé. Mais c'est pas grave, allez, elle peut pas supporter vos entrailles puantes.

— Laisse-la tranquille, Eric. Je la ramène dans sa chambre. »

Edie aida sa grand-mère à faire demi-tour, non sans jeter un regard de reproche à Eric.

Quand elles eurent disparu dans le couloir, Eric alla s'enfermer dans les toilettes situées sous l'escalier. Là, il contempla la lettre pendant un long moment. Il avait eu l'intention de la déchirer en petits morceaux mais les passages érotiques avaient excité son intérêt. Il abattit le couvercle de la lunette et s'assit pour les relire. Cette Karen devait être un beau morceau. Ce serait honteux de ne pas lui envoyer un petit quelque chose.

27

Jack Fehrenbach aurait pu poser pour une pub de chaussures de trekking. Un bon mètre quatre-vingts, il avait vraiment la gueule du mordu de grand air, jusqu'à l'ombre de barbe en fin de journée. Vous l'auriez volontiers photographié en train de monter une tente ou de faire frire sur un réchaud de camping une truite pêchée un peu plus tôt. Il avait les épaules larges et musclées, et le reste de sa personne semblait être du même bois. Ce look d'amateur de plein air était passablement adouci par une chemise, une cravate des plus classiques et la paire de lunettes à double foyer qu'il ôta d'un geste brusque pour mieux voir Cardinal et Delorme, qui venaient de frapper à sa porte sans s'annoncer.

« J'espère que ce n'est pas pour mes contraventions, fit-il, après que Cardinal lui eut présenté sa plaque. Je leur ai signalé — je me suis tué à le leur dire — que j'avais payé ces foutues amendes. Je leur ai même envoyé une photocopie du chèque, pour l'amour du ciel ! Ils ne tiennent donc pas de comptabilité ? Ils n'ont pas de fichier informatique ? Où est le problème, vous pouvez me le dire ?

— Il ne s'agit pas de contraventions, monsieur Fehrenbach. »

Fehrenbach scruta le visage de Cardinal, y quêtant des défauts, et parut en compter plus d'un. « Alors, que me voulez-vous donc ?

— Pourrait-on entrer, je vous prie ? »

L'homme le leur permit, mais pas plus de quatre pas. Ils se retrouvèrent ainsi tous les trois dans un vestibule étroit où une patère lourdement chargée de manteaux et parkas tenait la place d'une quatrième et très volumineuse personne. « C'est au sujet d'un de mes élèves ? Quelqu'un a des ennuis ? »

Cardinal sortit de sa poche un portrait de Todd Curry. C'était une bonne photo que la mère du garçon avait bien voulu remettre à Delorme. Le sourire était large, mais une légère inquiétude tamisait les yeux, comme si ceux-ci se méfiaient de la bouche. « Connaissez-vous ce jeune homme ? » demanda Cardinal.

Fehrenbach examina de près le cliché. « Il ressemble à quelqu'un que je n'ai rencontré qu'une seule fois. Pourquoi cette question ?

— Monsieur Fehrenbach, sommes-nous obligés de rester dans le couloir ? C'est un peu encombré, vous ne trouvez pas ?

— Très bien, vous pouvez entrer, mais vous devrez enlever vos chaussures, parce que je viens de cirer le parquet, et je n'ai pas envie que vous y laissiez de la neige. »

Cardinal ôta ses bottes et rejoignit Fehrenbach dans le salon. Delorme suivit une minute plus tard, en chaussettes. La pièce était claire et spacieuse, avec des plantes vertes partout. Le plancher brillait, dégageant une agréable odeur de cire. Le long d'un mur, quatre épaisses étagères fléchissaient légèrement sous le poids de l'histoire : épais volumes en rangs plus serrés que les légions romaines. Sur une table en dessous, un ordinateur était quasiment enterré sous des piles d'ouvrages.

« J'irai droit au but, monsieur. » Cardinal sortit une feuille de papier de sa poche et, la dépliant, lut ce qu'il avait recopié. « *Un mètre soixante ? Cinquante-cinq kilos ? Les bonnes choses arrivent toujours dans des petits colis, Galahad, et tu me parais être le genre de paquet que j'aimerais recevoir.* »

La réaction de Fehrenbach surprit Cardinal. Au lieu de la stupeur attendue, c'était de la déception et presque de la tristesse qu'il lisait sur le visage du professeur.

« *D'ailleurs, je paierai même les frais d'envoi, si tu as l'intention de t'expédier chez moi...*

— Où avez-vous eu cela ? » Fehrenbach prit la feuille des mains de Cardinal et parcourut le texte derrière ses doubles-foyers. Les coins de sa bouche avaient blanchi. Il ôta de nouveau ses lunettes. Les sourcils froncés au-dessus de son nez aquilin, il regarda Cardinal. Ça ne devait pas chahuter, dans sa classe. « Officier, ceci est une correspondance privée, et vous n'avez pas le droit de vous en servir. N'avez-vous jamais entendu parler de recherches et de confiscations illégales ? Il se trouve que nous avons une Constitution, dans ce pays.

— Galahad est mort, monsieur.

— Mort, répéta l'homme, comme si Cardinal était un élève venant de lui donner une réponse erronée. Comment peut-il être mort ? » Sa lèvre supérieure brillait d'une fine sueur.

« Parlez-moi de votre rencontre avec lui. »

Fehrenbach croisa les bras sur sa poitrine, un mouvement qui dévoila la musculature de ses bras. Ce n'était pas le genre de bonhomme qu'on avait envie de pousser à bout, il pouvait sûrement faire mal. « Écoutez, j'ignorais qu'il n'était qu'un ado. Il m'avait dit qu'il avait vingt et un ans. Mais approchez, je vais vous montrer, il est encore sur mon disque dur. Je n'arrive pas à croire qu'il soit mort. Oh, mon Dieu ! » Il porta la main à sa bouche, un geste d'une étrange féminité chez un pareil hercule. « Serait-il ce garçon que vous avez retrouvé dans une maison abandonnée ? Celui qui a été…

— Qu'est-ce qui vous fait penser ça ?

— J'ai lu dans les journaux que le gamin n'était pas d'ici. Et qu'il était mort depuis… Mais, pour répondre à votre question, je ne sais pas, ce sont peut-être vos manières qui me l'ont suggéré. »

Rien en lui ne trahissait une quelconque culpabilité, mais Cardinal savait que celui qui avait tué Katie Pine et Todd Curry pouvait être n'importe qui. Il avait préparé ses crimes et enregistré au moins l'un d'entre eux. Cela signifiait une grande maîtrise de soi. Le profileur avait dit que l'assassin pouvait très bien exercer une profession, et de préférence une qui puisse le mettre en contact avec des jeunes gens.

« Monsieur Cardinal, j'enseigne dans un lycée, et Algonquin Bay est une petite ville. Si cela se savait, je serais un homme fini.

— Si cela se savait ? intervint Delorme. Que voulez-vous dire ?

— Que je suis homo. Cette affaire ne concerne plus seulement Algonquin, même le *Toronto Star* parle du Tueur de Windigo, maintenant. Alors, vous imaginez cet e-mail sur les chaînes de télévision ? Vous devez comprendre une chose : pour un homo, l'Internet, c'est du sexe sans danger. C'est infiniment préférable à la fréquentation des bars ou…

— Mais vous n'aviez pas l'intention d'en rester à ces e-mails, insista Delorme. Vous vous êtes arrangé pour faire venir Todd, pour qu'il séjourne chez vous.

— Savez-vous quels ont été mes premiers mots quand il est apparu sur le seuil ? "Oh, non." Je le jure devant Dieu. Je le regardais, qui se tenait devant moi, petit, maigre, étriqué, et je lui ai dit : "Oh, non… ça ne va pas. Tu es bien trop jeune. Tu ne peux pas rester chez moi." »

Cardinal avait appelé Kelly, la veille au soir, envoyant ses copines la chercher à l'atelier où elle travaillait encore. Et voilà ce qu'elle lui avait dit de Fehrenbach : « Jack Fehrenbach est un professeur d'une immense qualité, papa. Il sait éveiller l'intérêt de ses élèves pour l'histoire, leur donner envie de la comprendre. Il t'oblige peut-être à apprendre les dates par cœur, mais t'incite aussi à réfléchir aux causes des conflits et à leurs effets. Il te fait partager son enthousiasme, mais n'essaye jamais de copiner avec toi. En fait, il serait plutôt distant. » Puis, comme Cardinal lui faisait remarquer que l'homme était homosexuel, elle avait répondu : « Mais tout le monde le savait au lycée, et personne n'y trouvait à redire. Et ça en dit beaucoup sur le personnage. Tu sais bien qu'ils auraient été sans pitié avec lui, s'il leur avait donné motif. Mais il n'a jamais commis la moindre faute. Ce n'est pas le genre de prof dont les élèves oseraient se moquer. » Bref, pour Kelly, Fehrenbach était l'un des trois meilleurs professeurs qu'elle eût jamais eus, et pourtant elle n'aimait pas l'histoire.

Cardinal entendait bien garder l'opinion de Kelly pour lui-même. « Vous comprendrez, monsieur, qu'après avoir lu ce que nous avons lu, il nous est difficile de croire que vous avez décidé de renvoyer ce garçon. Pourquoi tant de scrupules, soudain ?

— Je me fous de ce que vous pensez ! Pour qui vous prenez-vous ? » Il porta la main à sa bouche et la garda ainsi un instant. « Excusez-moi, dit-il enfin. Je suis bouleversé, comprenez-vous. Il est évident que j'attache de l'importance à ce que vous pensez. J'avais invité Todd à venir jusqu'ici, et je me sentais coupable. Je ne pouvais pas le renvoyer aussi brutalement. Je lui ai préparé à dîner, et je peux vous dire que la conversation n'a pas été facile. Je ne sais pas ce qu'il en est pour vous, mais j'ai une connaissance plus que sommaire des œuvres complètes de Puff Daddy, rappeur de son état. La seule ambition de ce gamin était d'être DJ et de scratcher du vinyle. De toute façon, il n'a pas été très aimable quand je lui ai annoncé qu'il ne pourrait passer la nuit chez moi. Pas question d'héberger chez soi un garçon de seize ans quand on est homosexuel et enseignant dans un lycée ! Je ne suis pas fou. Je l'ai conduit au Bayshore avec assez d'argent pour y prendre une chambre, payer son billet de retour à Toronto et s'acheter de quoi manger. Pourquoi me regardez-vous comme ça ? Je vais vous montrer son e-mail. »

Il fallut deux minutes à Fehrenbach pour aller dans sa correspondance Internet. « Là. Voyez. C'est tout au début de notre échange, le deuxième courrier pour être exact. Je dis : *Parle-moi de toi. Que fais-tu ? Quel âge as-tu ?* » Il cliqua sur la boîte de réception. « Et voici sa réponse. »

Delorme se pencha pour lire à haute voix : « *J'ai vingt et un ans et je suis membré comme un âne, qu'est-ce que tu veux savoir de plus, Jacob ?*

— Il ne m'est jamais venu à l'esprit qu'il serait plus jeune qu'il ne le prétendait. Voyez-vous, la plupart des gens, quand ils mentent sur leur âge, c'est plutôt pour se rajeunir. J'ai moi-même eu souvent cette faiblesse. Il s'est d'abord présenté comme très porté sur le sexe, et puis j'ai décelé une réticence quand je lui ai proposé une rencontre. J'ai pensé qu'il doutait de sa propre sexualité. Notre relation est alors devenue plus amicale. Je ne voulais rien précipiter, et je suppose qu'à ses yeux j'étais comme un mentor.

— Excusez-moi, dit Delorme, mais votre correspondance ne me paraît pas très… intellectuelle.

— Intellectuelle, non. Cela ne veut pas dire qu'elle n'était pas intelligente. Voyez-vous, le climat est peut-être plus tolérant qu'à l'époque où j'étais jeune homme, mais accepter que votre sexualité soit considérée comme une déviance par la majorité des gens reste en tout cas une phase bien douloureuse dans l'analyse de soi que toute personne est appelée à faire. En toute honnêteté, vous reconnaîtrez que notre conversation prend cette dimension à partir du cinquième ou sixième échange. »

Il fit défiler quelques-uns de leurs e-mails. Ce qu'il disait était vrai : peu à peu le contenu passait des fantasmes érotiques à des discussions sur la sexualité, et Fehrenbach n'avait pas menti : il parlait en guide au garçon qui affrontait un ennemi que l'aîné avait depuis longtemps affronté et vaincu.

Vers la fin, il y avait un échange sur le voyage de Galahad de Toronto à Algonquin Bay. Allait-il venir en train, en car, comment lui envoyer l'argent ?

Je prends le 11 h 45 demain matin. Serai à Algonquin Bay vers 16 heures. À très bientôt ! Daté du 20 décembre. Après ça, plus rien.

« Vous n'étiez pas à la gare pour l'accueillir ?

— Non, je lui avais envoyé l'argent pour le car et un taxi. J'avais alors des doutes quant à son âge, et je n'avais pas envie de me montrer en compagnie d'un mineur.

— Vous êtes terriblement prudent, intervint Delorme. Certaines personnes pourraient même trouver cela suspect.

— J'ai un collègue et ami, qui a longtemps vécu à Toronto, qui aimait avoir de longues et amicales conversations avec ses élèves dans son bureau. Des conversations privées, la porte fermée. À cause de cela et du témoignage d'un élève qu'il avait mis en retenue, il a été condamné à quatre ans de prison. Quatre ans, officier. Non, non, je fais simplement preuve de prudence. La porte de mon bureau au lycée reste toujours grande ouverte, et je ne rencontre jamais des élèves à l'extérieur.

— D'après ce message, reprit Cardinal, et ce que vous nous dites, Todd aurait pris une chambre au Bayshore le 20 décembre.

— Exact. Je l'ai déposé devant. Je ne suis pas descendu de la voiture et je l'ai vu entrer dans l'hôtel.

— Ce devait être douloureux pour vous, de devoir ainsi couper les ponts, après toutes ces discussions et la perspective d'un week-end torride.

— Non, ça n'a pas été frustrant. Vous dites qu'il avait seize ans, mais il en paraissait quatorze. Pour moi, c'est l'âge d'un enfant, et je ne suis pas pédophile. Je couche avec des hommes, officier Cardinal, pas avec des mômes.

— Nous aimerions connaître vos occupations lors de ce week-end.

— Il m'est facile de vous répondre. Je n'avais rien prévu, en dehors de rencontrer Todd, alors j'ai accepté l'offre d'un ami qui habite Powassan, et j'ai passé ces deux jours avec lui. Le lundi, je suis allé directement à Toronto, pour fêter Noël avec mes parents. Mon ami vous confirmera tout cela. Je lui ai raconté mot pour mot ce que je viens de vous déclarer, et il s'est bien fichu de moi.

— Il nous faudrait son nom. Et n'oubliez pas qu'au cas où vous appelleriez cette personne pour accorder vos violons, nous le saurons par les relevés du téléphone.

— Nous ne jouons ni l'un ni l'autre du violon, officier. » Fehrenbach ouvrit son répertoire, donna nom et adresse à Delorme et surveilla ce qu'elle notait dans son calepin, comme il l'aurait fait pour une élève peu douée.

Cardinal se souvenait du respect avec lequel Kelly avait parlé de Fehrenbach. « Tu connais beaucoup de professeurs qui intéressent tellement leurs élèves à l'histoire que toute une classe se met à débattre de Henry Hudson ou de Samuel de Champlain[1] ? Pour lui, il n'y avait qu'une seule façon d'apprendre l'histoire : écouter, apprendre les dates, revoir ses notes, réfléchir. »

« Monsieur Fehrenbach, vous nous avez été très utile. »

Le professeur n'hésita qu'une fraction de seconde avant de serrer la main que lui tendait Cardinal.

Dans la voiture, Delorme boudait. Cardinal savait qu'elle était en colère, et il sentait les efforts qu'elle faisait pour se maîtriser. Alors qu'ils tournaient dans Main, la voiture dérapa soudain sur une plaque de glace, et Cardinal en profita pour s'arrêter le long du trottoir.

---

1. Henry Hudson, mort en 1611, explorateur des territoires du nord-est de l'Amérique. Samuel de Champlain, 1567-1635, explorateur français, fondateur du Québec (1608). *(N.d.T.)*

« Lise, ce bonhomme a une excellente réputation, d'accord ? C'est un professeur très estimé de ses élèves et, avec nous, il s'est montré franc et ouvert, beaucoup plus sincère que je ne l'aurais été à sa place.

— Nous faisons une erreur, rétorqua Delorme. Fehrenbach est en ce moment même en train d'effacer toute trace de ses e-mails avec ce gosse.

— Nous n'avons pas besoin de ses e-mails. Nous avons tout ce qu'il nous faut sur le Mac de Todd. Nous vérifierons son alibi et nous enverrons un de nos gars le surveiller. Et personne ne saura rien de cette histoire. »

L'employé à la réception du Bayshore ne se souvenait pas du garçon sur la photo. Non, personne du nom de Todd Curry n'avait signé le registre.

« Vous voyez, dit Delorme. Fehrenbach a menti.

— Je ne m'attendais pas à ce que Todd ait signé le registre. Quelqu'un que je connais au Centre Crisis m'a confirmé que Todd était passé là-bas le 20 décembre. Il est probable que le gamin a préféré économiser le prix d'une chambre d'hôtel. Et c'est entre le centre et la maison dans Main West qu'il a rencontré le tueur. »

28

Delorme n'avait guère d'amis — d'amis intimes — dans la police. Travailler aux Enquêtes internes n'encourageait pas vraiment la camaraderie, et son caractère réservé faisait le reste. Elle se rabattait sur les amitiés nouées au temps du lycée, mais ça n'était jamais facile. Il y avait, parmi ses anciennes copines, celles qui étaient parties dans une université et en étaient revenues changées ou mariées, le plus souvent les deux. Quant à celles qui n'étaient pas parties à la fac, leur horizon n'allait pas plus loin que le petit copain qui les avait engrossées à dix-huit ans et avait bien voulu les épouser.

La plupart d'entre elles avaient des enfants, et Delorme ne pouvait partager ce qui était devenu pour ces femmes leur principal centre d'intérêt. Et même quand elle les voyait, elle sentait qu'elle n'était plus la même à leurs yeux. Le métier de flic, où les hommes étaient en écrasante majorité, l'avait endurcie, rendue plus discrète encore et, d'une manière qu'elle ne saisissait pas très bien elle-même, moins patiente avec les femmes.

Tout cela engendrait la solitude, et c'est pourquoi, à la différence de ses collègues, elle redoutait la fin de chaque permanence. Aussi, quand Cardinal lui proposa, au beau milieu de la rédaction des sempiternels rapports, de venir chez lui ce soir-là pour faire le point, une foule de pensées confuses s'envola du cœur de Delorme telle une bande d'étourneaux. « Ne vous tracassez pas, lui dit Cardinal avant qu'elle ait eu le temps de répondre. Je ne vous infligerai pas ma cuisine. Nous pouvons commander une pizza. »

Elle ne savait pas trop, lui répondit-elle, pensant que d'ici la fin de la journée, elle serait fatiguée et peu encline à se remuer les méninges.

« Nous avons vérifié l'alibi de Fehrenbach, et nous n'avons pas d'autre piste.

— Je sais, mais… »

Cardinal la regarda avec un froncement de sourcils. « Vous savez, Lise, si j'osais un pas vers vous, ce n'est pas chez moi que je le ferais. »

Ils se rendirent donc, chacun dans sa voiture, au petit cottage glacé de Cardinal dans Madonna Road, et il alluma un grand feu dans le poêle. Delorme était sensible à la gentillesse qu'il lui manifestait. Il lui montra les travaux de menuiserie qu'il avait réalisés dans la cuisine, puis un immense paysage peint par sa fille, quand elle avait douze ans : une vue de Trout Lake avec la base de NORAD[1] dans le fond. « Elle a hérité les gènes artistiques de sa mère. Catherine est photographe. » Il désigna une photo sépia — une embarcation solitaire sur une grève anonyme.

---

1. Base aérienne de la North American Air Defense. *(N.d.T.)*

« Elles doivent vous manquer. » Delorme regretta aussitôt cette remarque. Mais Cardinal répondit d'un haussement d'épaules et décrocha le téléphone pour commander la pizza.

Le temps que le livreur arrive, ils avaient déjà échangé quelques suggestions. Tout brainstorming digne de ce nom a pour principe qu'on ne peut se moquer des propositions avancées par l'autre, afin de ne pas créer la moindre inhibition. C'était pour cela qu'il valait mieux tenir ce genre de réunion en dehors du bureau : on pouvait sortir tout ce qui vous passait par la tête sans crainte des lazzis.

Ils commençaient à peine à s'échauffer que le téléphone sonna. Cardinal décrocha. « Oh, merde ! grogna-t-il. J'arrive dans dix minutes. » Il balança le sans-fil sur le canapé, enfila son manteau et s'assura qu'il avait les clés de sa voiture.

« Que se passe-t-il ?

— J'ai complètement oublié qu'on avait rendez-vous à six heures avec la presse. C'est R.J. qui a organisé la rencontre, pour éviter à Grace Legault de se prendre les pieds dans le tapis. Nous faisons part aux journalistes de faits que nous ne voulons pas vraiment qu'ils sachent, afin qu'ils ne disent pas des choses que nous ne voulons pas qu'ils disent. C'est du moins l'idée générale.

— Et qui en est l'auteur ?

— Qui d'autre que Dyson ? Il est vrai que je ne l'ai pas désapprouvé.

— Bien, je n'ai plus qu'à m'en aller, alors.

— Non, non, je vous en prie. Ne laissez pas refroidir la pizza. Je n'en aurai pas pour plus d'une heure. »

Delorme protesta. Cardinal insista. À la fin, elle resta, chipotant la pizza dans le soudain silence que

Cardinal laissa derrière lui. Tout cela semblait parfaitement… quel était le mot… orchestré. Il l'invitait à venir chez lui, oubliait la réunion avec la presse, la pizza arrivait juste à temps ; bref, il venait de lui laisser la garde de la maison pendant une bonne heure. Vous êtes ici chez vous, allez-y, fouillez, je n'ai rien à cacher.

Était-ce une manière de lui épargner (et, avec elle, Dyson et la direction de la brigade) l'embarras d'un mandat de perquisition ? Ou bien y avait-il là une manœuvre préventive, destinée, comme dans les régates, à prendre le vent de l'adversaire ? Un coupable ne lui donnerait pas la clé de chez lui. Mais le stratagème, si c'en était un, lui en rappelait un autre : les tiroirs de son bureau que Cardinal laissait ouverts, coupable se dissimulant derrière le miroir de l'innocence.

Delorme s'essuya les doigts et appela Dyson. Cette réunion de presse, c'était la vérité ? Rien de plus vrai, lui répondit Dyson, ajoutant que R.J. y tenait énormément et que Cardinal avait intérêt à se ramener *toute souhuite* (son français arracha un frisson à Delorme), sinon Dyson l'enverrait coller des prunes pour stationnement interdit avant la fin de la semaine.

« Il est en route.

— Comment le savez-vous ? Vous êtes chez lui ? Que faites-vous dans sa baraque ?

— J'attends un enfant de lui. Mais ne vous inquiétez pas, je suis encore capable d'évaluer la situation objectivement.

— Ha ha ! Le fait est que vous avez une fameuse occasion, là, exactement ce dont nous avions parlé.

— Oui, mais pourquoi nous la fournit-il, c'est ce que je ne comprends pas, sauf à le croire totalement innocent.

— Ne serait-ce pas la meilleure ? »

Delorme se leva, épousseta les miettes de sa jupe. Il y avait, au-dessus de la cheminée, une photo de Cardinal. En vieille chemise à carreaux et blue-jean passé, il rabotait une pièce de bois, penché sur elle comme un joueur de billard. Avec sa barbe de trois jours et de la sciure dans les cheveux, il avait l'air plutôt sexy pour un flic. Ma foi, sexy ou pas, il commençait par laisser son bureau ouvert, et voilà qu'il lui abandonnait sa maison. C'était en tout cas une invitation qu'elle n'allait pas refuser.

La police d'Algonquin Bay n'a pas de règles en matière de recherches clandestines, pour la bonne raison que ses membres ne sont pas censés les pratiquer. Delorme ne s'était jamais appuyée sur des méthodes de ce genre pour réunir des preuves, et elle n'allait pas commencer maintenant. Toute fouille de ce type ne pouvait être qu'une simple reconnaissance du terrain, un aperçu sur lequel pourrait éventuellement se fonder une perquisition en règle, signée par un juge. D'ailleurs, on insiste bien à l'école de police sur le fait que de telles investigations sont illégales et leurs fruits irrecevables.

Elle disposait de moins d'une heure, quarante minutes au plus, pour être à l'abri au cas où Cardinal reviendrait plus tôt que prévu. Il lui fallait donc choisir. Elle élimina tous les endroits que fouillent les flics de cinéma : les caches dans les penderies, derrière les bibliothèques. Elle ne déplacerait pas les meubles, ne soulèverait pas les tapis, ne regarderait pas sous le canapé et les lits, ne dérangerait rien que Cardinal pût remarquer. De toute façon, elle ne croyait pas qu'il utiliserait de pareilles cachettes, s'il avait quelque chose à dissimuler.

Non, elle décida, quelques minutes après le départ de Cardinal, de chercher uniquement là où elle pourrait trouver matière compromettante : dans les papiers personnels. Il les gardait étiquetés et bien classés dans une armoire métallique qui, bien entendu, n'était pas fermée à clé. Il lui fallut très peu de temps pour connaître son salaire (avec les heures supplémentaires, cela faisait beaucoup plus que ce qu'elle avait estimé). Elle apprit aussi qu'il n'avait pas fini de payer son joli cottage à la température de glacière. Les traites étaient élevées mais supportables, compte tenu de son revenu, à moins qu'il n'eût d'autres dépenses importantes, comme les études d'une fille dans une université de l'Ivy League.

Delorme était davantage intéressée par ce que gagnait Catherine Cardinal. Si celle-ci avait des ressources personnelles, il deviendrait difficile de soupçonner Cardinal de corruption.

Elle examina les déclarations de revenus du couple.

Celle de l'an passé, conjointe, remplie de la main de Cardinal, montrait qu'il avait déclaré à un *cent* près ce qu'il gagnait. La part de son épouse ne représentait qu'un peu d'argent de poche, tiré de son poste à mi-temps d'enseignante de photo au lycée d'Algonquin. Un deuxième volet — une déclaration destinée au Trésor public américain — était, lui, fort intéressant. Il était au nom de Catherine Cardinal, mais rédigé lui aussi par le mari, d'une écriture brouillonne et très lisible à la fois. Il ne vous viendrait pas à l'idée de confier votre déclaration à un comptable, n'est-ce pas, convaincu que vous êtes de vos capacités mentales. Ainsi Catherine avait-elle touché onze mille dollars US de la location d'un appartement à Miami. Apparemment, une location saisonnière.

« Date d'acquisition », dit Delorme à voix haute en scrutant ce document qui ne lui était pas familier. « Allons, elle figure bien quelque part, cette date d'achat… » Elle se renversa sur sa chaise en serrant dans ses mains la feuille bleu et blanc. Catherine Cardinal s'était rendue propriétaire de cet appartement dans un immeuble en copropriété dans l'État de Floride trois ans auparavant, grâce à un premier versement de quarante-six mille dollars US — exactement trois semaines après le premier fiasco Corbett.

Delorme perçut une voix qui lui disait prudemment : Tu ne sais rien, continue de chercher et de garder l'esprit ouvert. Nous sommes ici pour découvrir, pas pour juger.

Cardinal avait déduit une partie de la prime d'assurance couvrant son habitation. Delorme trouva une chemise étiquetée ASSURANCES. Le montant de la police était à première vue très raisonnable, mais elle se rappela que c'était le terrain qui coûtait cher, pas la maison. Il y avait également des reçus pour de gros achats — la Camry de Cardinal, un réfrigérateur, une grosse machine-outil à travailler le bois — et puis elle tomba sur une facture qui lui coupa le souffle : cinquante mille dollars pour l'achat d'un cabin-cruiser de marque Chris-Craft à la marina Calloway, Hollywood Beach, Floride. Pas de nom sur le reçu mais une date : octobre, deux ans plus tôt. Soit deux mois après le second fiasco Corbett.

Une fois de plus, Delorme s'exhorta au calme. Pas de conclusions hâtives. Mais cette somme, et à cette date-là, c'était préjudiciable, pas de doute.

Du tiroir du fond, elle tira un autre dossier, intitulé YALE. Elle en feuilleta le contenu, qui consistait en une correspondance en provenance de l'université sur un papier à lettres embossé, qui confirmait ce qu'elle savait déjà : John Cardinal payait une fortune pour envoyer sa fille dans une grande école. Plus de vingt-cinq mille dollars canadiens par an, auxquels il fallait ajouter les frais de nourriture, les voyages et les fournitures de dessin et peinture. Cardinal avait dit que Kelly était en deuxième année, ce qui représentait déjà une dépense de soixante-quinze mille dollars, et la jeune fille avait encore une année à faire.

Delorme remit les papiers en place et referma l'armoire. Arrête-toi, maintenant, se dit-elle. Le bateau, l'appartement, Yale, c'est plus que suffisant pour étendre l'enquête.

Elle rangea la moitié de la pizza dans le frigo, lava son assiette et enfila son manteau. En éteignant la lumière, elle se demanda pourquoi son collègue lui avait permis de fouiller sa maison, quand il y avait tant d'éléments l'accusant. Cela n'avait pas de sens.

En route, elle appela Malcolm Musgrave sur son portable. « Je suis tombée sur des factures pour le moins intéressantes — de gros achats effectués juste après vos tentatives de coincer Corbett. Mais, pour le moment, je ne peux pas vous dire où ni comment j'ai découvert ça.

— Je veux bien le comprendre, il est votre collègue, mais vous ne menez pas seule cette enquête. De combien d'argent parlons-nous ?

— Quatre-vingt-seize mille dollars US auxquels il faut ajouter ce que lui coûtent les études de sa fille à Yale.

— Peut-être bien que notre grand patron en gagne autant, mais ce n'est ni mon cas, ni le vôtre, ni celui de notre suspect.

— Ça sent mauvais, je sais. Mais il vit modestement et dépense très peu d'argent, en espèces du moins.

— Vous oubliez qu'avec la carotte il y a le bâton, et un fameux bâton. Quand Kyle Corbett a mis la main sur vous, on ne se retire pas comme ça du jeu. Vous

246

faites ce qu'il vous dit de faire, sinon il ira vous cher- cher, où que vous soyez. Vous pourriez interroger Nicky Bell à ce sujet. Oh, c'est vrai, il est mort, que je suis bête. » Musgrave la pria de patienter une minute.

Pendant qu'elle attendait, elle reconnut la Camry de John Cardinal qui arrivait en sens inverse. Elle leva la main du volant pour lui faire un signe, mais il ne la vit pas. Soudain Delorme regretta d'avoir appelé Mus- grave. Celui-ci était de nouveau en ligne.

« Écoutez, j'ai besoin d'en savoir plus sur ces reçus, d'accord ? Nous n'avons pas le temps de jouer les *prime donne*, petite sœur.

— Désolée, mais je ne peux pas faire ça. Pas encore, en tout cas. »

Musgrave insista, lui chantant l'aria bien connue vous-jouez-dans-la-cour-des-grands-maintenant.

« Musgrave, je mène mon enquête, d'accord. Bref, je fais mon travail, et c'est tout ce que vous avez à savoir pour le moment. » Le caporal revint à la charge mais, cette fois, elle coupa la communication.

Quand elle arriva devant sa maison, elle resta dans la voiture, le moteur tournant, la tête appuyée sur le volant, ne désirant pas nommer le sentiment qui l'enva- hissait. Delorme avait rencontré bien des hommes corrompus au cours de ses six années passées aux Internes. Elle avait aussi découvert chez ces hommes des motivations qui rivalisaient par la richesse et la variété avec les paysages des Territoires du Nord- Ouest. Certains volaient par pure avidité ; ceux-là étaient faciles à épingler. D'autres, plus complexes, cédaient sous la contrainte. D'autres encore, sous l'emprise de la peur. Ces derniers appartenaient pour Delorme à l'espèce la plus répandue : le cadre moyen qui, passé la cinquantaine, voit approcher le spectre d'une maigre retraite. Elle ne pensait pas que Cardinal appartînt à cette catégorie. Aussi n'était-ce ni le cabin-cruiser ni cet investissement immobilier à Miami qui retenait son attention. La motivation qui ressortait de manière éclatante à ses yeux tenait dans ces lettres de Yale. Elle sentait encore le poids de ce papier vélin embossé du sceau de l'université, songeait au coût des études dans ce fleuron de l'Ivy League. Certains hommes, réalisait-elle, pouvaient voler par amour.

« John Cardinal, dit-elle à voix haute, vous n'êtes qu'un pauvre idiot. »

29

Eric lui avait apporté une soupe — c'était tout ce qu'ils lui donnaient depuis deux jours, en dépit de ses protestations — et s'était assis au pied du lit pour s'assurer que son prisonnier la mangerait jusqu'à la dernière cuillerée. Il n'avait pas dit un mot, se contentant d'observer Keith, tel un corbeau. Puis il avait souri de ce sourire de fouine, comme s'ils partageaient quelque secret, et s'en était allé.

Keith fila dans le cabinet de toilette et se força à vomir. Il ne ressentait plus de nausée, mais il était maintenant persuadé qu'ils le droguaient avec quelque chose qui le faisait dormir tout le temps. Il voulait retrouver ses esprits, savoir ce qui se passait.

Un moment plus tard, épuisé et vidé, il s'assit au bord du lit et écouta le bourdonnement de leurs voix au rez-de-chaussée. La pièce dans laquelle ils se tenaient était juste au-dessus de celle où ils le cloîtraient, mais il lui était impossible de discerner ce qu'ils se disaient.

Il essuya du coin du drap les larmes que lui avaient arrachées ses vomissements. La vision plus claire, il remarqua que le mobilier s'était enrichi d'un petit téléviseur et d'un magnétoscope. Non, mais qu'est-ce qu'ils croyaient ? Qu'il allait rester ici encore longtemps ? Ce n'était pas une foutue télé qu'il voulait, mais ses vêtements. Ses vêtements et son sac de marin, qui avaient disparu.

Il tira et poussa sur la porte mais elle était fermée de l'extérieur. Il en conçut pour la première fois une réelle inquiétude. Il s'enveloppa dans une couverture et resta assis longtemps, à réfléchir. À un moment, il ne savait pas trop quand, il entendit Eric et Edie sortir de la maison, puis la voiture qui démarrait dans l'allée.

Il avait encore l'esprit confus, mais s'efforça de mesurer dans quel pétrin il se trouvait. La porte était verrouillée, il n'avait rien pour se vêtir, et c'était là un bien mauvais signe. Mais mauvais dans quel sens ? Jusqu'ici, Eric et Edie ne lui avaient inspiré ni peur ni répulsion particulière. Quel pourrait être le pire des scénarios ? Ils croient peut-être que ma famille est riche, et ils ne me libéreront que contre rançon.

Il prit une décision. La prochaine fois qu'ils ouvriront la porte, je foncerai dans l'escalier. Sans hésiter. Peut-être que je me monte la tête, peut-être qu'ils ne sont pas dangereux, mais peu importe, il faut que je m'arrache de là.

Un bourdonnement d'insecte se produisit au-dessus de sa tête et il leva les yeux juste à temps pour voir l'unique ampoule clignoter et brûler. La pièce fut plongée dans le noir. D'infimes rais de lumière commencèrent de filtrer par les planches obstruant la fenêtre.

L'obscurité n'avait jamais effrayé Keith London, mais maintenant elle l'angoissait. Il alluma à tâtons le téléviseur, accueillant avec soulagement la froide et scintillante neige de l'écran. Il n'y avait ni câble ni prise d'antenne, et toute réception d'image était sans espoir. Sur la première chaîne, le fantôme flou et silencieux du présentateur du journal le regardait fixement.

Keith poussa le bouton d'éjection du magnétoscope, et une cassette en jaillit. Il put déchiffrer l'écriture sur la tranche : *La Fête de la vie*. Ce devait être le film dont lui avait parlé Eric. Il repoussa la bande dans son logement et enclencha « Play ».

La scène était horriblement mal éclairée. Il y avait un cercle de lumière au centre de l'écran et, autour, une pénombre épaisse. Un garçon était assis sous le halo, un gosse maigre aux cheveux longs. Il n'avait pas l'air très futé, et sirotait une bière en souriant bêtement. Il rota une ou deux fois, faisant des grimaces à la caméra.

Puis une femme entra en scène — Edie — et s'assit à côté de lui. Nous y voilà, se dit Keith. Saynète d'amateur de porno. Merde, ce qu'ils peuvent être tarés, ces gens du Nord.

L'éclairage n'arrangeait pas le teint d'Edie, donnant à sa peau un aspect vitreux. Elle tendit la main vers l'entrejambe du garçon et commença de le masser. Le gosse riait, l'air plutôt tendu et gêné. « Non, vous êtes trop, les mecs », dit-il.

De la musique jaillit soudain d'une grosse radiocassette, semblait-il ; la voix de Pearl Jam altérée par de mauvais haut-parleurs. Edie continuait de frotter mécaniquement le môme, qui finit par ouvrir sa braguette.

Puis un autre personnage fit son apparition. Eric. Jouant les maris offensés, criant les plus ridicules paroles. « Tu me fais ça à moi ? Après tout ce que j'ai fait pour toi ? » Tout cela était d'une nullité que Keith n'aurait jamais pu imaginer.

Eric repoussa Edie en continuant de beugler ses inepties.

Le garçon, pour sa part, caricaturait son jeu de façon navrante, levant les mains en signe de reddition. Il avait l'air parfaitement ridicule, avec son pantalon baissé sur les cuisses.

Puis Eric, se campant dans une pose théâtrale, leva un marteau. « Tu essaies de baiser ma femme dans mon dos ! Je vais te tuer !

— Non, je vous en prie ! plaidait le gamin en se tordant de rire. S'il vous plaît, me tuez pas ! Je voulais pas ! Je le ferai plus jamais ! » Puis, abandonnant brusquement son personnage : « Désolé, mais j'peux pas m'empêcher de rigoler. C'est tellement con, comme scène.

— Tu penses que c'est con, hein ? » Eric fit un pas en avant, le marteau brandi. « J'vais te montrer ce qui est con. »

Le marteau s'abattit sur le crâne du garçon, changeant toutes choses. Malgré la mauvaise qualité du son, Keith sut instantanément que le craquement de l'os était parfaitement réel. Comme était réelle l'expression de vide soudain sur le visage de la victime… la bouche ouverte, les yeux emplis d'une stupeur absolue.

Eric frappa encore. « Salopard, pourriture, pour qui tu te prends ? »

La bande durait un minute et demie de plus. Alors que la scène se poursuivait devant lui, Keith restait figé comme une pierre dans la lueur blafarde de l'écran. Puis il leva la tête et se mit à hurler à la mort comme un chien.

30

Dehors, quelqu'un était embourbé dans la neige. La vaine plainte des pneus portait jusque dans la pièce où Cardinal écoutait ce qu'une jeune femme triste du nom de Karen Steen avait à lui dire. Le détective avait passé une matinée fort déprimante. Il s'était d'abord rendu à l'hôpital, pour y trouver une Catherine maussade et fermée. Il avait abrégé sa visite sitôt qu'il avait senti monter en lui un ressentiment envers elle. Le premier coup de fil qu'il avait reçu provenait de la mère de Billy LaBelle, en pleurs et la voix brouillée par les sédatifs dont elle abusait dans l'espoir d'atténuer sa douleur. Puis M. Curry l'avait appelé (sur l'insistance de sa femme, bien entendu), et Cardinal avait dû lui avouer qu'il n'était pas plus près qu'au début d'attraper celui qui avait battu à mort son fils unique. Puis Roger Gwynn lui avait téléphoné du *Lode*, pour lui demander sans espoir si l'enquête progressait. Après la réponse négative de Cardinal, Gwynn avait déterré leurs glorieux souvenirs du lycée, comme si la nostalgie pouvait inciter Cardinal à plus de coopération.

Et puis ç'avait été le tour du *Globe and Mail* et encore du *Toronto Star* et, enfin la chaîne 4, en la personne de Grace Legault. Les journaux ne lui posèrent pas de problème, mais Grace avait eu vent de l'« affaire » Margaret Fogle. L'avaient-ils réellement comptée parmi les victimes du Tueur de Windigo ? Alors qu'elle était en vie et bien portante en Colombie-Britannique ?

Cardinal lui résuma les faits : Margaret Fogle avait été portée disparue. Elle présentait d'une certaine manière le profil des victimes du tueur. Et puis on avait retrouvé sa trace, et elle ne présentait plus aucun intérêt pour la police d'Algonquin Bay. Cet appel le déconcerta, parce qu'il signifiait que quelqu'un parlait à Legault sans lui en faire part. Et, à la pensée que c'était probablement Dyson, il éprouva une soudaine fatigue.

Cardinal voulait consacrer tout son temps à l'enquête. Delorme et lui s'étaient réparti les pistes appareil photo et pendule. Ils avaient fait de multiples copies des sons de la cassette, pour les expédier aux horlogers et réparateurs d'appareils photo de Toronto et de Montréal. Delorme devait à cette heure avoir déjà appelé une vingtaine d'entre eux, alors que lui n'avait encore rien pu faire. Et voilà qu'après le téléphone, il se retrouvait coincé par cette jeune femme venue lui parler de son petit copain disparu.

Cardinal en voulait au sergent Flower d'avoir assuré à Mlle Steen qu'il la recevrait, car cette personne était de Guelph, une grande communauté agraire à cent kilomètres à l'ouest de Toronto. « Si votre ami est de Toronto, lui dit-il, c'est à la police de cette ville que vous devez vous adresser. »

Karen Steen était une jeune fille timide — elle ne devait pas avoir plus de dix-neuf ans — qui avait tendance à contempler le sol entre deux phrases. « J'ai préféré ne pas perdre de temps au téléphone, officier Cardinal, pensant que vous me prêteriez davantage attention si je venais en personne. Je suis persuadée que Keith est ici, à Algonquin Bay. »

Toutes les jeunes femmes lui rappelaient sa fille mais, hormis son âge, Mlle Steen n'avait rien en commun avec Kelly. Kelly était exceptionnelle — aux yeux de Cardinal du moins —, alors que cette jeunesse assise en face de lui semblait plutôt banale. Elle portait un tailleur bien trop strict pour son âge, et des lunettes à monture d'acier qui lui donnaient l'air d'une écolière. Une jeune fille bien sérieuse, en vérité.

Elle regarda de nouveau le sol à ses pieds, où une petite flaque de neige fondue s'était formée. Cardinal crut un instant qu'elle allait pleurer mais, quand elle releva la tête, elle avait le même regard clair et grave. « Les parents de Keith travaillent sur un site en Turquie — ils sont tous les deux archéologues — et il est impossible de les joindre. Je n'ai donc pas attendu qu'ils me disent ce que je devais faire. J'ai appris la série de meurtres qui a frappé votre ville. Mais si j'ai bien compris, les victimes ont d'abord été enlevées, avant d'être assassinées.

— Cela ne signifie pas que les personnes dont on nous signale la disparition tombent toutes aux mains de ce fou. Votre ami peut très bien être sur la route, en train de faire du stop. Le Canada est assez grand pour qu'on s'y perde. Vous disiez qu'il était attendu mardi, dans le Soo.

— Oui, et ça ne lui ressemble pas de disparaître ainsi. L'une des qualités que j'apprécie chez Keith, c'est sa considération pour les gens. On peut compter sur lui. Il n'est pas du genre à vous donner des inquiétudes.

— Ce n'est pas dans son caractère, vous voulez dire.

— Exactement. Je ne suis pas hystérique, monsieur, je ne suis pas venue à la légère. J'ai des raisons.

— Continuez, mademoiselle. Je ne voulais rien dire si ce n'est... mais je vous écoute. »

La jeune femme respira profondément et retint un instant son souffle en regardant au loin. Cardinal pensa que ce devait être un geste habituel chez elle, et il ne manquait pas de charme. Il découvrait une gravité touchante chez Karen Steen. Il n'avait aucun mal à imaginer qu'un garçon pût être amoureux d'elle.

« Keith et moi, nous sommes différents à bien des égards, mais nous sommes très proches, dit-elle enfin. Nous devions nous marier après le bac, mais nous avons décidé d'attendre encore un an. J'ai choisi d'entrer tout de suite à la fac, et Keith de voir un peu le monde, avant de faire comme moi. Bref, nous avons pensé que ça nous profiterait de patienter un peu. Si je vous raconte tout ça, c'est pour vous faire comprendre que Keith n'a pas promis à la légère de m'écrire. Nous avons même organisé nos envois de manière que nos courriers ne se croisent pas.

— Et il vous a écrit comme prévu ?

— Ses lettres ne sont pas arrivées avec l'exactitude d'une montre mais, oui, j'en ai reçu une chaque semaine et aussi un coup de téléphone, et parfois un e-mail. Et ça jusqu'à ces derniers jours. »

Cardinal hocha la tête. Karen Steen n'était pas seulement une jeune fille sérieuse, elle était aussi — et ce n'était pas un jugement que Cardinal portait souvent — quelqu'un de bon et de droit. Elle avait été éduquée, et probablement sévèrement, à respecter autrui et à toujours dire la vérité. Elle avait l'air d'une Scandinave avec ses cheveux couleur de blé coupés à la garçonne et ses yeux d'un bleu de jean neuf.

« La dernière fois que nous avons parlé au téléphone, c'était dimanche 15, il y a une semaine et demie. Il se trouvait à Gravenhurst, dans un hôtel minable, et s'ennuyait ferme, mais Keith est un garçon chaleureux, qui se fait facilement des amis. Il est aussi un bon musicien, sa guitare ne le quitte jamais. Il attire les gens. Et c'est ce qui m'inquiète. »

Heureux Keith, songeait Cardinal, d'avoir quelqu'un comme Karen Steen pour s'inquiéter de lui. Elle sortit une photo de son sac et la tendit à Cardinal. Cheveux châtains, longs et bouclés, Keith était assis sur un banc dans un parc ; il jouait de la guitare acoustique, le front plissé par la concentration.

« Il n'a pas une once de méfiance, poursuivit-elle. Il se fait toujours avoir par les vendeurs de brochures et autres, parce qu'il gobe à tous les coups leur baratin. » Ses yeux bleus semblaient implorer Cardinal de comprendre. « Ça ne veut pas dire qu'il soit idiot. Loin de là. Mais les deux qui ont disparu et dont vous avez retrouvé les corps n'étaient pas non plus des crétins, n'est-ce pas ?

— Ma foi, ils étaient très jeunes, mais ils n'étaient pas bêtes, en effet.

— Keith pensait atteindre le canal de Soo lundi ; il a de la famille là-bas, et cette visite ne l'enchantait pas beaucoup. Mais… » Elle détourna soudain les yeux, respira à fond et retint son souffle, comme quelques minutes plus tôt.

Keith, mon ami, pensait Cardinal, si tu laissais tomber cette fille, tu serais le roi des crétins. « Qu'y a-t-il ? demanda-t-il doucement. Vous hésitez, maintenant. »

Elle expira un long soupir et reposa sur lui son regard bleu. « Sergent, je dois vous avouer que Keith et moi nous nous sommes légèrement querellés. Il y a deux semaines, quand il m'a appelée. Je souffrais un peu de solitude et j'avais le cafard. Alors on s'est un peu accrochés sur nos manières respectives d'aborder le présent. Lui trimballe sa guitare à travers le pays — à ce sujet, si j'ai une rivale, c'est bien cette Ovation qu'il ne quitte jamais — et moi, tout ce que je veux, c'est poursuivre mes études. Ce n'était pas une dispute bien grave, croyez-le. On ne s'est pas raccroché au nez ni rien, mais c'était tout de même un désaccord, et je tenais à ce que vous le sachiez.

— Et vous pensez que le silence de Keith n'a rien à voir avec ce… désaccord ?

— J'en suis certaine.

— Où en êtes-vous restés, après cette conversation ?

— Keith m'a dit qu'il ferait une halte à Algonquin Bay et qu'il me rappellerait quand il arriverait là-bas.

— Mademoiselle Steen, Keith n'avait pas envie de rendre visite à de la famille dans le Soo. Vous me dites qu'il n'était pas en colère contre vous, et je veux bien le croire, mais pourquoi supposer qu'il est en danger parce qu'il n'est pas encore arrivé chez des parents qu'il répugnait à voir ?

— Je ne m'inquiéterais pas s'il n'était pas à Soo comme prévu, mais pas de lettre ? Pas de coup de fil ? Pas d'e-mail ? Et Algonquin a été le théâtre d'enlèvements suivis de meurtres, non ? »

Cardinal acquiesça. Elle retenait de nouveau son souffle, et il attendit qu'elle exprime sa pensée. Lise Delorme passa la tête dans le bureau, et il lui fit signe qu'il était occupé.

Karen Steen surmonta ses hésitations. Quand elle reprit la parole, sa voix était plus forte. « Je viens de vous dire qu'il n'y avait pas de lettre, la semaine dernière.

— Oui, vous l'avez même souligné.

— Eh bien, ce n'est pas tout à fait vrai. Et c'est bien la raison pour laquelle je suis ici. » Elle sortit de son sac une pochette en papier kraft. « La lettre est à l'intérieur… enfin, l'enveloppe. C'est bien Keith qui a rédigé l'adresse, je connais son écriture. Mais la lettre n'est pas dedans.

— Elle est arrivée vide ? » Cardinal tendit la main.

« Non, pas vide. » Cette fois, loin de baisser les yeux, elle planta son regard dans celui de Cardinal.

Il arracha le buvard taché de son sous-main et vida le contenu du pli sur une feuille propre. Une petite enveloppe en tomba, timbrée trois jours plus tôt par la poste d'Algonquin Bay. À l'aide de pincettes, Cardinal l'ouvrit et vit la pellicule jaunâtre et séchée qui tapissait l'intérieur. Il rabattit le buvard propre sur l'enveloppe et remit le tout dans la pochette.

Dans le bref silence qui suivit, Cardinal fut certain de deux choses : tout ce que lui avait dit la jeune fille était vrai et, s'il n'était pas déjà mort, Keith London n'avait que très peu de temps à vivre.

Il composa le numéro de Jerry Commanda et posa sa main sur le micro. « C'est arrivé quand ?

— Ce matin.

— Et vous êtes venue tout de suite ?

— Oui. Il ne m'a pas effleuré l'esprit une seule seconde que Keith ait fait ça. Mais l'adresse est écrite de sa main. J'ai des raisons d'avoir peur, n'est-ce pas ? »

Jerry Commanda était en ligne. « Jerry, c'est très important. J'ai besoin d'un hélicoptère pour aller immédiatement à la Scientifique. Quelles sont mes chances ?

— Aucune. Si c'est vraiment urgent, je pourrais peut-être convaincre quelqu'un à l'école de vol. C'est urgent ?

— Très. Notre bonhomme vient de nous expédier un échantillon de son sperme. »

31

Le bassin d'Algonquin Bay est un endroit tranquille où passer un après-midi d'hiver. Seul le bourdonnement de tronçonneuse d'une motoneige ou le lent crissement des plaques de glace viennent de temps à autre troubler le silence.

Eric Fraser et Edie Soames étaient blottis côte à côte dans un recoin du quai à l'abri du vent. Le lac Nipissing s'étendait devant eux dans le gris telle une blême vision scandinave. Eric se taisait, mais Edie s'abandonnait au plaisir de connaître si bien les pensées de son compagnon que les mots n'étaient plus nécessaires. Elle savait en vérité ce qu'Eric dirait... ce qu'il allait dire d'une minute à l'autre. Il s'était montré agité et irritable pendant toute la matinée et une bonne partie de l'après-midi. Avoir pris les photos l'avait un peu calmé, et si lui-même l'ignorait, elle se doutait bien, elle, de ce qu'il allait annoncer.

Mais Eric s'éloigna soudain pour se placer sous le *Chippewa Princess*, un bateau d'excursion transformé en restaurant. À vrai dire, il n'était un restaurant que pendant l'été ; à l'approche de l'hiver, il était tiré à sec comme une baleine pour reposer sur cales hors de la glace. Eric, l'œil collé au viseur dirigé sur Edie, mettait au point en pestant contre le froid. Edie essayait de masquer de ses cheveux une partie de son visage, comme elle avait vu Drew Barrymore le faire dans un film. Elle pouvait toujours essayer, pensait-elle, amère. Enfin, on ne verrait que la moitié des dégâts.

Elle regarda Eric dans son long manteau noir et regretta qu'ils ne fassent jamais l'amour. Eric n'aimait pas ça. À peine le touchait-elle que son corps devenait aussi raide qu'une planche, non sous l'effet du désir mais de la répulsion. Au début, elle en avait conclu qu'elle le dégoûtait, ce qui n'avait rien d'étonnant. Mais non, c'était l'acte même qui semblait le révolter. La baise, c'est bon pour les faibles, avait-il coutume de dire. Après tout, elle pouvait s'en passer elle-même. Surtout maintenant qu'ils partageaient cette autre excitation, tellement plus forte. Il allait le prononcer, le mot qu'elle attendait, et cela dans moins d'une heure, elle en était sûre.

« Bouge un peu, lui dit Eric en lui faisant signe de s'écarter sur la gauche. Je veux prendre les îles dans le cadre. »

Edie se tourna pour regarder. Là-bas, où le ciel et le lac se fondaient dans un gris-bleu, s'étendaient les îles. L'une d'elles, en particulier. Windigo. Qui aurait pensé que ce bout de rocher eût un nom ? Edie se souvenait de la fillette, de la courbe que dessinait la colonne vertébrale sur la toile du sac. Le meurtre lui était apparu alors comme quelque chose de… monumental. *Meurtre*, quel poids avait ce mot ! Mais il était tout aussi étonnant, quand on y réfléchissait, que l'acte lui-même eût si peu d'importance. Ils avaient disposé d'une

262

vie humaine, mais nul éclair céleste ne les avait frappés, nul abysse infernal ne s'était ouvert sous leurs pieds. Les flics et quelques journalistes s'étaient agités, et puis le monde avait continué comme avant, sans Katie Pine. Je ne me souviendrais même pas de son nom, songeait Edie, s'ils ne l'avaient rabâché pendant toute une semaine au journal télévisé.

Elle se déplaçait sur la gauche quand la glace bougea avec un grincement métallique. Elle poussa un cri. « Eric, tu as entendu ça ?

— Ouais, la glace travaille. Fais-moi un sourire. »

Elle lui fit le plus grand sourire qu'elle put, rien que pour l'épater, et il pressa le déclencheur. Une photo de plus pour l'album.

Ils avaient commencé leur expédition photographique à Trout Lake, près du réservoir. Eric avait pris une photo d'Edie en train de faire un ange dans la neige juste au-dessus de l'endroit où ils avaient enterré Billy LaBelle. Avec toute la poudreuse qui était tombée, il n'y avait plus la moindre trace. La colline, avec sa vue sur le lac, et le ciel bleu auraient eu bel effet sur une carte postale.

Puis ils s'étaient rendus à Main Street et s'étaient tiré le portrait devant la maison où ils avaient tué Todd Curry. Ils en avaient même fait une ensemble (Eric avait utilisé le retardateur pour celle-ci). Un homme les avait vus, un homme qui promenait un gros chien laineux, et Edie avait cru un instant qu'il les avait regardés d'un drôle d'air. Mais Eric l'avait rassurée : qu'est-ce que ce vieux con en avait à foutre, d'un jeune couple s'amusant à faire des photos ?

Ils se mirent à l'abri derrière le magasin d'appâts et Eric alluma une cigarette, les mains en conque autour de l'allumette. Il s'adossa à la paroi en planches et regarda Edie en plissant les yeux. Elle pouvait entendre les mots avant même qu'il ne les prononce, comme si elle avait déjà rêvé la scène, comme si elle avait créé Eric, créé le quai et la neige, le froid et tout dans son esprit. Elle ressentait la même noire exaltation qui courait en lui. Elle la flairait, telle l'odeur métallique qu'exhalait la glace frissonnant sous la froidure du vent. Revoir la maison dans Main Street et cette petite île au loin avait fait bourdonner ses nerfs comme une ligne à haute tension. Elle frissonnait de froid mais ne disait rien ; cet instant de grâce réclamait le silence.

Ils regagnèrent la camionnette et mirent le chauffage à fond. Ça faisait tellement de bien qu'Eric éclata de rire. Il sortit un bouquin de la boîte à gants et le lui tendit. C'était un volume à la couverture maculée de taches, portant l'étiquette « occasion ».

Elle lut le titre. *Supplices*. « Où as-tu trouvé ça ? »

Il l'avait acheté la dernière fois qu'il était allé à Toronto. C'était un document historique qu'il cherchait depuis longtemps, un catalogue des instruments de torture en usage au Moyen Âge. « Lis-moi la page 37. »

Edie feuilleta les pages de papier glacé remplies de photos et de dessins représentant des sièges garnis de sangles, des fouets, des crochets et des pinces pour écorcher les suppliciés, des scies. Une illustration montrait un homme suspendu par les pieds et que deux bourreaux sciaient en deux de l'entrejambe au nombril.

« Lis-moi la page 37, répéta Eric. Lis-la-moi. J'aime beaucoup quand tu lis. Tu lis tellement bien. »

Oh, il savait ce qu'un tel compliment était pour elle… un feu ronflant dans la cheminée après qu'un blizzard a manqué de vous geler. Edie trouva aussitôt la page, illustrée d'une sorte de casque fixé au-dessus d'une barre en bois et surmonté d'une énorme vis.

« *Briseur de crâne*, lut-elle. *La tête du supplicié est enserrée entre la barre inférieure, sur laquelle repose son menton, et la calotte de fer. En tournant la vis, on resserre celle-ci comme un étau. Les mâchoires cèdent et se brisent sous la pression, puis ce sont les pommettes. Les yeux sortent de leurs orbites, il arrive même que la cervelle se répande hors du crâne éclaté.*

— Oui, la cervelle se répand, murmura Eric. Lis encore. Lis la roue. »

Il avait les mains enfoncées dans les poches. Edie savait qu'il se caressait, mais elle n'allait sûrement pas lui en faire la remarque. Elle feuilleta de nouveau, il y avait des gravures anciennes, représentant de vieux instruments en fer et des torturés, dont les drôles d'expressions horrifiées ressemblaient à des dessins animés.

« Allez, Edie, lis-moi la roue. C'est dans les dernières pages.

— Tu m'as l'air de bien connaître ce bouquin. C'est ton préféré ?

— Peut-être bien. Et peut-être que c'est pour ça que j'ai envie de le partager avec toi. »

Oh, je sais ce qui arrive, Eric. Je sais ce que tu vas dire. Elle trouva la page et sentit son ventre battre, tel un second cœur. « *La roue. Attaché(e) nu(e) sur le dos, le ou la supplicié(e) a les bras et les jambes pendants au bord de la roue. Des pièces de bois sont placées sous les os et les articulations. À l'aide d'une lourde barre de fer, le bourreau lui rompt les membres, usant de toute sa science pour garder la victime en vie.*

— Ils faisaient de la bouillie de leurs bras et de leurs jambes, dit Eric, mais sans les tuer. Tu imagines le pied ? Lis encore.

— Un témoin raconte que l'homme qu'il a vu ainsi supplicié n'était plus qu'une "espèce de grande poupée hurlante, une poupée semblable à quelque monstre des mers avec ses quatre tentacules de chairs à vif, sanglantes, d'où saillaient les os brisés". Quand il n'y avait plus rien à briser, on liait les membres aux rayons, puis la roue était relevée à l'horizontale sur un pilier. Les corbeaux et autres charognards faisaient alors le reste, arrachant les yeux et se repaissant des chairs broyées. La roue est probablement le supplice le plus lent et le plus douloureux que l'esprit humain ait jamais conçu.

— Lis ce qu'il y a au bas de la page.

— Le supplice de la roue était fréquent et considéré comme un bon divertissement. Estampes, peintures et gravures de ces temps encore proches dépeignent les foules bavardes et hilares venues se presser autour de l'estrade.

— Les gens aimaient ça, Edie, et ils aiment toujours ça, mais ils ne veulent pas le reconnaître. »

Edie le savait. Même sa grand-mère appréciait les combats de boxe. Ma foi, cela était plus amusant que de contempler cette désolante mer de glace. Un peu, oui, qu'elle aimait ça, la vieille, voir un type se faire cogner presque à mort.

Parfaitement normal, selon Eric. Il se trouvait seulement que ce n'était plus légal, voilà tout. C'était passé de mœurs. Mais ça pourrait bien revenir un de ces quatre, et d'ailleurs les États-Unis donnaient l'exemple, avec leur chaise électrique ou leur chambre à gaz. « Qu'on vienne pas me dire, Edie, que ça les fait pas jouir, les gens. Si ça plaisait à personne d'infliger la mort, il y a longtemps qu'on aurait arrêté. Allons, c'est le plus grand pied que l'homme connaisse. »

Ça vient, pensait Edie. Je peux voir les mots se former dans l'air avant même qu'il les prononce. « Je suis d'accord avec toi, dit-elle.

— Bien.

— Non, non, je veux dire que je suis d'accord avec ce que tu vas dire, pas seulement avec ce que tu viens de dire.

— Oh, c'est donc ça ? » Eric lui sourit d'un air espiègle. « Et qu'est-ce que je vais dire ? Allez, Madame Rosa, je vous écoute, puisque vous lisez dans mes pensées.

— Tu allais annoncer "Faisons-le, cette nuit". »

Eric détourna la tête, lui présentant son profil, et rejeta la fumée de sa cigarette dans l'air bleu du crépuscule. « Pas mal, dit-il doucement. Pas mal du tout.

— Je ne sais pas ce que tu en penses, Eric, mais je dirais que le temps de la fête est venu. »

Eric abaissa sa vitre et jeta son mégot dans la neige. « Ouais, le temps de la fête. »

32

La maison était beaucoup plus petite qu'elle ne le paraissait de l'extérieur. Il n'y avait que deux chambres à l'étage — Woody aurait parié pour trois —, et une petite salle de bains.

Comme il l'avait bien expliqué à cette petite futée d'officier Delorme, Arthur « Woody » Wood ne faisait pas le métier de cambrioleur pour accroître le cercle de ses connaissances. En bon professionnel, il prenait un luxe de précautions pour ne pas tomber sur les occupants des logements qu'il visitait. Mais le reste du temps, il était extrêmement sociable.

Le type aux allures de fouine qui travaillait au magasin de musique venait ici tous les soirs. Il l'avait suivi un jour depuis le centre commercial, où il l'avait vu embarquer dans sa camionnette un carton contenant sûrement un chouette appareil Sony. En planque depuis une heure et demie dans la rue, Woody avait vu le couple sortir. C'était un moyen sûr pour observer les allées et venues des gens : personne ne prêtait attention à un vieux ChevyVan portant sur ses flancs *Plomberie*

— *Réparations électriques*. Par prudence, toutefois, Woody changeait de raison sociale tous les trois mois.

Il était donc resté un bon moment assis derrière son volant avant de passer à l'action, écoutant les Pretenders sur son lecteur de cassettes (un Blaupunkt déniché à l'occasion du renouvellement de son stock, l'hiver précédent à Cedardale. Mec, ces Teutons vous fabriquaient du bon matos !) et feuilletant les pages sportives du *Lode*. Bien qu'inquiet pour la saison de sa chère équipe nationale de hockey, il pensait à son imminente récolte. Voleur industrieux, Woody était aussi un bon père et un bon mari, et il était temps qu'il trouve quelque chose pour son unique rejeton et héritier, qu'il appelait affectueusement Truckie[1].

Le gamin avait besoin d'un beau jouet. Un jeu de construction, par exemple. Il verrait ce qu'il pourrait dégotter. Ce couple-là n'avait pas d'enfant — il les matait depuis assez longtemps pour en être certain —, mais on ne sait jamais ce que les gens gardent dans leurs placards. Il avait ramassé un ours en plastique dernièrement, et Truckie ne s'en séparait plus.

La serrure de la porte ne lui avait posé aucune difficulté : vingt-sept secondes, pas un record, mais pas mal non plus. Woody avait commencé directement par l'étage, comme toujours. C'était presque une superstition chez lui ; s'il fallait courir pour sa vie, on dévalait plus vite un escalier avec l'aide de la pesanteur. Il s'avançait maintenant à pas de loup sur ses Reebok vers la chambre de derrière. Le bon sens et l'observation lui disaient que c'était là, le nid du joyeux couple.

---

1. Diminutif de *truck*, « camion » : petit camion. *(N.d.T.)*

Il ne s'attendait pas à découvrir une cellule pour jeune fille rangée, avec un lit en bois blanc bien trop étroit pour deux. Les pots de crème, sur la commode, étaient surtout médicinaux. Le papier peint sur les murs — vieux et pelant dans les coins — avait été jaune pâle avec un motif de petits parasols. Un tigre en peluche trônait sur un fauteuil — la chose plairait peut-être à Truckie — mais, vu de près, le machin, tout mité et bouffé, avait dû éponger plus d'une sueur fiévreuse et étouffer plus d'une méchante toux. Il ne pourrait jamais rapporter ça à la maison. « Non, mais à quoi tu penses ? lui dirait Martha. Tu leur fauches aussi leurs microbes, aux gens, maintenant ? »

Il s'immobilisa un instant, l'oreille à l'affût. Non, la vieille dame n'avait pas bougé. Probablement sourde comme un pot. La pauvre, ça faisait trois jours que l'autre, la jeune, ne l'avait pas emmenée faire un tour dehors.

La tête du lit présentait un aménagement intéressant : une étagère fermée par deux petits panneaux coulissants, le genre de boîte où les femmes aiment ranger non seulement leurs livres de chevet, mais aussi leurs bijoux. Woody, optimiste invétéré, ouvrit le meuble.

Et eut sa deuxième surprise : au lieu des romans de Danielle Steel (dont Martha était une ardente lectrice) ou peut-être Barbara Taylor Je-ne-sais-quoi — il oubliait toujours son nom —, il tomba sur quelque chose de bien noir : *Histoire de la Torture, Les Atrocités japonaises de la Seconde Guerre mondiale, Justine* et *Juliette* — ces deux-là d'un certain marquis de Sade. Il avait entendu parler de ce mec.

Woody s'autorisait toujours une pause dans son travail, un de ces instants où, découvrant un objet intéressant, il lâchait la bride à son imagination et tentait de se figurer l'existence de celui ou celle dont il violait l'intimité. Il prit *Juliette*. Le marquis, ce n'était pas ce maniaque du fouet et de la petite culotte ? Il ouvrit le livre à une page dont le coin était rabattu, et lut le passage souligné au crayon : *J'agrippai ces seins, les soulevai et les coupai au plus près du torse puis m'en fus suspendre ces morceaux de chair à une corde...*

Woody sauta un ou deux chapitres : ça s'aggravait. La page de garde portait quelques mots au stylo-bille : Pour Edie, de la part d'Eric. « Bon Dieu, grommela Woody. C'est pas un bouquin à offrir à une nana. C'est un truc de malade pour des malades, ça. » Après quoi, il se consacra tout entier à ce qu'il était venu faire.

Martha en aurait frissonné de dégoût en découvrant la salle de bains : le lavabo était noir de crasse, le carrelage itou. On reniflait la puanteur des serviettes depuis le couloir. L'armoire à pharmacie était bourrée de tranquillisants, tout à fait le genre de trouvaille qui en aurait rendu plus d'un heureux. Mais Woody ne faisait pas dans la came. Il n'en prenait pas, n'en vendait pas, et c'est à Martha qu'il le devait. Bien sûr, pensa-t-il avec une pointe de nostalgie, il avait été un temps où...

Du bruit au-dessus. Des voix. Il se figea devant le miroir fendu, la tête penchée de côté. Mais ce n'était que la télé, là-haut, chez la vieille dame. Triste et ennuyeux destin que d'en être réduite à se farcir des sit-coms américaines toute la journée. Elle disposait de la chambre en façade, ainsi qu'il l'avait constaté pendant ses planques successives, et il ne devait rien y avoir de précieux dans sa piaule, à part un vieux poste de télé noir et blanc à l'image neigeuse.

Il descendit au rez-de-chaussée et se livra à un rapide et décevant inventaire de la cuisine. Les quelques appareils crasseux ne valaient pas un pet. Même le petit living était un fiasco : rien que de vieux fauteuils tellement miteux qu'on aurait dit que cent chiens y avaient agonisé. Woody ignora la drôle de pendule sur le manteau de la cheminée, il ne faisait pas non plus dans les antiquités. Pfft… ! même pas de téléviseur ni de magnétoscope, ce qui était franchement anormal au jour d'aujourd'hui.

Il n'avait pas marqué un seul point, et il avait visité presque toute la baraque. Il avait vraiment surévalué la situation. Merde, le type travaillait dans un magasin où on vendait des instruments de musique, il aurait dû être équipé à mort. Woody l'avait vu de ses propres yeux avec ce carton Sony. Il l'avait suivi depuis le centre commercial, et il n'avait pas rêvé quand l'autre avait sorti ce même carton de l'arrière de son Windstar pourri.

« Je l'ai dans l'os, marmonna-t-il. Une table pour la télé et pas de télé. » Le rectangle entouré de poussière sur ladite table indiquait pourtant la présence d'un appareil. Et le petit tas de cassettes vidéo posé à côté trahissait l'existence d'un lecteur. Soit les deux machins étaient en réparation soit ils étaient quelque part dans la maison, peut-être dans la chambre de la grand-mère.

Non, il n'allait pas déranger mémé ; il ne lui restait donc que la cave. Woody n'avait pas perdu tout optimisme, car les caves réservent parfois des surprises : une boîte à outils, un moteur hors-bord, des clubs de golf, on ne pouvait jamais savoir. Mais les caves étaient froides et humides, et les frissons qu'elles vous donnaient étaient cousins de ceux de la peur. Et puis on n'entendait pas bien dans une cave, et c'était comme ça que pas mal de ses collègues s'étaient fait coincer. Bref, on y était vulnérable. Les caves étaient au cambriolage ce que la sodomie était à l'amour : pas sans intérêt, mais pas le premier choix non plus. Surtout quand il y avait un aussi beau soleil dehors.

Woody s'arrêta au bas des marches parmi un tas de bottes en caoutchouc et de pelles à neige rouillées, attendant que sa vision s'adapte à la pénombre. Il régnait une odeur de lessive mêlée à des relents de pisse de chat. Dehors, la nuit était tombée, et il n'osait pas faire de la lumière. Les soupiraux, observa-t-il, vaguement inquiet, étaient hauts et trop étroits pour offrir une issue en cas de nécessité.

Peu à peu, les objets prenaient forme : une antique machine à laver, accouplée à une essoreuse, un traîneau cabossé en aluminium, une bicyclette de femme à laquelle il manquait une roue. Il considéra un instant la bécane. L'automne dernier, on avait volé le VTT dix vitesses de Martha. Elle avait piqué une colère d'autant plus grande que Woody avait considéré la chose avec le flegme du professionnel. L'épave qu'il avait sous les yeux ne valait sûrement pas la peine qu'on la remette en état.

Se détournant de ce tas de ferraille, il distingua dans l'obscurité une porte en chêne, et retrouva son optimisme. Ce devait être là que le type à la gueule de fouine avait installé son studio. Derrière le solide battant, avec ses trois verrous et son gros cadenas de sûreté, il y avait sûrement une caméra montée sur trépied, un téléviseur, un magnétoscope et peut-être plus encore. Woody, mon petit, tu es au seuil du paradis.

Bien sûr, s'il y avait du matériel là-dedans, il était tout de même curieux que les verrous soient tous à l'extérieur. Le cadenas coulait de source, mais quand on avait un petit trésor à préserver, on ne tendait pas une telle perche à la confédération des voleurs. Trois petits tours sur les verrous, et les pênes glissèrent des gâches ; quant à ce genre de cadenas, on pouvait vieillir à essayer de l'ouvrir, aussi Woody l'arracha-t-il tout simplement du bois à l'aide d'un levier. Puis il poussa la porte et, à la place du matériel espéré, il vit un jeune homme nu assis sur une chaise.

La première pensée de Woody fut : Merde, je me suis foutu dedans. Et puis, à la lueur blafarde d'un écran de téléviseur, il remarqua que le garçon était ligoté au siège par un fort ruban adhésif, bâillonné, et effectivement nu comme un ver. Roulant des yeux hagards, il forçait désespérément sur ses liens.

Ce spectacle avait de quoi démonter le cambrioleur le plus aguerri. L'esprit confus, Woody alla tout droit au poste de télévision et débrancha le magnétoscope en se disant que ce gosse s'était fait embringuer dans un mauvais trip sado-maso, et que ça ne regardait pas mézigue. Mais, alors qu'il enroulait le câble autour du lecteur vidéo (Mitsubishi, quatre têtes stéréo, un an d'âge), il ne put s'empêcher de remarquer deux ou trois choses : le gosse était à poil, certes, mais il n'y avait pas un seul vêtement en vue ; la cuvette placée sous la chaise était remplie de pisse et d'excréments. Ça n'était ni un jeu ni une farce, cette histoire.

Woody s'arrêta sur le seuil, le magnétoscope coincé sous le bras. « J'comprends, dit-il au jeune homme. Un deal de came qui a mal tourné, hein ? »

Le garçon lutta de plus belle sur sa chaise. Woody se pencha et le libéra de son bâillon. Il en résulta un flot de paroles incohérentes où revenaient les mots de dingues, de pervers qui projetaient de le tuer.

« Arrête, arrête de hurler comme ça, t'as compris ? gueula Woody.

— Fais-moi sortir, espèce de salaud ! » Des larmes roulaient sur le visage du jeune homme. Il parlait d'une bande vidéo, donnant des détails insensés, mais sa terreur était réelle. Woody avait vu sa part d'horreurs au cours de ses séjours à la prison de Kingston, mais jamais il n'avait lu sur le visage du détenu le plus faible et le plus martyrisé une terreur aussi affreuse.

Sa réaction ne fut pas compliquée : tu vois un type attaché, tu le détaches. Il chercha en vain des vêtements dans le petit cabinet de toilette dont la porte était ouverte. « Où sont tes fringues, mec ? Il fait moins vingt, dehors. Sans parler du vent. » Il avait déjà ouvert son couteau suisse, quand il entendit la voiture s'arrêter dans l'allée. Le gamin beuglait comme une rock star : libère-moi, libère-moi, libère-moi.

« Ta gueule, mec. Ils sont dehors.

— Je m'en fous, fais-moi sortir d'ici ! »

Woody lui recolla la bande sur la bouche et s'assura qu'elle tenait. Il entendit la porte s'ouvrir en haut et les voix du couple qui entrait. Il repoussa la porte et murmura à l'oreille de ce crétin : « Tu fais le moindre bruit, et je te jure, tu entends, que je t'égorge. Tu as compris ? »

Le gosse hocha vigoureusement la tête : reçu cinq sur cinq.

« Tu bouges, tu cries, et on est tous les deux dans la merde. Il y a qu'une seule issue, et c'est cette putain de porte. Si on perd l'effet de surprise, tu peux dire adieu à la liberté. Un seul bruit, et tu es le premier que je plante. »

Le gamin continuait de dodeliner du chef comme un timbré. Merde, Woody pouvait foncer dans l'escalier et sortir par la porte située sur le côté de la maison en un clin d'œil. Bon Dieu, ils sont juste au-dessus de nous, maintenant.

« Voilà ce qu'on va faire, dit-il en coupant la bande qui maintenait l'une des chevilles au pied de la chaise. Je te détache, tu enfiles mon manteau, et on s'arrache. J'ai un ChevyVan garé juste en face. » Il n'avait pas besoin de lui dire qu'il leur faudrait courir.

Il lui libéra l'autre jambe, et le gosse essayait déjà de se lever, alors qu'il était encore attaché à la chaise. « Putain, bouge pas, pour l'amour du ciel ! » Il avait l'impression que les voix là-haut se rapprochaient. L'un des poignets était libre mais le môme ne lui laissa pas le temps de passer au second. Arrachant le bâillon de sa main libre, il se remit à gueuler. Woody lui plaqua sa paume sur la bouche et brandit son couteau. Trop tard : le bruit de voix grimpa soudain de plusieurs octaves et puis des pas précipités retentirent dans l'escalier.

Woody allait trancher le dernier lien mais le prisonnier ne lui en laissa pas le temps. Entraînant avec lui le siège auquel il était encore attaché par un poignet, il bondit vers la porte et se retrouva face au type à la tête de fouine, qui tenait un flingue à la main.

Le gosse continua de foncer vers l'escalier, la chaise bringuebalant sur les marches.

« Tu peux pas sortir », dit l'homme par-dessus son épaule sans lâcher Woody des yeux. Le prisonnier était déjà en haut de l'escalier, le cul nu, essayant d'enfoncer le battant à coups d'épaule, mais Woody savait qu'aucune porte sur terre ne s'ouvre comme dans les films.

« Du calme, dit Woody au type. Inutile de s'exciter. »

Les petits yeux de furet le regardèrent. « Peut-être bien que j'aime bien m'exciter.

— Écoute, voilà c'que je propose : j'te rends ton magnéto et tout, et tu laisses le gosse sortir. J'sais pas trop ce qu'il a fait — et t'avais peut-être des raisons de lui botter le cul — mais tu peux pas garder quelqu'un attaché comme ça dans une cave. C'est pas juste. »

Le gosse continuait de peser sur la porte en gueulant comme un âne.

« Ta gueule, l'hystérique !

— J'crois bien qu'il nous fait une crise de nerfs, approuva Woody. Écoute, mec, faut que j'y aille. »

Le type à tête de fouine fit deux pas vers l'escalier. « Keith ! il aboya. Descends de là.

— Pas question, je dégage d'ici ! »

L'homme se rapprocha un peu plus de la dernière marche et tira presque à bout portant dans la jambe du dénommé Keith.

Le gosse poussa un cri et dégringola en se tenant la cuisse. Il roulait sur le sol en ciment quand l'autre le cueillit au menton d'un coup de pied magistral.

« Putain, mec, putain, murmura Woody, soudain blême. T'étais pas obligé de faire ça.

— Pose ton cul sur cette chaise.

— Non, m'sieur. J'comprends que tu sois contrarié, mais faut être réaliste. » Ce type était décidément dingue s'il croyait qu'il pouvait attacher les gens comme ça.

« Assieds-toi sinon je t'en colle une dans le ventre.

— Il a réveillé mémé. » La diversion était due à la femme qui venait d'apparaître en haut des marches. « À gueuler comme ça ! » Elle descendit de quelques marches et se pencha au-dessus de Keith. « Je devrais te pisser sur la gueule.

— Edie, le grand, là, il est entré chez toi. Pour te voler ton magnétoscope. »

La femme regarda Woody. « Il se trouve que ce magnéto a une grande valeur sentimentale pour moi.

— Je comprends très bien ça. Vous savez, moi, quand je tombe sur un peu de cash, j'emporte pas la maison avec moi.

— Merde, Eric, tuons-le.

— Moi aussi, j'aime les vidéos. Ma chère moitié et moi on loue de temps en temps un Clint Eastwood. Clint, c'est mon préféré, Martha préfère des trucs plus sentimentaux. Mais un bon film, un peu de pop-corn, et la vie est belle ! » Fais-leur la conversation, mets-toi de leur côté, ça marche super avec les flics, des fois.

« Descends-le, Eric, dit la femme, et elle le pensait, la salope. Mets-lui une balle dans le ventre.

— Écoutez, vous deux, Edie, Eric. J'suis pas le bienvenu chez vous, d'accord, alors je vous laisse, d'accord ? Désolé de vous avoir dérangés et encore toutes mes excuses.

— La camionnette garée en face, elle est à toi ?

— La ChevyVan, ouais. Et le fait est, Eric, qu'elle va gêner la niveleuse. Alors, si je la bouge pas de là, les flics vont le faire pour moi. »

L'homme ne semblait pas avoir entendu. Il dirigeait le canon vers le ventre de Woody.

« Eric, pourquoi tu lui casses pas le nez ? »

La femme descendit une marche de plus et les regarda avec une intensité malsaine, la bouche entrouverte. Elle avait une peau atroce, nota Woody tout en jaugeant la distance le séparant de l'arme toujours braquée à hauteur de son ventre.

« C'est quelque chose que j'aimerais voir, reprit-elle. Entendre l'os craquer et tout. »

Par terre, le gosse bougea, et l'homme tourna la tête. C'était maintenant ou jamais. Woody le percuta le plus durement possible, repoussa du bras la femme et fut en haut de l'escalier en moins d'une seconde. Il avait la main sur la poignée et poussait la porte quand la balle l'atteignit dans le dos, quelque part près des poignées d'amour. La force de l'impact le fit glisser sur une marche et il dévala l'escalier sur le dos, pour atterrir sur Keith et se cogner violemment la tête par terre.

L'homme se dressait au-dessus de lui, grand comme King-Kong. C'est comme ça que Truckie doit me voir, pensa-t-il en se demandant dans combien de temps Martha commencerait à s'inquiéter.

Les mains de l'homme étaient déjà autour de son cou, des pouces forts se refermant sur sa carotide.

« Casse-lui le nez, dit de nouveau la femme. Pourquoi veux-tu l'étrangler quand tu peux lui casser le nez ? »

Et ce fut avec beaucoup d'application que l'homme, se servant de la crosse de son pistolet, fit ce qu'elle lui demandait.

33

Delorme était assise dans le demi-jour de sa cuisine devant sa troisième tasse de café. Devant elle, une pile de chemises que Dyson s'était fait un plaisir de lui faire porter. Elle aimait bien travailler dans sa cuisine ; en vérité, elle aimait tout y faire, sauf la cuisine. Les restes d'un plat surgelé étaient oubliés dans son assiette.

Oublié aussi le contenu des chemises ; Delorme pensait aux trois F. Si elle devait exploiter la facture du bateau découverte dans les papiers de Cardinal, ce serait à travers eux : F comme février, Français canadiens et Floride. Comme tous ceux qui s'étaient rendus le deuxième mois de l'année dans cet État pouvaient en témoigner, le golfe de Floride en février devenait le golfe de Québec. Miami se transformait en Montréal-sur-Mer. Soudain, les Cubains devenaient une minorité, et on pouvait lire sur toutes les plaques d'immatriculation *Je me souviens*, tandis que les serveurs peaufinaient leur lot de blagues canadiennes. Quelle est la différence entre un Canadien et un canoë ? Réponse : les canoës laissent des pourboires.

Trois quarts d'heure et douze coups de fil plus tard, Delorme s'était entretenue avec deux policiers canadiens français qui partaient bronzer en Floride. Ni l'un ni l'autre, hélas, ne séjournait à proximité de la marina Calloway. Aussi Delorme reprit-elle le téléphone et appela-t-elle un certain Dollard Langois, qui avait été dans sa classe à l'école de police d'Aylmer. Ils étaient sortis deux ou trois fois ensemble, et Delorme se félicitait maintenant de n'avoir jamais couché avec lui. Elle s'en souvenait comme d'un échalas aux gestes empruntés, avec de grandes mains molles et un regard de chien fidèle. Un soir, à la sortie du cinéma, il lui avait avoué être follement amoureux d'elle. Cet aveu avait coupé toute envie à Delorme de s'envoyer en l'air avec lui. Dollard Langois avait certainement du charme, mais elle n'avait pas envie d'une histoire d'amour en plein milieu de ses études. Par la suite, elle s'était souvent demandé, dans la solitude de ses nuits, ce qu'il était devenu et ce qui se serait passé si… Ma foi, Dollard était une route — parmi d'autres — qu'elle n'avait pas prise.

Ils consacrèrent quelques minutes à relater leurs parcours respectifs, parlant anglais parce que c'était la langue officielle à Aylmer. Oui, elle était contente d'être flic. Non, elle n'était pas mariée.

« C'est dommage, Lise. Le mariage a du bon. Mais ça ne m'étonne pas de toi ; attention, ce n'est pas négatif de ma part.

— Vas-y, Dollard, dis-moi que j'ai raté ma vie.

— Non, je voulais simplement te rappeler qu'à l'époque seule ta carrière comptait. Tu étais très résolue, et c'est plutôt une qualité, non ?

— Assez de compliments. Parle-moi plutôt de toi. »

Il était le sergent Langois, maintenant, en poste à une trentaine de kilomètres de Montréal. Deux enfants, une femme adorable — infirmière et non pas flic — et, chaque année en février, ils passaient une semaine en Floride, où ils avaient un appartement en multipropriété. « Pourquoi me demandes-tu ça ? voulut-il savoir. Tu t'y prends trop tard pour chercher une location.

— C'est pour le travail. J'ai besoin de vérifier quelque chose. »

Un long soupir lui parvint de l'autre bout de la ligne. « Ça ne m'étonne pas.

— Je ne te le demanderais pas, Dollard, si ça n'était pas une affaire très importante.

— Je suis en vacances, Lise. En vacances avec ma famille.

— Je te le répète, Dollard, c'est très important. Tu me connais assez pour savoir que je ne te dérangerais pas à la légère. Il y a ici, à Algonquin Bay, un tueur en série qui s'attaque à des mômes. Je ne peux pas me déplacer, même pas pour une journée. »

Ils continuèrent de bavarder puis, à un détour de la conversation, elle s'enquit de l'endroit où il séjournait en Floride. Malheureusement pour le sergent Langois, son appartement en temps partagé était situé à Hollywood Beach, dans un immeuble contigu à la marina Calloway. Dollard ne pouvait plus se défiler, et Delorme raccrocha, excessivement satisfaite d'elle-même.

Elle passa l'heure suivante à examiner le dossier renfermant les précédentes enquêtes de Cardinal, et n'y décela rien d'intéressant. John Cardinal s'y révélait le flic travailleur accomplissant son travail avec efficacité et ténacité, sans contrevenir aux règles. Presque toutes ses arrestations étaient suivies d'inculpations, à l'exception de celle qu'elle avait maintenant sous les yeux, impliquant un bon à rien du nom de Raymond Colacott qui, depuis, s'était donné la mort. Le suspect avait été appréhendé en possession de quatre kilos de cocaïne, destinés de toute évidence à la revente. Mais quand Colacott était passé devant le juge, la preuve matérielle avait disparu de l'armoire du greffe où elle avait été entreposée. Relaxe pour l'accusé.

Le ministère public avait ordonné une enquête (que Dyson avait pris soin de joindre au dossier) qui avait fait royalement chou blanc. Cardinal n'avait pas fait l'objet de soupçons particuliers, en raison du nombre de gens ayant accès à l'armoire du greffe. On fit un rapport et on prit de nouvelles dispositions.

Bien sûr, ç'aurait pu être Cardinal mais, compte tenu des risques, on imaginait mal un policier faire le commerce de cocaïne dans une petite ville comme Algonquin Bay. Quant à Raymond Colacott, ce n'était pas Kyle Corbett, il n'était pas capable de s'offrir les services d'un ripou. Si l'enquête s'était soldée à l'époque par un échec, Delorme ne risquait pas neuf ans plus tard d'y apporter une quelconque lumière, alors que la moitié des personnes impliquées avaient été mutées à Winnipeg, Moose Jaws et Dieu sait où encore.

Delorme balança les restes de son dîner à la poubelle et posa l'assiette dans l'évier. Elle avait toujours projeté de s'intéresser à la cuisine, peut-être même de suivre un jour des cours à l'école hôtelière, mais le manque de temps et d'enthousiasme s'y était opposé. Sa mère, si elle était encore en vie, aurait été horrifiée.

Elle alla dans le salon et écarta les rideaux. Les congères scintillaient à la lumière des lampadaires. Elle resta à la fenêtre pendant un moment, contemplant la rue à travers son reflet spectral, une tasse de café à la main. Dix minutes plus tard, elle était au volant de sa voiture, se dirigeant sans intention particulière vers le périphérique et roulant bien au-dessous de la vitesse permise. C'était une singularité chez elle, ces errances routières, et elle aurait été bien embarrassée si l'un de ses collègues avait découvert cette habitude nocturne. Elle ne savait pas si c'était de la nervosité ou bien une manière de transformer la rêverie en un processus physique autant que mental.

Le périph' embrassait la partie la plus haute de la ville en une courbe gracieuse, et il y avait un grand plaisir à sentir la légère mais constante attraction centrifuge, quand on en faisait entièrement le tour. Parfois, Delorme prenait la sortie de Lakeshore et regagnait le centre de la ville par la berge du lac. À d'autres moments, quand elle était nerveuse, elle faisait quelque chose de plus particulier encore : elle se rendait dans les quartiers où habitaient des amis ou des collègues, passant devant chez eux sans s'arrêter, pour le seul besoin de voir leurs fenêtres éclairées, leurs voitures dans l'allée. Cela relevait peut-être de la névrose, mais n'en était pas moins pour elle une source d'apaisement.

Elle tourna à gauche sur la route de Trout Lake et redescendit vers la ville. Il y avait très peu de circulation et la petite cité scintillait de toutes ses lumières. Elle pensait à l'affaire Pine-Curry, mais n'essayait pas d'approfondir les idées qui lui venaient. Elle tenait seulement à rouler un peu et à laisser les choses reprendre leur place. Quelques minutes plus tard, elle passa devant une belle maison à la façade en stuc dans une rue qu'ombrageaient d'un côté les murs de l'hôpital Saint-François. La voiture de Dyson était garée dans l'allée.

Une jolie fillette, qui devait avoir douze ans, s'en approchait, accompagnée d'un garçon du même âge. Elle serrait contre sa poitrine un tas de livres et allait la tête baissée, le regard fixé sur le trottoir. Son compagnon devait avoir dit quelque chose de drôle, car elle leva soudain la tête et éclata d'un rire qui découvrit son appareil dentaire. Puis la mère, silhouette osseuse et sévère, apparut à la porte et appela sa fille d'une voix dénuée de toute affection.

Cette image obséda Delorme jusqu'à ce qu'elle atteigne Edgewater Road. Mais quelque part entre Rayne Street et le périph', un plan avait germé dans sa tête. Elle ralentit et se gara bientôt devant un grand chalet suisse. Elle descendit et sonna. Elle avait eu le temps de préparer son petit discours, et puis l'oublia quand apparut sur le seuil son patron, R.J. Kendall en personne. « Vous avez intérêt à avoir une bonne raison », lui dit-il en manière d'accueil.

Elle le suivit au sous-sol, dans cette même grande pièce où tout avait commencé. On avait ôté la bâche de la table qu'elle avait prise pour un billard. Le grand plateau n'était qu'un immense champ de bataille en papier mâché, sur lequel se tenait une multitude de minuscules soldats de plomb en uniformes rouges et bleus. Delorme venait d'interrompre le grand manitou dans l'exercice de la passion de sa vie : la reconstitution des grandes batailles de l'Histoire avec une précision et un luxe de détails tenant de l'obsession maniaque. Et ce n'était pas une visite manquant à toutes les règles de la politesse qui le détournerait de son occupation.

« Les plaines d'Abraham[1] ? demanda Delorme, dans l'espoir de détendre l'atmosphère.

---

1. Défaite française contre les Anglais, suivie de la prise de Québec (septembre 1759). *(N.d.T.)*

— Allez droit au fait, sergent. Le général Montcalm ne vous sera d'aucune aide.

— Monsieur, j'ai épluché tout ce que j'ai pu trouver sur Cardinal, y compris toutes les enquêtes auxquelles il a participé.

— Et je suppose que vous avez trouvé quelque chose d'assez stupéfiant pour passer par-dessus la voie hiérarchique, sans parler de la politesse la plus élémentaire, en débarquant chez moi sans même vous annoncer.

— Non, monsieur. Le fait est que les dossiers ne m'ont menée nulle part. En vérité, je tourne en rond, alors que je devrais me consacrer tout entière à l'affaire Pine-Curry.

— Regardez ceci. » Le chef tendit une main lisse, paume ouverte, sur laquelle reposait un minuscule canon. « Il est exactement à l'échelle. J'en ai douze comme celui-ci, et je dois les fixer sur des affûts qui sont encore plus petits.

— Incroyable ! » En dépit de l'énergie de sa réponse, Delorme en sentit toute l'insuffisance.

« Les dossiers sont importants. Ils définissent nécessairement un type de comportement, et le jury y sera sensible.

— Monsieur, cela prendra énormément de temps, pour un résultat improbable, car les enquêtes anciennes ne sont guère exploitables.

— Vous avez l'appartement en Floride. Vous avez cette facture d'un cabin-cruiser.

— Dyson vous en a déjà parlé ?

— Oui. Je lui ai demandé de me tenir informé de tous les développements.

— La facture n'est au nom de personne, monsieur. » Elle fut tentée de lui parler du sergent Langois, mais préféra attendre que celui-ci ait fait la vérification dont elle l'avait chargé. « J'ai déjà pris contact avec sa banque américaine, mais ils ne sont pas coopératifs du tout. Ce qu'il me faut, c'est quelque chose de convaincant. Quelque chose de clair, de simple.

— Naturellement. Si vous préférez demander à votre collègue une confession signée, allez-y, mais je doute que vous réussissiez. » Il se tourna vers elle, un petit tube de colle à la main. « À moins que vous n'interrogiez Kyle Corbett lui-même. Pardonnez-moi, M. Corbett, ne serait-ce pas l'un de nos policiers qui vous fournit des informations confidentielles ? Que me dites-vous là, officier, j'ai bien trop le respect de la loi. »

Le chef pratiquait rarement le sarcasme. Delorme respira un grand coup. Il était temps qu'elle expose son idée. « J'ai un plan, monsieur.

— Alors, éclairez-moi.

— Nous confions à Cardinal une information qu'il sera obligé de communiquer à Corbett, s'il travaille pour lui, évidemment. Quelque chose qu'il ne pourra pas garder pour lui. L'équipe de Musgrave placera son téléphone sur écoute et le prendra en filature. »

Kendall la regarda calmement puis reporta son attention sur le soldat qu'il tenait entre son index et son pouce. « Je dois vous dire, sergent, que vous ne manquez pas d'audace.

— Monsieur, c'est la seule manière de passer du soupçon à la preuve tangible… »

Le chef l'interrompit d'un geste de la main. « Je suis surpris que vous parliez sérieusement, car c'est le cas, n'est-ce pas ? Oui, je le vois bien, vous ne plaisantez pas en proposant de placer votre équipier sur écoute.

— Sauf votre respect, monsieur, c'est vous qui m'avez confié la mission d'enquêter sur lui. Vous, et aussi Dyson. Si vous voulez que j'arrête, je serai heureuse de le faire.

— Vous voyez ça ? » Kendall désignait une frégate sur les eaux bleues du Saint-Laurent. « Le montage du petit mât et des minuscules haubans ? Rien que ce détail m'a pris une semaine de travail.

— Inouï.

— Il faut toujours du temps et de la patience pour donner une consistance à toute entreprise. J'espère que vous savez être patiente.

— Mon plan est bien plus efficace que l'étude de vieux dossiers dont les protagonistes ont disparu pour la plupart. Si vous considérez objectivement mon idée, vous serez d'accord, monsieur.

— Je le suis. Passez-moi le petit tube argent, voulez-vous ? » Avec l'aide d'une épingle, le chef posa une trace de colle sur un boulet de canon gros comme un œil de mouche, et l'ajouta à la pile déjà constituée. « Vous avez toujours l'intention de quitter les Enquêtes internes, n'est-ce pas ? Ça ne me plaît pas du tout de perdre quelqu'un comme vous.

— Ma foi, monsieur, vous ne me perdez pas. Je viens d'entrer à la Criminelle.

— Je sais mais, voyez-vous, on pourrait dire de la section des Enquêtes internes qu'elle est l'élément le plus important de la brigade. Sans elle, il vous reste bien entendu le cerveau — et il est en parfait état de fonctionnement — mais c'est un cerveau sans conscience. Et ça, ma jeune amie, c'est dangereux. »

Delorme fourra ce « jeune amie » au chaud dans sa poche pour l'examiner plus tard. « Monsieur, si nous lui donnons quelque chose qu'il soit le seul à connaître, nous saurons si c'est lui qui rancarde Corbett, et sans avoir à le placer sur écoute.

— J'ai une question. » Le chef modelait un soldat s'apprêtant à grimper. Il encolla chaque main minuscule et pressa la figurine contre la face d'une falaise. Puis il tourna vers Delorme un regard perçant. « Pourquoi est-ce à moi, et non à Dyson, que vous vous adressez ?

— Je collabore étroitement avec Dyson, monsieur. Mais pour que ce plan ait une chance de tenir devant un juge, je ne peux pas courir le risque de confier à quelqu'un d'autre la même info qu'à Cardinal. Vous et moi, nous serons les seuls à le savoir.

— Alors, vous devez le faire, et le plus tôt sera le mieux. Est-ce que le caporal Musgrave est dans le coup ?

— Plus que ça, il brûle d'impatience.

— Bien. Voyez un juge et faites-vous délivrer un mandat.

— Nous l'avons, monsieur. Musgrave l'a déjà demandé. »

Kendall éclata d'un de ces rires tonitruants dont il était coutumier. Ha ! ha ! ha ! Delorme en éprouva du soulagement en même temps qu'une pression dans les tympans. Puis le chef la regarda de nouveau avec intensité. « Jeune Delorme, je suis plus vieux et plus sage que vous, et ce sont là deux bonnes raisons pour lesquelles je suis votre supérieur, aussi écoutez-moi bien : je connais le caporal Musgrave, et le caporal Musgrave est un emporté, un pompier pyromane, le caporal Musgrave n'aime pas M. Cardinal. Si ledit Musgrave était sous mon commandement, ce qu'il n'est pas, je l'écarterais de cette affaire. Aussi soyez prudente. Je ne suis pas en train de dire que le bonhomme irait jusqu'à fabriquer des preuves, mais il est de taille à bousiller une enquête par excès de zèle. Alors soyez sûre de vous et gardez votre jugement... qui en est où, à propos ?

— Monsieur ?

— Je vous demande où en est votre jugement, Delorme. Sur Cardinal, évidemment.

— Suis-je obligée de vous répondre, chef ?

— Certainement. »

Delorme leva les yeux vers les poutres du plafond.

« J'attends.

— Pour être tout à fait sincère, monsieur, je ne sais pas. Je constate qu'il y a de fortes présomptions contre lui, mais rien en vérité que ne pourrait démonter un bon avocat. Aussi, je le considère innocent, jusqu'à preuve du contraire.

— Vous vous réfugiez dans le juridique. Est-ce par loyauté ? Seriez-vous trop proche de Cardinal pour rester impartiale ? Vous pouvez parler sans crainte.

— Je ne sais pas, chef. Je ne suis pas quelqu'un d'introspectif. »

Kendall éclata de rire à nouveau, comme si Delorme venait de lui en conter une bien bonne, puis se tut abruptement, et le silence qui suivit était profond, comme celui laissé par une alarme interrompue. « Il faut me ramener ce type, vous m'entendez ? S'il a été acheté par un gangster sans conscience, je veux le chasser de ma brigade et le plus vite possible. S'il n'est pas celui qu'on croit, alors plus vite cette affaire sera résolue, mieux ça vaudra. Je ne suis pas non plus quelqu'un d'introspectif, sergent Delorme. Ce qui veut dire que sans preuves ni faits je m'ennuie et je m'énerve. Vous ne voulez ni m'ennuyer ni m'énerver, n'est-ce pas ?

— Certainement pas, monsieur.

— Alors, faites votre petite expérience. Et le plus vite possible. »

34

Howard Bass, technicien de la Compagnie d'électricité d'Ontario, réparait un transformateur en bordure de la route 63, à cinq ou six pylônes de la marina de Trout Lake. Howard avait passé une bonne partie de la matinée perché à plus de six mètres de haut dans la nacelle de l'élévateur, à se geler les fesses. La réverbération de la neige avait été telle, jusque-là, qu'il avait été pratiquement aveuglé malgré ses lunettes de protection. Le soleil s'était enfin déplacé à l'ouest, jetant sur le manteau blanc l'ombre précise de Howard et du bras articulé de l'engin.

Stanley Betts, qui conduisait la machine aujourd'hui, était allé chercher à la marina deux boîtes de Coca et quelques donuts. La vision de la Lolita aux yeux de chatte qui servait à la buvette l'avait émoustillé, et il s'en revenait en sifflotant d'un air guilleret.

Cette portion de la 63 était toujours très fréquentée. Il y avait ceux qui descendaient de la NORAD ou arrivaient de Temagami, sans parler des résidents de Four Mile Bay. Stan resta pendant un long moment coincé de l'autre côté du goudron, guettant un répit dans la noria ininterrompue des véhicules. « J'suis en train de virer vieux dégueu ! cria-t-il à Howie, les mains en porte-voix. T'aurais dû voir la poupée qui tient la buvette ! »

Mais Howie ne se retourna pas. Probable qu'il m'a pas entendu, avec le vingt tonnes qui vient de passer, pensa Howie.

« Je te jure, Howie, répéta Stan quand il eut enfin traversé la route, que je vire vieux dégueu ! »

Bien que le froid fût intense, il faisait très beau. Le bras jaune de l'élévateur se détachait sur le bleu du ciel. Mais Howie avait un air bizarre là-haut, avec sa bouche ouverte d'où s'échappait une écharpe de buée. Et il s'agrippait au bord de la nacelle en regardant fixement le sol.

« Qu'est-ce que tu mates comme ça, Howie ? » Stan suivit le regard de son équipier, mais la congère de deux mètres de haut flanquant la chaussée l'empêchait de voir. Il l'escalada et mit sa main en visière sur ses yeux. Quand Stan découvrit ce que contemplait Howie, une boîte de Coca lui échappa et s'ouvrit sur sa botte au bout ferré, projetant un minuscule geyser couleur café sur la neige.

35

« Comment pouvez-vous en déduire qu'il s'agit du même tueur ? » Dyson écarta ses doigts spatulés et énuméra ses arguments. « Un : la victime a plus de trente ans. Deux : le mode opératoire est totalement différent. Les autres ont été pour l'un, battu à mort, pour l'autre, étouffée. Trois : le corps a été abandonné dans un endroit où il était facile de le retrouver.

— Pas si facile que ça. Si des ouvriers n'avaient pas travaillé sur le transformateur, on aurait mis des mois à le découvrir. Après le prochain passage du chasse-neige ou de la niveleuse sur la 63, le corps aurait été complètement enseveli.

— Arthur Wood était un délinquant bien connu. Il devait avoir un tas d'ennemis.

— Woody n'avait pas un seul ennemi au monde. On ne pouvait pas rencontrer un garçon plus gentil, à condition de ne pas laisser traîner son argenterie.

— Une vieille querelle de prison, si vous voulez mon avis. Interrogez ses compagnons de cellule, parlez aux gardiens qui l'ont connu. Que savons-nous de notre clientèle ? Rien !

— Woody était un cambrioleur très actif. Cette fois, il est entré dans la mauvaise maison. Quand on saura laquelle, on aura notre tueur. » Il va confier l'enquête à McLeod, se disait Cardinal, devinant la décision qui se formait sous le crâne transparent de Dyson.

Le coupe-papier traça un sillon parmi les paperasses encombrant le bureau. « Vous avez déjà beaucoup à faire, Cardinal.

— Oui, mais s'il s'agit du même type, nous allons…

— Laissez-moi finir, je vous prie. » La voix était douce, songeuse. « Vous avez beaucoup à faire, disais-je, mais voilà ce que je vous propose : suivez l'affaire Woody, et gardez-la jusqu'à ce qu'on ait la preuve qu'elle n'a rien à voir avec notre maniaque local. Alors, elle passera immédiatement chez McLeod. Compris ?

— Compris. Merci, Don », répondit Cardinal, rougissant un peu. Il n'employait jamais le prénom du sergent. La découverte du corps de Woody l'avait secoué. Avant d'ouvrir la porte, il se retourna. « Télé Sudbury a pas mal brodé sur l'histoire de Margaret Fogle.

— Je sais. C'est ma faute. Je m'en excuse. »

Dyson s'excusant, c'était à consigner dans le *Livre des records*. « Ça ne nous a pas beaucoup aidés, ajouta Cardinal, et je ne comprends même pas quel intérêt ils pouvaient avoir à en parler.

— Grace Legault n'est pas Roger Gwynn. Cette femme ne traînera pas longtemps dans notre bien-aimée Télé Sudbury. Cette pétasse vise Toronto, croyez-moi. Elle sait ce qu'elle veut. Elle a mis la main sur une liste de personnes disparues et… bof, qu'est-ce que ça peut foutre… elle m'a eu par surprise. Et j'aurais dû vous en informer, c'est une erreur. Maintenant, je crois qu'on a fait le tour de la question, n'est-ce pas ? »

De retour de chez Dyson, Cardinal tomba sur Lise Delorme. « Je vous ai cherché partout. La femme de Woody est ici. Elle est venue signaler sa disparition. Il va falloir l'emmener à la morgue pour qu'elle identifie le corps.

— Ne nous précipitons pas, Lise. Je ne tiens pas à lui apprendre tout de suite la nouvelle. »

Delorme semblait choquée. « Vous devez le lui dire. Son mari est mort, juste ciel ! On n'a pas le droit de le lui cacher.

— Dès l'instant où elle saura, elle ne pourra plus nous aider. Elle sera bien trop bouleversée. Tout ce que je veux, c'est la questionner d'abord. »

Martha Wood accrocha son manteau et la minuscule parka de son fils à la patère dans le couloir. Elle portait un T-shirt et un jean, une tenue qui sur sa haute et fine silhouette acquérait une élégance inattendue. Elle prit place dans la salle des interrogatoires, où son propre mari avait maintes fois répondu aux questions des policiers. Son gamin, aux cheveux et aux yeux noirs comme sa maman, était sagement assis sur une chaise à côté d'elle, pressant dans ses bras un petit ours en plastique qui émettait de temps à autre un couinement de souris.

Martha Wood faisait machinalement tourner son alliance en parlant. « Quand Woody a quitté la maison, il portait un chandail bleu, un Levi's 505 et des santiags noires, en lézard.

— Il faisait froid, samedi. Qu'est-ce qu'il avait comme manteau ? » Le corps, criblé de neuf balles, avait été retrouvé nu. Cardinal ne pouvait écarter la possibilité qu'on découvre quelque part les vêtements.

« Une parka bleue. Mais pourquoi ne me donnez-vous pas un formulaire à remplir ?

— C'est ce que nous faisons.

— Vous voulez sa taille et son poids ?

— Nous les avons, intervint Delorme.

— Oui, c'est vrai. J'oubliais son casier. C'est bizarre, j'ai toujours considéré les flics comme nos ennemis. Maintenant que Woody manque à l'appel, je ne vois plus les choses de la même façon.

— Nous non plus, dit Cardinal. Est-ce que Woody est parti avec son vieux ChevyVan ? » Ils avaient déjà toutes les caractéristiques du véhicule.

« Oui, et vous voulez le numéro de la plaque, je suppose, dit-elle en tendant la main vers son sac.

— Nous l'avons déjà, dit Delorme. Le Chevy... il est toujours bleu ?

— Oui, toujours bleu. » Mme Wood gardait la main sur son sac. « Mais il changeait parfois de plaque quand il était sur un travail. Je ne sais pas s'il l'a fait, cette fois-ci. Il y avait écrit *Plomberie — Réparations électriques* sur les flancs.

— Saviez-vous où il allait travailler, cette fois ?

— Écoutez, Woody est réparateur d'installations électriques. C'est ce qu'il m'a toujours dit, d'accord ? Et j'ai depuis longtemps appris à ne pas poser de questions. C'est un père tendre et un mari fidèle, mais il n'a pas l'intention de changer de métier, ni pour vous, ni pour moi, ni pour personne.

— D'accord, dit Cardinal, mais saviez-vous dans quelle partie de la ville il exerçait ce jour-là ?

— Il ne m'informe jamais de ce genre de chose. Je vous ai dit qu'il était fidèle, mais il est sérieux et ponctuel, aussi. Il m'a dit qu'il serait de retour à six heures du soir. Ça fait un jour et demi, et j'ai vraiment la frousse.

— Cela pourrait nous aider, reprit Cardinal d'une voix douce en ignorant le regard sévère que lui jetait Delorme, si vous aviez une idée de l'endroit où il a pu aller.

— Je ne peux pas vous répondre. Il a bien parlé l'autre jour de la station CN, parce qu'ils avaient obstrué les fenêtres. Peut-être qu'il était dans ce coin-là, mais je n'en sais rien. » Soudain, elle était debout, son sac par terre. « Il a des ennuis, et des sérieux, je vous le dis. Il est peut-être un voleur, mais ça n'en fait pas un salopard. C'est la première fois qu'il disparaît sans même téléphoner. Il lui est déjà arrivé de ne pas rentrer à la maison, quand il se faisait prendre, et si c'est vous qui l'avez arrêté, vous feriez bien de me le dire, sinon je vais vous coller Bob Brackett aux fesses, jusqu'à ce que vous soyez viré de votre foutue brigade. » Bob Brackett était le meilleur avocat d'Algonquin Bay, et il avait mené la vie dure à plus d'un flic.

« Madame Wood, voulez-vous vous asseoir, s'il vous plaît ?

— Non. Si vous ne détenez pas mon mari, je veux savoir pourquoi vous ne faites rien pour le retrouver ! »

Son petit garçon arrêta de triturer son ours pour lever vers sa mère deux yeux noirs brillants d'inquiétude.

« John, vous voulez bien me laisser seule avec Mme Wood ? »

Delorme venait de prendre Cardinal par surprise ; ce n'était pas dans le scénario et il n'aimait pas ça.

« Pourquoi ? voulut savoir Martha Wood. Pourquoi veut-elle me parler en privé ?

— S'il vous plaît, John. »

Cardinal sortit et s'installa dans la pièce d'observation. Il glissa une pièce dans le distributeur à sodas avant de s'apercevoir qu'il n'y avait plus de Coca Light. Il en prit un normal et s'assit à la table, observant l'écran vidéo qui était allumé sans le son.

De son support en haut du mur, la caméra cadrait Martha Wood dans une plongée sans pitié. Elle et Delorme semblaient figées, comme dans un arrêt sur image. Martha Wood était toujours debout, les mains légèrement écartées du corps, encaissant le coup, ne ressentant pas encore la douleur, le regard empli d'une interrogation crucifiante. Ses lèvres pleines esquissaient des mots qu'elle ne prononçait pas.

Delorme tendait la main vers elle, lui touchait le bras, et la femme restait campée sur ses jambes, vacillant presque imperceptiblement. Enfin elle s'appuya à la table, s'assit lentement sur la chaise et, enfouissant son visage dans ses mains, elle se plia soudain en avant. À côté d'elle, le garçonnet lui toucha l'épaule avec son petit ours.

36

« Pourquoi on n'a pas encore repéré cette putain de camionnette ? » McLeod déchargeait son Beretta tout en parlant, alignant en bel ordre sur la table neuf cartouches bien droites dans leurs bottes de cuivre. Neuf... cela paraissait quelque peu exagéré à Cardinal, tellement habitué à son six-coups. « Je l'ai recherché moi-même, ce ChevyVan, et on l'a tous fait à un moment ou à un autre. Et ça me troue, qu'on n'ait pas mis la main dessus.

— Si, comme on le soupçonne, Woody a commis l'erreur de cambrioler la maison du tueur, celui-ci a dû planquer la caisse quelque part. Et s'il l'a mise à l'abri chez lui, comment la retrouver ?

— En concentrant les recherches sur les propriétaires de garages, intervint Dyson.

— On n'est pas sûr qu'il en ait un, reprit Cardinal. Woody est mort voilà un jour seulement, et toute la PPO a le signalement du van. On le retrouvera. »

Le téléphone sonna et, ainsi qu'il en était convenu, ce fut Cardinal qui décrocha. « D'accord, Len, je branche le haut-parleur. Je suis avec Delorme, le sergent Dyson et Ian McLeod. »

Ils étaient tous les quatre dans la salle de conférences, une première, pour autant que Cardinal s'en souvînt. La salle était d'ordinaire réservée aux assemblées générales, aux visites du maire, bref, aux grandes occasions. Mais c'était l'enquête la plus importante qu'eût jamais menée la brigade d'Algonquin Bay, et ils étaient maintenant huit détectives sur l'affaire.

« Bon, voilà ce qu'on a trouvé, annonça Len Weisman. Le corps présente neuf blessures par balles. Elles n'ont pas été tirées dans la précipitation ; elles sont trop précisément placées pour ça. On en compte une sur chaque tibia, une sur chaque fémur, une sur chaque avant-bras ou cubitus et une sur chaque bras ou humérus. Cela représente les huit os principaux du squelette humain, et je pense que le tueur a cherché à les briser. Il a réussi avec les deux tibias. Chaque balle a été tirée à bout portant, le canon contre la chair, avec un soin méthodique, alors que la victime était réduite à l'impuissance.

— Cela fait huit balles, Len, pas neuf.

— Vous êtes mal réveillés, les gars. Il a d'abord été touché dans le dos, et pas à bout portant, en l'occurrence. Un tir de trois mètres environ, avec une trajectoire allant du bas vers le haut. D'après le Dr Gant, il est probable qu'il ait été touché en grimpant un escalier. Il y a aussi un reste de ruban adhésif autour de la bouche.

— Bon Dieu.

— Il y a sur lui du sang qui n'est pas le sien, mais qui, apparemment, n'est pas celui du mec qui a envoyé un échantillon de son sperme à cette fille. Il nous faudra attendre le test ADN avant de savoir à qui il appartient, et ça ne sera pas avant une semaine.

— Une semaine ! On a des gamins qui meurent, ici, Len.

— J'y peux rien, ce genre d'analyse prend dix jours. Et maintenant, la blessure au visage. On a d'abord cru qu'elle était due à une chute, que le type était tombé face contre terre et s'était cassé le nez. Mais on a trouvé des traces d'huile d'arme à feu à l'intérieur de la blessure.

— Il a été frappé à coups de crosse ?

— Exactement. Et le plus étonnant, c'est que la victime, avec neuf balles dans le corps, est morte de cette fracture du nez. Avec l'adhésif qui le bâillonnait, il avait du mal à respirer, aussi a-t-il aspiré une grande quantité de sang en essayant et il a fini par s'étouffer.

— Que dit la balistique, Len ? Beretta ? Glock ? Il faut un chargeur d'au moins neuf coups, non ?

— Non. J'ai le résultat de la balistique sur mon fax, et il s'agit d'un Colt 38.

— Impossible, Len. Un Colt a six cartouches.

— Comme je l'ai dit, ce n'est pas un type qui tire dans la précipitation. Le salopard prend son temps, recharge tranquillement, c'est ça qui le fait jouir.

— Ce type est une bête, grogna McLeod.

— La mutilation génitale est *post mortem*. Le Dr Gant pense que le tueur lui a littéralement broyé les couilles à coups de pied.

— Comme à Todd Curry, patron. »

Dyson acquiesça d'un air entendu, comme s'il l'avait toujours pensé.

« J'ai demandé à la balistique, reprit Len, de vous appeler dès qu'ils en sauront plus.

— D'accord. Merci, Len.

— Je n'ai pas fini.

— Excusez-moi. Allez-y.

— La Scientifique a relevé des empreintes. Les deux pouces.

— Impossible. Le corps a été découvert nu, avec pas même une ceinture sur lui.

— Les empreintes ont été relevés sur le corps lui-même. C'est une chose que nous avons apprise à la conférence de Tokyo, l'année dernière : radiographie des tissus sous-cutanés. Nous avons procédé à une radioscopie de l'hypoderme du cou. Si on intervient dans un délai de douze heures, on peut obtenir une empreinte. Il semble que le tueur a essayé d'étrangler la victime, peut-être avant de décider de le bâillonner. L'empreinte aussi m'a été faxée.

— Bon Dieu, Len, dis-leur merci, aux gars de la Scientifique.

— Les "gars" le prendraient mal, vu que ce sont des femmes. »

Delorme baissa la tête en souriant.

« Vous savez ce qui pue ? dit McLeod à la ronde. Ce qui pue, c'est qu'on croule sous les indices. On se noie dedans. Bon sang, on a sa voix enregistrée, et on peut rien faire. On a son sperme dans une enveloppe, et on peut rien faire. On a maintenant ses empreintes digitales, et c'est comme si on avait sa carte de visite. Ce type s'amuse avec nous, et on n'arrive nulle part.

— Non, nous avançons, dit Cardinal, qui voulait le croire. Pour le moment, nous en sommes réduits au travail de routine, et ce qui nous manque, c'est le chaînon qui reliera tous ces indices.

— Vous avez intérêt à le trouver vite, commenta Dyson. Si en haut lieu on me conseille une fois de plus d'appeler la police d'Ontario ou la Montée…

302

« — Quoi ! les cow-boys ? » McLeod semblait en faire une affaire personnelle. « Ça relève pas de leur compétence, à ces connards.

— Je le sais tout autant que vous, McLeod, mais allez donc expliquer ça sur la place publique.

— De toute façon, ils commenceront par se gourer de client ou voler un indice matériel ou encore proposer de la dope à un putain de juge d'instruction. Et puis c'est une tradition chez eux de dire qu'ils font une chose quand ils en font une autre. Je vais vous dire, moi, le problème avec ces mulets. » McLeod commençait à s'échauffer et, d'ordinaire, Cardinal appréciait les coups de gueule de son collègue, mais pas cette fois, non. « Le problème avec ces mulets, c'est qu'ils sont fauchés. Le gel de leur solde pendant cinq ans, ça les a tués. Ils sont sans le sou, alors tous les expédients sont bons pour se faire un peu d'argent de poche. Je préférais le temps où ils s'engraissaient. Vous pouvez faire confiance à un Mountie avec un solide compte en banque. Maintenant qu'ils sont pratiquement clochards, ils sont tout juste bons pour… »

La voix de Mary Flower crépita soudain dans l'interphone. « Cardinal, j'ai la PPO en ligne. Une patrouille routière sur la route n° 11 a repéré le véhicule de Woody. Que voulez-vous faire ?

— Où sont-ils exactement ?

— Près de Chippewa Falls, et ils roulent en direction de la ville.

— Passez-les-moi, Mary. Je vais leur parler. »

Tout le monde autour de la table s'était figé, et une grande tension régnait soudain dans la pièce.

« Don, il nous faut l'armurerie : fusils, gilets pare-balles, le grand jeu.

— Elle est à vous. Et au diable les cow-boys. »

Le téléphone sonna et Cardinal décrocha. « Officier Cardinal, de la Criminelle. Qui est à l'appareil ?

— George Boissenault, et mon équipier, Carol Wilde. Patrouille 14 de la PPO.

— Vous êtes sûr que c'est notre homme ?

— On suit un Chevy Van 89 de couleur bleue, immatriculé 7698128, Ontario. Avec une pancarte : *Plomberie — Réparations électriques*.

— Attention, collègues, c'est mon affaire. L'homme est le suspect numéro un dans l'enquête Pine-Curry. Compris ?

— Cinq sur cinq. On nous a déjà mis au courant ce matin, au briefing.

— Parfait. Je veux que vous le suiviez, mais ne l'arrêtez pas.

— Il se peut qu'on soit obligés de le faire, parce qu'il fait n'importe quoi sur la route.

— Surtout ne l'arrêtez pas ! Il a peut-être un otage à bord et la vie du gosse serait en danger. Appelez votre base, qu'ils bloquent la route à l'entrée de la ville mais qu'ils restent hors de vue, d'accord ? Et dites-leur de boucler les bretelles d'accès.

— Je transmets.

— Vous êtes dans un véhicule réglementaire ?

— Exact, voiture de patrouille. On est facile à repérer.

— Restez à distance, sans le perdre. Vous avez des enfants, Wilde ?

— Oui, monsieur. Un de huit ans, et l'autre de trois.

— Notre otage vient de quitter le lycée. Je veux que vous pensiez à lui comme si c'était votre gamin, d'accord ? On peut le sauver si on joue bien le coup.

— On dirait qu'il va sortir avant Algonquin. Non, je me suis trompé, il reste sur le périph'.

— Ne le perdez pas. Le sergent Dyson est avec moi et, dans cinq minutes, vous allez avoir plus de soutien que vous n'en avez jamais vu. S'il force le barrage, collez-lui au train. Inutile de vous dire que le type est armé et dangereux.

— On le lâche pas. On peut accorder nos fréquences, si vous voulez coordonner l'opération depuis votre poste de commandement.

— Vous avez deviné mes pensées. Voyez ça avec Flower. Nous partons tout de suite. »

37

L'armurerie n'était qu'un grand placard, juste assez grand pour contenir quatre policiers à la fois. Delorme et McLeod en sortirent les premiers, équipés chacun d'un gilet de Kevlar et un fusil à la main. Cardinal en émergeait à son tour quand Szelagy l'appela. « J'ai un certain Fehrenbach à l'appareil. Il dit que le petit Curry lui a probablement volé sa carte de crédit.

— On le rappellera, répondit Cardinal en attachant son propre gilet. Glissez une note dans le dossier. »

Le téléphone sonna dans le couloir. Flower avait Jerry Commanda en ligne. Celui-ci avait déjà décollé avec l'hélico de la PPO.

« Jerry, tu peux passer me prendre avec ton engin ? »

La voix de Commanda lui parvint à travers le vrombissement du rotor. « Quai du Gouvernement, mais fais dégager la foule.

— Où est notre homme ?

— Il vient juste de dépasser Shepard's Bay.

— Bon. Alors, sur le quai, dans cinq minutes. »

Alors qu'ils démarraient en trombe du parking, Cardinal tendit la main vers le micro. « On a oublié d'appeler Saint-François pour qu'ils envoient une ambulance.

— C'est fait, monsieur, répondit Delorme. Ils doivent être déjà en route vers la 11.

— Delorme, je vous dois un baiser.

— Pas en service. Et pas en privé non plus.

— Un gros baiser, Delorme, sitôt qu'on aura épinglé ce salaud. »

Delorme déclencha la sirène, chassant la Toyota qui leur bloquait la route. Cardinal tourna dans Sumrer. Quatre minutes et trois feux rouges plus tard, ils bondissaient tous deux hors de la voiture et couraient vers le quai, sur lequel l'appareil était posé telle une gigantesque libellule, ses pales soulevant une tempête de neige tout autour de lui. Derrière, le lac et le ciel composaient une toile gris pâle.

Cardinal ne volait pas souvent. Son estomac était encore à terre, alors qu'ils survolaient Shepard's Bay, dont l'étendue glacée était piquetée de huttes de pêche. Le paysage avait l'immobilité d'une carte postale, à l'exception d'un chien batifolant autour de son maître, qui allait d'un pas lourd vers sa cabane, un pack de bières sous un bras.

« Regardez les voitures se rabattre sur Water Road. Ça veut dire qu'ils ont déjà bloqué les bretelles. » Jerry appela sur sa radio. « Boissenault ! Ici le commandement. Quelle est votre position ?

— Moins d'un kilomètre au nord de la sortie de Powassan. Ce que j'peux dire, c'est que le type fait n'importe quoi au volant. »

Delorme désigna un point au loin. « Je les vois. »

Le ChevyVan n'était qu'une tache bleue filant entre des pins rabougris. Le véhicule de patrouille suivait à deux cents mètres. Jerry cria au chauffeur : « Restez dans son angle aveugle. Il ne faut surtout pas lui faire peur. »

Cardinal prit le micro. « Boissenault, savez-vous si quelqu'un a vu à quoi il ressemblait ?

— Les collègues en voiture banalisée qui l'ont croisé en venant disent : homme blanc, seul, la trentaine, cheveux châtains, parka noire. Pas de passager visible.

— On n'en sait rien, mais le gosse est peut-être à l'arrière.

— Vous pensez qu'il emmènerait son otage dans une voiture volée ?

— Il ne sait pas qu'on recherche le véhicule. Et s'il le sait, il a peut-être pété les plombs, et il prend maintenant tous les risques. Voiture 14, laissez deux véhicules entre vous et lui. Il va flipper, sinon.

— Bien reçu.

— Ces deux gars sont de la police routière, dit Jerry Commanda. Les filatures, c'est pas leur domaine.

— Ils ne sont pas obligés de lui coller au train, maintenant qu'on est en l'air. » Cardinal reprit le micro. « Restez en arrière, voiture 14. Laissez passer la Camaro. »

Une Camaro rouge avec un aileron arrière doubla le véhicule de patrouille sitôt que celui-ci ralentit. « C'est fou ce que le citoyen devient civique dès qu'il y a du gendarme en vue.

— Oh, vous n'avez pas idée », commenta Jerry.

Le pilote désigna soudain le sud-est. « Soleil », dit-il. D'une déchirure dans l'édredon de nuages, un jet de lumière projetait l'ombre de l'hélicoptère sur la colline à une vingtaine de mètres de la camionnette bleue. Le pilote s'écarta. L'ombre disparut. Quatre cents mètres derrière la première voiture de patrouille, une file de véhicules de police banalisés ou marqués du sigle de la PPO, auxquels s'ajoutaient deux ambulances et une voiture de pompiers, s'étirait sur la route serpentant entre les collines, telle une caravane de cirque.

« Merde, dit Jerry Commanda, j'espère que ce salopard n'est pas en train de filer à Toronto pour le week-end.

— Si c'est le cas, on n'ira pas avec lui, dit le pilote en désignant sa jauge de carburant. On peut tenir jusqu'à Orillia au maximum.

— Qu'est-ce qu'ils font là-bas, ceux-là ? » Cardinal désignait une unité de la PPO garée en bordure de la route, gyrophares en action.

« Ils ne devaient pas être sur la même fréquence. Je vais les appeler pour leur dire de dégager de là. » Jerry reprit le micro à Cardinal. « Central, on a des gus sur la 11, direction sud, dites-leur de bouger leur cul, et tout de suite.

— Central. Bien reçu.

— Trop tard. Il les a vus. »

La camionnette avait brutalement ralenti et, maintenant, accélérait de nouveau.

« Poste de commandement, nous le perdons. Vous voulez qu'on l'arrête ?

— Non, restez avec lui. Nous voulons savoir où il va.

— Cardinal, vous ne pouvez pas diriger une poursuite à fond la caisse depuis un hélico. C'est la vie de mes hommes qui est en jeu.

— 14, vous avez deux voitures de particuliers qui arrivent vers vous, après quoi, la voie est libre. » Se tournant vers Jerry : « Comment ils ont pu passer ?

— Il y a beaucoup d'embranchements, et on n'a pas eu le temps de tous les fermer. Regardez ça. »

Le ChevyVan venait de se déporter dans une courbe et filait droit sur une Toyota blanche roulant en sens contraire.

Mais qu'elle s'écarte, pria Delorme. *Qu'elle s'écarte...*

À la dernière seconde, la Toyota monta sur le talus en chassant follement de l'arrière et retrouva par miracle la chaussée. Cardinal suait à grosses gouttes sous son gilet. Son ordre avait manqué coûter la vie aux occupants de la Toyota. Sa main était tellement poisseuse qu'il avait du mal à tenir le micro. « D'accord, 14, arrêtez-le.

— Bien reçu. On va le rabattre sur le côté.

— À toutes les unités, gyrophares et sirènes. On va le coincer. » Puis, se tournant vers Jerry : « On a avec nous le gars du K-9, au cas où il essaierait de s'enfuir par les bois ? »

Jerry pointa un doigt en direction du convoi. « Greg Villeneuve. Le pick-up gris devant le camion des pompiers. »

La voiture de tête accélérait. On pouvait maintenant percevoir à travers le vrombissement du rotor la plainte aiguë des sirènes. Le ChevyVan se déporta de nouveau vers la droite, mordant brutalement sur le bas-côté avant de regagner le goudron. Dès que la voiture 14 arriva à sa hauteur, il obliqua brutalement, leur coupant quasiment la route.

« Bon Dieu ! cria Jerry. Il s'en est fallu de peu. »

La voiture de patrouille accéléra de nouveau, roulant de front avec le van. « 14, 14, ralentissez ! Il y a un chasse-neige au prochain tournant. Sur votre voie. Et il est arrêté. Je répète, un chasse-neige sur votre voie.

— Bon Dieu, le gosse est peut-être dedans. Pourquoi ne laissent-ils pas filer ? intervint Delorme.

— S'ils le doublent, ils pourront mieux le gêner. » Delorme s'écarta du hublot, incapable d'en voir davantage.

À la dernière seconde, la 14 passa devant le ChevyVan, libérant la voie de gauche. La camionnette fit un écart pour éviter le chasse-neige, dérapa sur une plaque de glace et coupa les deux voies avant de se rétablir et de se mettre à rouler sur la bande médiane couverte d'une neige épaisse. La voiture de patrouille ralentit pour rester à sa hauteur. La camionnette bleue laboura pendant quelques mètres les congères, jusqu'à ce qu'elle soit déportée sur le côté et morde de nouveau sur la voie de droite.

« Heureusement qu'on a fermé la route », dit Delorme.

Vingt mètres plus loin, les roues de la camionnette se prirent dans les chevaux de frise, le ChevyVan se retourna, percuta un rocher et prit feu.

« Il faut descendre, dit Cardinal. À toutes les unités : cette section de route doit être fermée. Laissez travailler les pompiers et puis sortez l'otage. Je répète. Il est possible qu'un otage soit à bord. Libérez-le avant toute chose. »

Le pilote les posa dans la cour d'une scierie, après avoir ordonné au mégaphone aux ouvriers de s'écarter. Jerry, Cardinal et Delorme sautèrent à terre sous les quolibets des hommes réfugiés derrière les énormes tas de planches.

Quand Cardinal arriva, le feu était éteint, et la camionnette n'était plus qu'une épave fumante. Un pompier sortit de l'arrière en secouant la tête.

« Pas de passager ?

— Non, et pas de chauffeur non plus.

— Il est là-bas. » Jerry Commanda pointait sa main gantée en direction de la bande médiane. Deux cents mètres plus loin, une voiture de patrouille était arrêtée, et deux policiers braquaient leurs armes sur une silhouette immobile dans la neige. Vingt secondes plus tard, l'homme dans la neige était cerné de carabines braquées, percuteurs armés, prêtes à décharger sur lui un feu d'enfer.

Il gisait sur le ventre, les bras en croix, comme un noyé jeté par une vague sur un rocher. Soudain il émit un gémissement et leva légèrement la tête. Larry Burke s'approcha de lui, le menotta puis, le retournant, le fouilla. « Pas d'arme, sergent.

— Une pièce d'identité ? »

Burke ouvrit le portefeuille, en sortit un permis de conduire. « Frederick Paul Lefebvre, 234 Wassi Road. La photo correspond.

— C'est Freddie le Rapide ! s'exclama Delorme. Il est sorti de prison... il y a quoi, deux semaines ? »

Deux brancardiers arrivèrent et commencèrent à relever sans trop de ménagement le bonhomme qui reprenait lentement ses esprits.

« Oh, putain », répéta plusieurs fois Freddie le Rapide. « Oh, putain. » L'un des infirmiers essuyait avec de la neige le front ensanglanté du chauffard, quand celui-ci découvrit enfin les fusils et eut un hoquet. « Oh, putain, dit-il, étouffant un rot. J'suis encore soûl. »

38

La poursuite du véhicule de Woody se traduisit pour Cardinal par une montagne de paperasses. Une opération impliquant la collaboration d'autres forces de police, comme celles de la PPO, multipliait par dix le nombre des rapports. Le seul fait d'utiliser l'armurerie exigeait un compte rendu détaillé du matériel utilisé, de la quantité de cartouches emportées, du nombre de personnes équipées, etc.

Il aurait bien aimé interroger Freddie Lefebvre, mais celui-ci, qui avait perdu connaissance après sa brève confession éthylique, cuvait dans une chambre d'hôpital sévèrement gardée.

Le voyant clignotait sur son répondeur. C'était Karen Steen cherchant à savoir où en était l'enquête et le priant de la rappeler dès que possible. Il se souvenait des yeux bleu denim et de la parfaite candeur de son expression. Il regrettait de ne rien avoir à lui annoncer, pas un seul fait susceptible de lui redonner courage et espoir. Arsenault et Collingwood, de la Scientifique, étaient enfermés dans le garage avec la camionnette de

Woody, et, pour le moment, il était hors de question d'aller leur demander s'ils avaient des empreintes.

Cardinal sortit une liasse de papiers de son casier d'arrivée. Il y avait plusieurs enveloppes provenant du ministère public, les habituels formulaires et demandes d'informations. Il y avait aussi une circulaire signée de Dyson qui leur demandait pour la centième fois de ne pas se ridiculiser chaque fois qu'ils devaient témoigner au tribunal. Allez savoir pourquoi, le mot *contemporain* apparaissait plusieurs fois, souligné qui plus est.

Une feuille était collée à la circulaire, vraisemblablement par accident, à en juger par des traces de miel. C'était une note interne provenant du bureau du sergent-détective A. Dyson, et adressée à Paul Arsenault. Ce dernier devait se rendre disponible auprès de la section renseignement de la police montée, le week-end suivant. La combinaison PM et renseignement devait certainement concerner l'affaire Kyle Corbett. Et une fin de semaine, cela annonçait une grosse opération, quelque chose de sérieux en perspective.

« Bon sang, pourquoi faut-il que je témoigne encore ? Ils me prennent pour quoi, une poupée vaudoue ? Tout le monde veut me planter une épingle dans le cuir ! » hurlait McLeod au téléphone en fourrageant dans le foutoir encombrant son bureau. Il raccrocha sur un dernier juron. « Ce putain de ministère public veut me voir faire une crise cardiaque.

— C'est bien possible, approuva Cardinal.

— Jeudi, mon gamin tient le piano au concert de sa classe de musique. Les frères Corriveau m'ont fait rater son anniversaire. Si je manque le récital, ma femme — pardon, mon ex, Lady Macbeth —, dûment nantie d'une injonction du tribunal, m'éliminera à jamais du tableau. Elle tient le juge des affaires matrimoniales dans sa main, et pour ce crétin je suis quelque part entre Attila et Charles Manson. Et Corriveau, à quoi ça sert de renvoyer un témoin si c'est pour le rappeler toutes les cinq minutes ? »

Cardinal se surprit soudain à penser à Catherine. Le bruyant lamento paranoïaque de McLeod s'estompait derrière lui, remplacé par le visage creusé de Catherine et cette façon qu'elle avait de le regarder par-dessus le bouquin qu'elle lisait. Son regard pouvait être d'une telle intensité dans de pareils moments, comme si elle redoutait qu'un extraterrestre ait pris l'apparence de son mari... « Tu vas bien ? » lui demandait-elle alors, et le souvenir de ces trois mots lui était d'une douceur intolérable.

« Hé ! tu vas où comme ça ? l'appela McLeod. Je n'ai pas fini de me plaindre. Je n'ai même pas commencé. »

Catherine Cardinal avança dans le couloir, les bras tendus vers son mari. Elle venait de prendre sa douche et avait les cheveux encore mouillés. Elle le serra fort contre elle, l'enveloppant d'une odeur de shampooing. « Comment va ma chérie ? » demanda-t-il d'une voix douce.

Ils allèrent prendre place dans le solarium. Catherine lui semblait aller mieux, et Cardinal en éprouvait un regain d'espoir. Elle le regardait dans les yeux et n'agitait plus sa main de manière compulsive. Elle ouvrit la bouche pour lui dire quelque chose, mais aucun son n'en sortit. Elle se détourna soudain, et Cardinal, une main posée sur le genou de sa femme, attendit pendant qu'elle pleurait. Finalement, elle se reprit et lui dit : « Je pensais que tu avais demandé le divorce. »

Cardinal secoua la tête en souriant. « Tu ne te débarrasseras pas de moi aussi facilement.

— Ne crois pas ça. Si ce n'est pas cette fois-ci, ce sera la prochaine. Le pire, c'est que personne au monde ne pourra te jeter la pierre.

— Je n'ai pas l'intention de m'en aller, Catherine. Ne te tracasse pas pour ça.

— Kelly peut se débrouiller toute seule, maintenant, et elle ne te reprochera jamais de me quitter, tu le sais bien. Même moi, je ne t'en voudrai pas.

— Arrête avec ça. Je t'ai déjà dit ce que j'en pensais.

— Tu ferais bien d'avoir une liaison. Tu dois sûrement rencontrer dans ton travail des femmes jeunes qui ne demandent que ça. Prends une maîtresse, mais ne m'en parle jamais, d'accord ? Je ne veux pas le savoir. Une de tes collègues, peut-être. Seulement, ne tombe pas amoureux d'elle. »

Cardinal ne put s'empêcher de penser à Lise Delorme. Delorme si réaliste, si raisonnable. Delorme qui peut-être, ou peut-être pas, enquêtait sur lui. Delorme si bien foutue, comme l'avait relevé Jerry Commanda. « Je ne veux pas de maîtresse, dit-il à sa femme. C'est toi que je veux.

— Mon Dieu, tu ne commettras donc jamais de faute ? Tu garderas toujours ton sang-froid, tu ne perdras jamais patience ? Comment peux-tu espérer comprendre quelqu'un d'aussi tordu que moi ? Je ne vois même pas pourquoi tu essaies encore. En un mot, tu es un saint.

— Dis donc, chérie, c'est bien la première fois que tu m'accuses de sainteté. »

Évidemment, Catherine ignorait tout de l'argent. Cardinal s'en était emparé alors qu'elle traversait sa première dépression nerveuse, des années plus tôt. Elle avait été hospitalisée pendant dix-huit mois au milieu d'une foule d'âmes perdues. Les parents de Catherine lui téléphonaient alors tous les jours des États-Unis, lui reprochant implicitement d'être de peu de secours pour leur fille, et il avait craqué. Pendant longtemps il avait associé sa faute à la folie de sa femme ; c'était pour elle qu'il avait volé. Mais le catholique en lui, sans parler du flic, ne pouvait l'accepter, et il ne s'était jamais pardonné.

« C'est tellement banal qu'un mari quitte sa femme, reprit Catherine. Personne d'autre ne pourrait endurer plus longtemps ce que tu endures avec moi.

— Il y en a aussi beaucoup qui s'accommodent de malheurs bien plus grands. » Je devrais lui parler de cet argent, lui montrer que je ne suis pas meilleur qu'un autre. Elle a beau perdre la tête de temps à autre, elle n'a jamais rien commis de mal. Mais il se retint à la pensée du regard qu'elle poserait alors sur lui. « Tiens, je t'ai apporté un cadeau. Tu pourras le mettre le jour où tu sortiras. »

Catherine défit l'emballage aussi délicatement qu'un pansement sur une blessure. C'était un béret grenat, une couleur qu'elle aimait bien. Elle s'en coiffa, l'abaissant un peu sur les yeux d'un air canaille. « À quoi je ressemble ? À une éclaireuse ?

— Tu ressembles à quelqu'un que j'aimerais épouser. »

Cela la fit pleurer de nouveau.

« Je vais chercher des Coca », dit Cardinal.

C'était un vieux modèle de distributeur, qui versait du sirop et de l'eau gazeuse dans un gobelet de carton ; pas de boîtes en métal ni de bouteilles en verre ici. Il resta un moment dans le couloir, à contempler le moutonnement blanc de la pelouse et les pins aux branches lourdes de neige. Devant une porte, deux infirmiers grillaient une cigarette en tapant des pieds pour se réchauffer.

Quand il regagna le solarium, Catherine s'était assise, les jambes pliées sous elle, dans un coin du canapé, l'expression maussade et figée. Elle ne voulut pas du Coca. Cardinal resta avec elle pendant près d'un quart d'heure, mais, raide comme une bûche, elle ne daigna pas échanger le moindre mot avec lui. Quand enfin il s'en alla, elle n'avait pas bougé et regardait furieusement le sol devant elle.

Dyson fit signe à Delorme de le suivre dans son bureau mais, une fois à l'intérieur, il entreprit de l'ignorer, prenant un appel téléphonique, cherchant un dossier, harcelant Flower à l'interphone. Finalement, il se tourna vers elle. Il tenait ce fichu coupe-papier entre ses mains, et elle l'imagina serrant la lame entre ses dents. « Petite mise au point, dit-il. Où en est-on avec Cardinal, Lise ? »

Elle détestait qu'il l'appelle ainsi par son prénom ; ça lui donnait l'air d'un producteur minable. « L'étude de son dossier n'a rien donné, rien qui puisse intéresser la direction, en tout cas. »

Le coupe-papier, minuscule Excalibur, étincelait sous le soleil de l'après-midi. La pellicule de glace au-dessus de la fenêtre brillait et s'égouttait lentement. « Il serait peut-être temps de le placer sur écoute, murmura Dyson.

— Musgrave en a bien l'intention, mais pas tout de suite.

— Ah bon ? dit-il, manifestement agacé. Et pourquoi cela ?

— Ils projettent de frapper Corbett le 24.

318

— Le 24 ? Bon Dieu, mais c'est quoi, leur problème, à ces types ? Ils ne peuvent donc jamais entreprendre une seule chose à la fois ? Il faut qu'ils foirent tout en même temps ? Pourquoi n'attendent-ils pas la fin de votre enquête ? Qu'est-ce qui presse tant que ça ?

— Corbett projette de descendre un type qui tient un club de motards, les Black Diamond.

— Et voilà, ils préfèrent bousiller une opération en cours pour sauver la peau d'un abruti qui ne doit pas avoir que du cambouis sur les mains. Décidément, les voies des Mounties sont impénétrables. Qui les a rancardés, cette fois-ci ?

— Ils ne me l'ont pas dit et, vu les circonstances, ça ne m'a pas étonnée.

— Évidemment. » Dyson poussa un grand soupir.

Delorme ne savait pas trop ce qui la gênait au juste dans la réaction curieusement résignée de Dyson. Elle ne l'avait jamais vu aussi songeur. Elle décida d'en profiter. « Après tout, sergent, ce n'est peut-être pas le meilleur moment pour coincer Cardinal. Avez-vous pensé combien ça affecterait l'enquête Pine-Curry, si on l'épinglait maintenant ?

— J'y ai pensé. Et ça sera bien pire si nous intervenons plus tard. »

Quelque temps après, alors que Delorme rédigeait sa propre paperasse, Cardinal arriva dans un sillage de froidure, comme s'il revenait d'entre les morts. Son visage était plus marqué que d'habitude, et Delorme eut la soudaine intuition qu'il avait rendu visite à sa femme.

39

Malcolm Musgrave et son équipe s'étaient installés au Pinegrove Motel. La chambre, aux normes cubiques propres à ce type d'établissement, était meublée faux colonial avec des rideaux d'un orange agressif. Apparemment, le ménage n'était plus fait. Entre les magnétophones, les écrans vidéo et les radios, un tas de cartons de pizzas et de barquettes de chop suey s'élevait en une pyramide précaire.

La pièce puait la sueur et les hamburgers rances.

Delorme, étonnée que Musgrave participe en personne à la surveillance, lui en fit la remarque.

« Quoi, vous voudriez que je manque tout ça ? » Il embrassa la scène d'un bras massif, et son geste fit grincer le cuir neuf de son holster. « Bien sûr, j'aurais pu m'en dispenser. En vérité, je mets la main à la pâte, même si ça ne plaît pas à tout le monde. Et je me fous de ce que les autres peuvent penser. Vous me trouvez peut-être bien vindicatif, mais ce type a salement sabordé mon travail, et je veux le coincer moi-même.

Avec votre aide, naturellement », ajouta-t-il avec une feinte courtoisie.

Musgrave déplaça pour Delorme un fauteuil d'une grande laideur. Puis, se laissant choir sur le lit qui s'enfonça sous son poids, il appela d'une voix forte un homme au teint gris, coiffé d'un casque d'écoute, qui ne leur avait pas prêté la moindre attention jusqu'alors. « Larry, fais donc écouter au sergent Delorme notre petite musique. »

Larry installa une autre bande sur son magnétophone, la fit rembobiner si vite que Delorme crut voir s'en élever de la fumée. Il enfonça une touche, tourna deux ou trois boutons et ôta la prise du casque de manière que tout le monde puisse écouter.

« C'est arrivé il y a deux heures, dit Musgrave. Vous ne rappelez jamais, quand on vous laisse un message ?

— Je travaillais avec Cardinal et ne pouvais me libérer. Nous sommes après un tueur en série, au cas où vous ne le sauriez pas.

— N'essayez pas de me remettre à ma place, mademoiselle Delorme. Ce n'est pas dans vos attributions. » Il adressa un signe de tête à son équipier, et l'enregistrement commença au milieu d'une conversation.

« … *parce que c'est comme ça qu'on travaille, voilà pourquoi. Dis à ce sale con de Snider qu'il a intérêt à rattraper le coup.*

— C'est la voix de Corbett, intervint Musgrave. Pas vraiment un amateur de périphrases.

— *Combien de fois on va devoir se taper cette merde ? Tu lui dis. Il recommence et il va…*

— *D'accord, Kyle, j'ai entendu.*

— Peter Fyfe, reprit Musgrave. Vieux compère de Corbett. Il a été flic, oh, pas longtemps, quelques semaines en fait, à Windsor, il y a plus d'une vingtaine d'années. Une seule et unique inculpation pour coups et blessures en 1989 dans son casier. Depuis il s'est tenu peinard, tout comme Corbett.

— *Dis-lui qu'il va regretter de m'avoir connu.*

— *Je le lui dirai, Kyle.*

— *Attention, c'est sérieux, cette fois. Si j'ai supporté ce connard jusque-là, c'est pour Sheila. Mais c'est fini, ça le protégera plus.*

— *Je lui transmettrai.*

— *J'espère bien. »*

Il y eut un bruit sec, quand Corbett et Fyfe raccrochèrent. L'enregistreur s'activant uniquement au bruit des voix, la conversation suivante commença exactement dix secondes plus tard.

« Ouais.

— *Kyle, y aurait pas moyen de se débarrasser de Fat Boy ?*

— *Fat Boy est un type plein de ressources, Pete. J'peux pas m'en priver.*

— Nous savons qui est Fat Boy, dit Musgrave. Gary Grundy. Il dirige le gang des Lobos à Aylmer. Le type pèse plus de cent cinquante kilos.

— *J'ai appris ça par notre petit ami flic. Il a quelque chose de brûlant mais il voulait rien me dire au téléphone.*

— *D'accord. Dis-lui de passer au Crystal.*

— *Il a suggéré La Bibliothèque.*

— *Génial. Je risque pas de me faire remarquer à cette putain de bibliothèque municipale.*

— *Je te parle pas de la municipale, Kyle, mais d'un bistrot qui s'appelle La Bibliothèque. C'est juste après le Birches Motel. Le bar le plus chiant que t'aies jamais vu. Écoute, il veut même pas que je te parle de ça au téléphone. Il dit que les cons de la Montée nous ont mis sur écoute.*

— Ça, ça m'étonnerait. Pourquoi crois-tu que je paie un salaire de prince à mon petit pirate informatique ? Non, de ce côté-là, on est clean.

— *En tout cas, notre ripou, lui, il prétend qu'on est sur écoute et il veut pas en lâcher une dans le bigo. Mais, merde, je me vois pas faire toute cette putain de route depuis Sudbury pour jouer les messagers.*

— Dis-lui que moi, je l'attendrai au New York, à deux heures du mat. Je serai au bar.

— *Le New York, deux heures du mat. Je transmettrai.*

— Pas cette nuit, je t'ai dit que j'allais voir Fat Boy.

— *D'accord, d'accord, j'ai compris.*

— On fera ça demain. Deux heures du mat. Et dis-lui que je veux tout savoir. Ça fait un putain de bail que j'ai pas eu de ses nouvelles, à ce mec.

— Inutile de dire que le petit pirate informatique que Corbett paie fort généreusement est l'un des nôtres, fit remarquer Musgrave. Un garçon très porté sur la souris.

— Bien joué », dit Delorme. Elle savait que la police montée était à la hauteur, le plus souvent. Malheureusement, ce n'étaient jamais ses réussites qui faisaient la une des journaux. « Demain, à deux heures du matin, dit-elle. Mais comment installer une écoute dans ce bar en si peu de temps ? »

Musgrave se leva du lit, et c'était comme d'assister à la croissance en accéléré d'un sapin Douglas. « Auriez-vous perdu toute foi en nous, sœur Delorme ? Nos petits moines sont en train d'y veiller en ce moment même. »

40

Edie Soames ne quitta pratiquement pas des yeux la pendule jusqu'à l'heure du déjeuner. Alors elle annonça à Kereshi qu'elle prenait son temps de repos et s'en fut à la Pizza Patio à l'autre bout de la galerie marchande. Elle prenait toujours ses repas seule ; Eric n'avait pas le même horaire qu'elle. Le besoin d'être avec lui devenait de plus en plus pressant. Cela faisait trop longtemps qu'ils retenaient le garçon, et l'impatience d'Edie menaçait de se transformer en peur. Eric ne cessait de retarder la fête, et il semblait prendre du plaisir à faire ainsi traîner les choses. Il aimait avoir un prisonnier ; cela le stimulait, lui donnait un but. Mais Edie, elle, se sentait nerveuse, tendue.

À la table voisine, son ex-amie Margo bavardait gaiement avec deux autres employées de Pharma City. Edie ne déjeunait plus en compagnie de Margo. Margo n'était pas quelqu'un de sérieux. Un an plus tôt, avant qu'Eric entre dans sa vie, elle avait écrit dans son journal : *Margo sait s'amuser, une chose que, moi, je n'ai jamais apprise. Je me demande si je ne suis pas amoureuse d'elle. Elle est passée me voir hier au soir et m'a fait une mise en plis, et on a bien rigolé toutes les deux.* Et puis Eric était arrivé, et Margo et lui s'étaient immédiatement détestés. Un jour, Margo, qui n'avait pas mesuré tout ce qu'Eric représentait pour Edie, lui avait dit qu'il avait une tête de fouine. Edie ne lui avait plus jamais adressé la parole, en dehors du cadre strict de leur travail.

Edie commanda un Coca Light et deux parts de pizza. Elle avait presque fini de manger quand elle entendit distinctement Margo prononcer son nom. On parlait d'elle à la table voisine. « Non, mais quelle grincheuse. Avec une gueule pareille, elle ferait faire une fausse couche à une jument. Elle aurait vraiment besoin d'un ravalement, et un grand.

— Ouais, et pas seulement la façade », approuva Sally Royce.

Les voix se firent chuchotements, puis il y eut un grand éclat de rire.

Edie repoussa son assiette et s'en alla. Ces salopes devraient lire les journaux, apprendre l'existence d'un certain Windigo. Elles se marreraient moins si elles savaient de quoi la « grincheuse » était capable. Elle les ferait chier de trouille si elle voulait. Elles lui demanderaient grâce comme cette stupide petite Indienne. Elle aurait tué elle-même Billy LaBelle, si ce petit con ne s'était pas étouffé tout seul. Elle n'avait faibli qu'une seule fois : quand elle avait dû recouvrir la tête de Todd Curry avec cette housse de coussin, avant d'aider Eric à descendre le corps dans la cave.

Mais elle devenait chaque jour plus forte. Quoi, pas plus tard que l'avant-veille, elle avait conduit ce ChevyVan jusqu'à Trout Lake, avec un cadavre à l'arrière. *Eric était incroyable. Tellement calme. Il a tué ce type comme on écrase une mouche. Et puis on s'en est débarrassés comme d'un sac rempli d'ordures en bordure de la route. Mais l'idée géniale qu'a eue ensuite Eric, ç'a été d'abandonner la camionnette devant Chinook Tavern. « On aura pas le temps de compter jusqu'à dix que quelqu'un l'aura déjà volée », il a dit. Et c'est exactement ce qui s'est passé.*

Le centre commercial d'Algonquin a un hyper-marché à chaque bout, un Food Town et un Kmart. Entre ces deux géants, la galerie forme un large L brillamment éclairé. Ainsi, cette ville nordique possède-t-elle au moins une grande rue sans hiver. À l'abri des blizzards, le consommateur peut, si le cœur lui en dit, faire du lèche-vitrines pendant tout un après-midi sans craindre de geler jusqu'à la moelle.

Edie trouvait très élégante l'installation d'îlots de verdure équipés de bancs sur lesquels on pouvait s'asseoir et contempler une vitrine de chaussures de sport ou de disques, ou encore le Troy Music Centre où travaillait Eric.

Elle passa devant la vitrine de Tot Shoppe, remplie de parkas si petites qu'on les imaginait destinées à une armée de nains esquimaux. À côté, chez Northern Lighting, un lustre fait de tubes de cuivre et de cônes d'aluminium évoquait les bois d'un orignal futuriste.

Elle poussa la porte de Troy Music. Eric faisait l'inventaire dans la remise, et elle en fut soulagée, car il lui avait bien recommandé de ne pas venir le voir à son travail. Derrière son comptoir, M. Troy accordait une guitare pour un ado boutonneux. Edie feuilleta quelques partitions de Whitney Houston et Céline Dion. Sûr, elles étaient riches et célèbres, avec des dents et des seins parfaits. Mais qu'elles s'attrapent un bon eczéma, et adieu le succès. La gloire était une loterie génétique, tout comme l'amour, et Edie n'avait hérité ni l'une ni l'autre de son père inconnu et de sa mère, partie sans laisser d'adresse, alors qu'elle avait à peine six ans, la laissant à la garde de la grand-mère, cette vieille saleté qui avait si bien su la convaincre qu'elle n'était rien d'autre que bête et laide.

Elle n'avait éprouvé le sentiment d'être séduisante que pendant la brève et fantastique période où Eric avait commencé de lui prêter attention. Il avait même éveillé en elle du désir, jusqu'à ce qu'elle adopte, presque par osmose, l'étrange conception qu'il avait de leur liaison. « Edie, tu es destinée, comme moi, à autre chose que le sexe. Toi et moi, nous sommes appelés à aller bien plus loin que tous les autres humains. »

Edie hâta le pas pour traverser le parking glacé et entra chez Tim Hortons, où elle prit un grand café et deux donuts au chocolat. Algonquin Bay se vantait d'avoir dix-sept marchands de beignets. Un jour d'ennui, elle les avait comptés en faisant le tour de la ville en voiture. Cette petite douceur eut le don de l'apaiser, et elle regagna tranquillement le drugstore.

Quelques minutes plus tard, Margo arriva, essoufflée d'avoir couru, et glissa son sac et son manteau plié sous le comptoir entre les deux caisses enregistreuses. Edie se garda bien de lui prêter la moindre attention.

Parfois, sur son lieu de travail, Edie pouvait entrer dans une rêverie qui gommait le lent passage du temps. Elle levait les yeux, découvrait qu'il était sept heures, et se disait qu'elle n'avait pas vu passer l'après-midi. Aujourd'hui, rien de tel. Les minutes s'étiraient. Les paroles de Margo et ce terrible éclat de rire lui revenaient sans cesse ; elle ne pensait même plus au garçon blessé à la jambe et toujours attaché dans la cave. Mais quand Kereshi lui demanda de surveiller le rayon pharmacie pendant qu'il allait aux toilettes, elle glissa dans sa poche une boîte de cinquante comprimés de diazépam.

Quand Kereshi revint, elle lui demanda : « Que donneriez-vous à quelqu'un pour l'immobiliser complètement mais sans l'endormir ? »

Le visage brun et lisse de M. Kereshi se plissa comme un marron grillé. « Vous voulez dire, pour faciliter une intervention chirurgicale, par exemple ?

— Oui, pour qu'il ne bouge pas, quoi que vous lui fassiez.

— Il existe, bien sûr, des produits incapacitants, mais ce n'est pas ici que vous en trouverez, dit M. Kereshi. Mais pourquoi ces questions, mademoiselle Soames ? Auriez-vous l'intention d'opérer quelque malheureux ?

— J'aime apprendre des choses, c'est tout. Peut-être que je suivrai une formation de préparatrice, un jour. En attendant, je mets de l'argent de côté.

— J'ai fait mes études de médecine à Calcutta, mais mon diplôme n'a jamais été reconnu dans ce pays, et j'ai dû me rabattre sur la pharmacie. Sept années d'études, et ils m'ont accordé trois unités de valeur seulement. C'est une honte. J'aurais pu faire un excellent chirurgien, mais il n'y a pas de justice dans ce monde.

— Je crois bien qu'un jour je ferai quelque chose de vraiment spécial, monsieur. » Plus que spécial. La veille, elle avait écrit dans son journal : *Je serai bientôt prête à tuer moi-même. Cet avorton dans la cave ne me poserait pas de problème, mais je laisserai peut-être Eric s'en charger. Je préférerais commencer avec une femelle. J'ai même quelqu'un en tête.*

« Ce serait une bonne chose que de vous mettre à étudier, mademoiselle Soames, parce que vous n'aurez jamais beaucoup d'opportunités. Cette société n'écarte pas seulement les gens de couleur mais aussi les femmes comme vous. »

Les femmes comme vous. Elle savait bien ce qu'il voulait dire par là, ce sale métèque. Des femmes à la gueule ravagée. Le ton supérieur de sa voix était assez éloquent pour le dispenser de préciser sa pensée. Je ne le laisserais pas opérer un chien, à ce bâtard, pensa-t-elle en mettant dans une poche plastique le flacon de pilules que M. Kereshi avait préparé pour la vieille dame de l'autre côté du comptoir. « Vingt-neuf dollars et cinquante cents, dit-elle.

— Vingt-neuf cinquante ! Mais c'était seulement vingt-cinq le mois dernier. » La cliente parut vaciller légèrement. « Ça fait presque cinq dollars de plus, et quand on a une petite retraite et un chat à nourrir…

— Ben, faut choisir entre le chat et les médicaments.

— Mais j'en ai besoin. C'est pour mon cœur. Je n'ai pas le choix, n'est-ce pas ?

— J'en sais rien. C'est à vous de voir.

— Vous en avez de bonnes. Combien avez-vous dit ?

— Vingt-neuf cinquante.

— C'est bien ce que je disais, ça fait vingt pour cent d'augmentation. Comment est-ce possible, ça ?

— J'en sais rien, moi. Ça a augmenté. »

La dame paya avec trois coupures de dix qui sentaient le talc, et Edie lui rendit la monnaie. « Merci de votre fidélité à Pharma City, et vous faites pas écraser en sortant.

— Qu'est-ce que vous dites ?

— Je vous dis de faire attention aux voitures sur le parking. »

Kereshi allait lui faire une remarque, elle le voyait au regard qu'il posait sur elle. De toute façon, ce crétin était là pour préparer les médicaments, pas pour veiller à la bonne tenue des vendeuses.

« Mademoiselle Soames, j'aimerais vous poser une question. »

Nous y voilà, pensa Edie en rangeant les billets dans la caisse avec un soin affecté.

« J'aimerais savoir si vous avez un hobby ou une activité quelconque en dehors du travail. La musique, peut-être. Ou la collection de timbres. Que sais-je ?

— Oui, j'ai un hobby. » Je tue des gens, elle aurait aimé lui répondre, rien que pour voir sa tête. « Il y a deux ou trois choses que j'aime bien faire.

— Tant mieux, mademoiselle. Parce que vous ne réussirez jamais dans le commerce, il faut un peu de sympathie pour la clientèle, et vous n'en avez aucune.

— Quelle importance ? La sympathie, c'est bon pour les faibles.

— Pour les faibles ? Vous devez avoir lu un bien terrible philosophe. Cette pauvre dame n'a pas d'argent. C'est dur pour elle quand les prix augmentent. Est-ce si difficile d'avoir un mot aimable pour elle ?

— Écoutez, je n'ai pas envie de parler de ça.

— Vous auriez pu lui dire que « oui, c'est affreux », quelque chose de ce genre. Ça ne vous aurait rien coûté. »

Ils furent interrompus par une femme brune qui désirait six paquets de henné. C'était l'heure d'affluence. Une autre, bouclée, acheta une crème à défriser, tandis qu'une troisième, avec une belle chevelure raide que lui envia Edie, voulait un produit pour friser. Edie qui, à titre d'employée, avait dix pour cent de réduction, avait essayé tout l'éventail de la cosmétique, sans jamais obtenir le moindre résultat. « Hé ! Edie, tu as encore fourré ta tête dans le four ? Attention, ne te sers pas d'un micro-ondes la prochaine fois ! » lui avait dit un jour une élève de sa classe. Elle portait ce souvenir en elle, telle une balle restée logée dans sa chair.

Elle vendit une douzaine de Sheiks à un homme jeune. Les préservatifs étaient rangés derrière le comptoir, et il était très rare qu'un garçon en demande à Margo ; ils étaient moins timides avec un laideron. Margo tenait l'autre caisse, l'air aussi joyeuse qu'un pinson. Cette fille était si bête qu'elle appréciait vraiment ce travail minable. Depuis qu'Edie ne lui adressait plus la parole, Margo s'ennuyait pendant les heures creuses ; elle sortait son *People* et, mâchouillant son chewing-gum, feuilletait les mêmes vieilles histoires de stars, mois après mois.

Edie enfilait sa parka quand un type en blazer bleu marine s'approcha d'elle et lui dit : « Mademoiselle Soames, vous voulez bien venir avec moi, je vous prie ? »

Le bonhomme était l'un des vigiles du centre commercial. Il s'appelait Struk et semblait prendre beaucoup de plaisir quand il réussissait à coincer un voleur à l'étalage, à l'humilier devant tout le magasin. Edie le suivit dans le petit bureau à l'étage, où une femme corpulente, appartenant elle aussi à la sécurité, était assise devant un écran de surveillance. « Mademoiselle Soames, vous voulez bien ouvrir votre sac, s'il vous plaît ?

— Pourquoi ? Je n'ai rien pris.

— Pharma City a un droit de fouille sur ses employés, ainsi qu'il est stipulé dans votre contrat d'embauche. »

Edie obtempéra. Struk chercha, écartant carnet d'adresses, paquets de Kleenex et de chewing-gums, brosse à cheveux et autres. Il jeta même un coup d'œil dans le portefeuille. Que croyait-il ? Qu'elle avait dissimulé des capotes ?

« Voulez-vous retourner vos poches ?

— Pourquoi ?

— Faites ce que je vous dis, sinon je demanderai à Franny de vous palper. Finissons-en. »

Deux minutes plus tard, elle était dehors. Elle croisa Margo qui entrait à son tour dans le bureau, et s'attarda dans l'escalier.

« Mais je vous en prie, répondit Margo à Struk, qui lui demandait d'ouvrir son sac. Il n'y a rien que ma trousse à maquillage et des babioles.

— Tiens, tiens ! » Il y eut un silence. « Vous allez me dire que vous avez une ordonnance pour ça ?

— Quoi, ces pilules ? Mais c'est pas à moi, je le jure. Je ne sais vraiment pas d'où elles sortent !

— Allons, pas de mensonges ! Il y a cinquante comprimés de diazépam là-dedans, largement de quoi vous faire renvoyer ! Cette boîte n'est pas entrée toute seule dans votre sac !

— Mais je vous jure que je n'en sais rien. C'est pas moi qui les ai pris, il faut me croire ! Quelqu'un d'autre les y aura mis !

— Et qui pourrait faire une chose pareille ? »

Margo avait déjà éclaté en sanglots, et Edie ne chercha pas à entendre la suite. Elle dévala les marches et déboucha dans la galerie marchande. Elle était soudain de si joyeuse humeur qu'elle alla tout droit chez Kmart s'acheter une nouvelle paire de chaussures.

41

Quand elle arriva à la maison, Edie se débarrassa de ses bottes et monta à l'étage. La vieille bique ronflait, la bouche ouverte comme un four. L'autre jour, elle avait entendu les cris mais ne semblait pas avoir prêté attention aux coups de feu. Il était temps de rendre visite à leur prisonnier.

Les trois verrous étaient toujours en place. Edie colla son oreille au battant et écouta une bonne minute avant d'ouvrir. Eric lui avait recommandé de ne pas parler au garçon en son absence, mais ça faisait tellement longtemps qu'ils le séquestraient qu'Edie ne pouvait plus résister à la tentation. Quel intérêt de garder quelqu'un prisonnier si on ne pouvait lui montrer qui commandait ?

Il était assis sur la chaise, poignets et chevilles bien attachés. La couverture avait glissé, le laissant nu, et il avait la chair de poule de la tête aux pieds.

Il leva la tête à l'entrée d'Edie. Au-dessus de l'adhésif qui lui scellait la bouche, les yeux étaient rouges et implorants.

Edie renifla en fronçant les narines. « T'as pas pu te retenir, espèce de porc ? » Cela faisait vingt-quatre heures qu'ils ne lui avaient rien donné à boire et à manger, aussi faire encore dans la bassine posée juste au-dessous du trou dans la chaise relevait de la provocation.

Elle vérifia la blessure à la jambe. Ce n'était jamais qu'un petit trou, légèrement brûlé autour, vraiment rien de grave.

Le prisonnier essayait de dire quelque chose, grognant et gémissant sous son bâillon. Edie s'assit sur le lit pour l'observer. « Excuse-moi, prisonnier, mais je t'entends pas. » Les yeux rougis saillaient sous l'effort, tandis que les grognements s'amplifiaient. « Quoi ? Parle plus fort. »

Il devait hurler sous son bâillon, parce que ça finissait par résonner comme un vrai caisson de graves, et Edie se lassa de l'entendre. « Ferme-la, maintenant, sinon je vais chercher un tournevis et te le coller dans le trou que t'as dans la jambe. Ça te plairait ? »

Le prisonnier secouait maintenant la tête avec tant de force que c'en était comique.

Elle s'accroupit devant lui. « Tu sais pourquoi tu es toujours en vie ? dit-elle tout bas. Je vais te le dire. Tu es toujours en vie, prisonnier, parce qu'on est en train de chercher un endroit où personne ne t'entendra hurler. »

Une larme tiède s'écrasa soudain sur le poignet d'Edie, et elle s'écarta vivement. « Salaud. » Elle lui cracha au visage.

Puis, comme le garçon baissait la tête pour l'esquiver, elle se remit à croupetons et lui cracha plusieurs fois à la face, posément, sans colère, et le prisonnier ne chercha même plus à esquiver. Ce fut seulement quand elle n'eut plus une seule goutte de salive qu'elle s'arrêta.

42

Cardinal ramena Freddie le Rapide dans sa cellule. « J'ai rien à voir avec ces tueries, et vous le savez, protesta Freddie. Z'avez pas le plus p'tit bout de preuve. »

Cardinal lui expliqua pour la dixième fois que personne ne le soupçonnait d'homicide, mais Freddie le Rapide n'était jamais tombé que pour ivresse et possession de drogue — il vivait dans les environs de Corbeil, quand il n'était pas en prison — et se retrouver mêlé à une histoire de meurtre était l'événement de sa vie.

« J'ai un alibi, espèce d'enfoiré. Je peux prouver où j'étais. J'vais vous coller Bob Brackett au cul, les mecs. Et il va bien vous arranger. »

Prouver où il était, Freddie le pouvait sans l'ombre d'un doute : les vingt-sept détenus de la prison du district, sans compter les matons, pourraient témoigner que Freddie le Rapide séjournait dans ladite geôle depuis vingt-quatre mois, moins un jour. Cardinal en avait eu la confirmation dix minutes après le rodéo de la route 11. Il referma la porte de la cellule.

« Vous pouvez m'accuser de meurtre, d'assassinat et de tout ce que vous voudrez, vous me ferez pas tomber, Cardinal. J'ai tué personne, moi.

— Freddie, je sais que tu as du mal à l'accepter, mais en vérité tu n'es accusé que de vol de voiture et de conduite en état d'ébriété. »

Malheureusement, si Freddie était on ne peut plus clair sur son innocence, il était infiniment plus confus sur tout le reste, en particulier ce que voulait savoir Cardinal : avait-il vu quelqu'un garer le ChevyVan sur le parking de la Chinook Tavern ? Cardinal y avait dépêché des hommes pour poser la même question aux clients et aux serveuses. Freddie, lui, ne se souvenait de rien après sa deuxième chope de Labatt Ice.

Cinq minutes plus tard, Cardinal informait Delorme de son échec, alors qu'ils se rendaient au garage.

« C'est tout ? Vous n'avez rien pu tirer de lui ? lui demanda-t-elle.

— Non, si ce n'est qu'il s'est soûlé et qu'il a eu soudain envie de descendre à Toronto. Rien d'autre. »

Delorme lui paraissait tendue depuis deux jours, et Cardinal aurait bien aimé savoir pourquoi. Il était possible qu'elle détienne enfin une preuve contre lui et s'apprête à refermer le piège.

« Prêt ? » Delorme s'arrêta, la main sur la poignée de la porte.

« Prêt pour quoi ? »

L'odeur manqua suffoquer Cardinal. « Bon sang, vous croyez plus dans l'oxygène, les gars ? »

Collingwood et Arsenault étaient toujours penchés sur l'épave du ChevyVan. Ça faisait maintenant près de dix heures qu'ils étaient dessus, enduisant de colle la carrosserie calcinée.

Arsenault agita une main gantée de blanc. « On a pratiquement terminé, dit-il, hilare. On n'a jamais vu autant d'empreintes. Doit y en avoir des millions.

— Et toutes de Woody, je suppose ?

— Toutes de Woody. » Arsenault regarda le jeune Collingwood, et ils éclatèrent de rire, pliés en deux.

« Vous êtes raides défoncés, les mecs, remarqua Cardinal. Vous feriez bien de faire une pause. » Maintenant qu'on avait enlevé la protection de Plexiglas indispensable pour la manipulation chimique, les émanations de colle étaient insoutenables. « Allez, dehors, tout le monde », ordonna Cardinal.

Ils se retrouvèrent tous les quatre sous un soleil aveuglant, respirant l'air frais à pleins poumons. Pour la première fois depuis décembre, le thermomètre était remonté. Il y avait parfois d'étranges périodes de chaleur en février, juste le temps de vous faire croire que le printemps n'était plus loin. La neige autour du parking avait une couleur de cendre et elle dégageait une fine vapeur en fondant par plaques.

« Désolé pour tout à l'heure, dit Arsenault.

— Vous n'avez jamais entendu parler de ventilation ? Vous avez de la chance d'être encore en vie.

— J'crois bien qu'à force on a développé une espèce d'accoutumance, pas vrai, Bob ? »

Collingwood acquiesça gravement tout en tapant des pieds pour se réchauffer.

« Presque toutes les empreintes sont de Woody, à part celles sur le volant, qui appartiennent à Freddy. La portière côté conducteur et le tableau de bord n'ont donné que des traces brouillées. Quelqu'un a passé un chiffon, à l'intérieur en tout cas.

— Bon Dieu, Arsenault, vous n'avez rien trouvé du tout ?

« — On a largement de quoi faire, repartit Arsenault, un rien vexé. On a deux mains entières sur la lunette arrière. Celles-là, on les a relevées avant même de passer la colle et de chauffer. Les mecs oublient toujours d'essuyer à cet endroit.

— Et alors ? » Cardinal regarda tour à tour les deux hommes.

« On les a transmises au ficher national, répondit Arsenault. S'il a un casier, on le saura bientôt. Dans deux heures au plus.

— J'ai du mal à comprendre, les garçons. Vous ne les avez pas comparées avec celles que la Scientifique a relevées sur la gorge de Woody ? Vous en avez même un fax dans votre bureau. Vous avez perdu la tête ou quoi ?

— Oh, tu parles des empreintes des pouces ? Ouais, on a comparé, et c'est positif.

— C'est positif, hein ? Et il faut que je vous pose la question pour que vous m'en parliez ?

— On attendait la réponse du fichier. On voulait te faire une surprise. »

Delorme secouait la tête de stupeur. « Vous êtes complètement défoncés. »

Collingwood et Arsenault se balançaient sur leurs jambes d'un même air penaud. Cardinal se tourna vers la porte du garage restée ouverte. La vaporisation à la colle avait laissé un dépôt blanchâtre partout où une main avait touché la carrosserie, et on aurait dit que celle-ci avait été habillée d'un tissu à pois.

« Une fois, on a passé un Cessna à la colle, dit Arsenault pour détendre l'atmosphère. L'appareil était guère plus grand que cette camionnette.

— Ça va pas, Paul ? Le Cessna était trois fois plus grand, tu oublies les ailes. »

Tous se tournèrent vers Collingwood. C'était la première fois qu'ils l'entendaient exprimer une opinion sans être interrogé. Il se tenait face au garage, un sourire de guingois sur le visage, les oreilles nacrées par le soleil.

Après le déjeuner, Cardinal et Delorme se rendirent au domicile de Woody, un petit bungalow dans Ferris. Ils prirent place dans la cuisine, où Martha Wood s'occupait de nourrir son bambin avec une attention extrême, presque désespérée, tout en leur parlant de son mari disparu.

« Woody aimait les stéréos, les grosses radiocassettes, les magnétophones, les ordinateurs portables, bref, tout ce qui était facile à transporter, facile à fourguer. Il attendait que la camionnette en soit pleine, pour aller les vendre à Toronto. Il revenait presque toujours le soir même. Allez, Truckie, encore une. » Elle glissa une cuiller d'œuf poché dans la bouche du petit, qui l'avala goulûment. « Tu aimes, ça, hein ? »

Le chagrin frappe les gens de bien des façons. De l'autre côté de la table de la cuisine, Cardinal observait Martha Wood recueillir délicatement l'œuf dans la cuiller. Elle luttait formidablement pour nourrir son enfant comme à l'accoutumée, pour recevoir ces deux flics. Ses mouvements étaient lents, précautionneux, comme si elle souffrait de brûlures. Cardinal sentait de la colère sous cette douleur manifeste, une colère qu'il avait du mal à comprendre. Elle n'adressait ses réponses qu'à Delorme.

« Il est tellement mignon, disait Delorme en tendant la main pour effleurer les cheveux fins qui ombrageaient de brun la tête de l'enfant. Vous l'appelez Chuckie ?

— Truckie. En fait, il se prénomme Dennis, comme le père de Woody, mais Woody l'a toujours appelé Truckie. » Elle essuya la bouche de son fils et approcha de nouveau la cuiller dont s'emparèrent deux petites mains boudinées pour la diriger vers une bouche impatiente. « Quand j'étais enceinte, Woody disait : « Mais on n'a pas besoin de bébé ! On a besoin d'une radio, d'une lampe, on a besoin d'un *truck* ! Pourquoi on l'appellerait pas comme ça ? » Alors, on s'amusait à l'appeler Radio, Lampe, Truck, et malheureusement… »

La cuisine était pleine d'odeurs de bébé — talc, lessive, Javel. Cardinal se disait qu'il n'avait jamais rien vu de plus triste que cette jolie femme avec son bébé sur les genoux.

Delorme se pencha vers l'enfant et lui caressa la tête. « Ohé, Truckie ! Ça va ? »

Pour la première fois, Martha Wood tourna son regard vers Cardinal. « Voulez-vous sortir, s'il vous plaît ?

— Moi ? Vous voulez que je m'en aille ? » Cardinal fut pris au dépourvu.

« Vous saviez, hier, que mon mari était mort. Et vous avez continué de me poser des questions comme si ça ne comptait pas. Comme si ça n'était qu'un détail. Vous êtes-vous demandé ce que je pourrais ressentir ? » C'était une forte femme mais sa voix tremblait, maintenant.

« Je le regrette, madame. J'avais besoin d'informations, et le plus vite possible.

— Vous m'avez fait du mal, et vous m'avez humiliée. Alors, je ne veux pas de vous chez moi. »

Cardinal se leva. « J'ai commis une erreur. J'étais sous pression et j'ai manqué de discernement, je le reconnais. Je suis désolé. »

Il sortit par la porte de derrière et alla s'asseoir dans la voiture pour prendre des notes. Je suis vraiment pourri, pensait-il. Et les gens ignorent à quel point. Une bête erreur de jugement lui coûtait l'occasion de jeter un coup d'œil dans la maison de Woody. Il ne saurait jamais ce qu'une faute pareille pourrait coûter à l'enquête. Ils seraient bien contents d'apprendre ça, à Télé Sudbury.

Delorme ressortit une demi-heure plus tard. « Pauvre femme, dit-elle en se glissant derrière le volant.

— Elle vous a laissée fouiller un peu ?

— Oui. Il n'y avait pas grand-chose à voir, mais j'ai trouvé ça. » Elle lui tendit une enveloppe en papier kraft.

Cardinal en sortit des Polaroid, certains collés entre eux. Les photos représentaient le centre commercial d'Algonquin Bay et les galeries marchandes de Airport Hill et de Gateway.

« Je les ai à peine examinées, dit Delorme, mais apparemment les galeries l'intéressaient.

— Ça ne lui ressemble pas.

— Oui, il ne cambriolait que des maisons de particuliers, pour autant que je sache. On ne l'a jamais chopé pour autre chose.

— Il n'y en a qu'une de Gateway. Toutes les autres ont été prises à Algonquin et Airport Hill.

— Il y a de grands parkings, et peut-être suivait-il une voiture ?

— Si c'était le cas, il n'avait pas besoin de prendre des clichés. Par contre, on comprend mieux qu'il ait photographié des boutiques qu'il projetait de casser. On l'aura peut-être remarqué. Ou vu en compagnie de quelqu'un d'autre. »

43

Eric Fraser termina de polir la D-35 et la rangea sur le râtelier derrière le comptoir. C'était une de ses tâches que d'astiquer les guitares une fois par semaine, et il préférait ça que tenir la caisse ou déballer les amplis. Il aimait bien nettoyer les choses, un travail qui exigeait peu d'attention et lui permettait de laisser dériver ses pensées là où ça lui plaisait... l'île de Windigo, la maison abandonnée, le garçon dans la cave d'Edie.

« Combien elle coûte, la Martin ? interrogeait un gosse grassouillet avec une moustache de sueur.

— Trois mille six.

— Et la Gibson, là-bas ?

— Douze mille. »

Eric voyait bien que le môme avait envie de l'essayer, mais il ne le lui proposa pas. Alan n'aimait pas trop qu'on touche aux instruments, à moins que le client ne manifeste un réel intérêt.

Le gamin passa au rayon des livres sur la musique, et Eric commença de polir la Gibson. Il ne jouait jamais. Cari et Alan étaient de bons musiciens, et Eric avait bien trop honte de révéler son absence de talent devant eux. La guitare de Keith London, une Ovation en parfait état, était chez lui, planquée sous le lit. Il l'avait essayée mais il ne pratiquait plus depuis si longtemps qu'il s'était fait mal aux doigts.

Une très jeune fille entra et alla directement au bac des partitions, où elle essaya de mémoriser une chanson de Whitney Houston. Elle devait avoir douze ans, avec de longs cheveux raides. C'était merveilleux de la regarder sans la désirer ; détenir un prisonnier le rendait impassible. Katie Pine n'avait pas eu cette chance. Eric était juste en train de penser à Billy LaBelle quand la jeune Indienne avait longuement regardé les instruments de musique d'un air d'envie. Et dès l'instant où elle était apparue, Eric avait entendu le gong sourd du destin : elle serait à lui, et rien ni personne ne pourrait l'arrêter.

Avec le petit LaBelle, les choses avaient été différentes. Le garçon venait régulièrement pour ses leçons, et Eric l'avait observé pendant plusieurs semaines. Billy venait et repartait toujours seul en trimballant sa guitare. Il avait préparé une grande fête pour ce gosse, et puis ce petit salopard était mort étouffé avant même que commencent les festivités. Ça leur avait servi de leçon, à Edie et à lui, et ils s'étaient juré que ça ne se reproduirait plus.

Certes pas, car il avait de grands projets pour son prisonnier. Il pensait presque tout le temps à lui, imaginant tout ce qu'il lui ferait. Le portrait de Keith London était partout dans la galerie — l'une des affichettes était collée sur le mur, à côté du magasin — et aussi dans les rues et les Abribus. Mais le jeune homme venait tout juste de débarquer en ville, quand il avait disparu. Personne ne le retrouverait jamais, et sûrement pas les flics qu'il avait vus à la télé.

Si seulement il pouvait dénicher le lieu idéal : un endroit qui soit isolé mais facile à équiper, où il puisse vraiment être libre et installer sa caméra et des lumières. Ce n'était pas facile. Il n'y avait pas beaucoup de maisons abandonnées offrant de bonnes conditions.

« Vous finirez ça demain, Eric. Allez plutôt tenir la caisse pendant un moment, voulez-vous ?

— D'accord, Alan. Mais vous avez dit qu'il y avait encore de l'inventaire.

— Oui, et je compte sur vous pour voir ça, demain. En attendant, remplacez-moi à la caisse, s'il vous plaît. »

Tu veux que je te remplace, pensa-t-il, pour que tu puisses faire le fanfaron devant ces gogos, hein ? Leur montrer comment jouer un air ou deux ? Alan était en train d'accorder un Dobro pour un jeune qui avait des cheveux longs jusqu'aux genoux. Par certains côtés, cette fermeté teintée de douceur, Alan lui rappelait le père adoptif de son dernier foyer de placement.

La fillette finit par se lasser d'essayer d'apprendre par cœur les accords de cette chanson de Whitney Houston et décida d'acheter la partition.

« Vous jouez du piano ? demanda Eric, adoptant un ton amical au seul bénéfice d'Alan.

— Oui, du piano. Enfin, j'essaie.

— Bien, bien. Ces accords sonneront rudement bien au piano. Ils sont moins intéressants à la guitare. Trop de bémols. » Il parlait volontiers, quand il éprouvait ce sentiment de liberté. Avoir un prisonnier lui permettait de bavarder avec les clients, comme le faisaient Alan et Carl. Eric sortit le reçu de la caisse et l'agrafa à la pochette en plastique dans laquelle il avait rangé la partition. « Bonne chance, alors. Et n'hésitez pas à nous appeler si vous cherchez d'autres musiques.

— Oh, merci, c'est gentil. » Constellée d'acné, la bouche bardée de barrettes. Incroyable. Il n'y a pas huit jours, il aurait été incapable de lui adresser un seul mot, tant il était coincé. Il n'y aurait eu que grondement de tonnerre dans son cœur, et de terribles images auraient brouillé sa vue.

Il pouvait maintenant regarder cette fille écarter une mèche de cheveux de son visage sans ressentir la moindre colère. Ça, c'était de la maîtrise.

Jane aussi, sa sœur adoptive, avait des cheveux longs et raides, sauf qu'ils étaient blonds. Ils le fascinaient. Elle jouait toujours avec, tournait machinalement une mèche entre ses doigts en regardant la télé, ou en examinait les extrémités en louchant. Eric les touchait souvent sans qu'elle s'en aperçoive. Quand elle s'asseyait devant dans la voiture, et lui derrière, et que ce rideau doré, soyeux et parfumé, tombait devant lui, il le pressait dans ses mains sans qu'elle y prenne garde.

Ainsi rêva-t-il de Jane pendant un moment. Qu'est-ce qu'il ne lui aurait pas fait s'il en avait eu la possibilité ! Finalement, Alan Troy lui dit qu'il n'y avait pas beaucoup de clients et qu'il pouvait rentrer.

« Vous êtes sûr, Alan ? Je peux rester encore, si vous voulez.

— Non, ça va bien. Cari fermera. »

Eric avait enfilé son manteau, et il allait sortir quand il lui vint soudain une idée. « À votre avis, combien ça peut coûter, une Ovation d'occasion ?

— Pourquoi, Eric ? Vous en avez une à vendre ? demanda Alan sans lever les yeux de la caisse qu'il était en train de compter.

— Quelqu'un m'en a proposé une, l'autre jour. Il en voulait trois cents.

— Ça dépend du modèle, bien sûr. Mais, sachant qu'on ne trouve pas une seule Ovation à moins de huit cents, c'est une belle affaire, si elle est en bon état.

— Elle semble, mais je ne suis pas vraiment expert.

— Apportez-la ici, si cette personne accepte de vous la confier. Je l'examinerai.

— C'est ce que je ferai peut-être, si le type n'est pas parti. Bonsoir, Alan.

— Bonsoir, Eric.

— Soyons prudent au volant. Avec cette neige fondue, la ville est une pataugeoire. »

Alan lui jeta un regard amusé. « Vous êtes de bonne humeur, ces jours-ci.

— Vraiment ? » Eric observa une pause. « Ouais, je crois. J'ai reçu de bonnes nouvelles de la maison. Ma sœur vient d'obtenir son doctorat en pharmacie.

— En voilà une bonne nouvelle ! Elle peut être fière d'elle.

— Ouais, Jane est une bonne petite. »

Ça faisait bien plus de quatorze ans qu'Eric n'avait plus la moindre nouvelle de sa sœur adoptive. Il avait toujours pensé qu'il se ferait jeter de son foyer d'accueil pour avoir tenté de mettre le feu à la maison des voisins, mais l'idée n'était venue à personne qu'il pût en être l'auteur. Ils ne l'avaient pas non plus attrapé quand le chien et puis le chat avaient disparu (il s'était bien amusé avec eux). Finalement il s'était fait prendre pour quelque chose de complètement idiot, pour rien du tout, à la vérité.

Et c'est Jane, treize ans, qui en avait été la cause. Si elle ne l'avait pas autant méprisé, les choses se seraient mieux passées, il se serait peut-être amélioré, aurait fini par se calmer. Mais elle le faisait toujours enrager, avec cette façon qu'elle avait de l'ignorer, détournant la tête dans un mouvement de cheveux. Après lui avoir enlevé et massacré son chien, il s'était senti soudain capable de lui parler, de la réconforter même, quand elle pleurait son petit compagnon disparu.

Mais, moins d'une semaine après la mort du chien, Eric éprouvait de nouveau la même douleur intolérable qui lui rongeait le cœur. Jane avait recommencé à l'ignorer, le traitant comme s'il était moins que la poussière sous ses pieds. Il ravala sa peine jusqu'à ce qu'il n'y tînt plus et décida que, pendant au moins une nuit, Jane allait lui prêter attention. Toutefois, il aurait été bien incapable de dire ce qu'il allait faire. Il improviserait.

Un soir, il resta éveillé jusqu'à ce que les formidables ronflements de son père adoptif résonnent dans la maison. Il enfila alors jean, chemise et chaussettes, et gagna sur la pointe des pieds la chambre de Jane. La porte ne fermait pas à clé, il le savait ; aucune des chambres n'avait de verrou.

Il arrivait à Jane de lire ou d'écouter de la musique sur sa radio en plastique rose jusque tard dans la nuit, mais nulle lumière ne filtrait sous le battant, cette fois. Eric n'hésita pas, il tourna la poignée, entra et referma derrière lui. Sa vision s'était déjà adaptée à l'obscurité, et il distinguait clairement la courbe que dessinait la hanche de Jane sous la couverture. Elle était couchée sur le côté, face au mur, le visage masqué d'un voile de cheveux blonds.

La chambre sentait l'huile pour bébé et les chaussures de tennis. Eric se tint parfaitement immobile pendant un moment, écoutant le souffle régulier de Jane. Elle dort profondément, se dit-il, et je peux lui faire ce que je veux.

Il tendit les mains juste au-dessus du corps, comme pour se réchauffer à une source de chaleur. Puis il lui toucha les cheveux, soulevant une mèche pour en humer l'odeur de shampooing.

Il y eut une brève interruption dans la respiration de Jane, et Eric se figea. Ce n'est qu'un rêve, dit-il à voix basse, rien qu'un rêve, tu n'as pas besoin de te réveiller. Mais elle se réveilla. Elle ouvrit les yeux et, avant qu'il puisse l'en empêcher, se redressa et hurla. Eric tenta bien de lui plaquer la main sur la bouche, mais elle le mordit et cria de plus belle : « Maman ! Papa ! Eric est dans ma chambre ! Eric est dans ma chambre ! »

Il s'ensuivit une longue nuit de pleurs et de cris et, à la fin, personne ne voulut croire à la version d'Eric : il avait eu une crise de somnambulisme.

Ce fut ainsi qu'Eric Fraser, à sa grande stupeur, se vit chassé de son quatrième et dernier foyer de placement, non pour avoir enlevé et torturé à mort leur chien et leur chat, ni avoir tenté d'incendier le champ des voisins, mais seulement pour avoir osé mettre les pieds dans la chambre de leur fille.

Eric passa alors par plusieurs foyers pour orphelins, où son comportement n'alla qu'empirant. D'autres animaux disparurent, d'autres incendies furent allumés, jusqu'à ce qu'il ligote et fouette avec un câble électrique un garçon plus jeune qui s'était moqué de lui parce qu'il avait mouillé son lit.

Cette dernière violence lui valut de passer pour la troisième fois devant le tribunal pour enfants, qui l'envoya en maison de redressement, à Saint-Barthélemy, Deep River, où il fut placé sous la férule des Frères chrétiens jusqu'à l'âge de dix-huit ans.

Le seul bénéfice qu'il tira de Deep River fut d'apprendre à jouer de la guitare auprès d'un de ses compagnons, un certain Tony. Quand ils sortirent enfin de Saint-Bart, ils allèrent à Toronto et formèrent un groupe grunge, mais les autres, plus doués qu'Eric, se débarrassèrent de lui au bout de quelques semaines. Après une succession de petits boulots de moins en moins intéressants et de chambres meublées de plus en plus exiguës, il commença à avoir l'impression de se noyer à Toronto. Il suffoquait littéralement. Il n'avait aucun ami, passait ses soirées seul, en compagnie de magazines porno, et ses rêveries prenaient une couleur de plus en plus sombre.

Toronto le tuait. Il décida d'aller voir ailleurs, là où l'air serait frais, où il n'aurait plus cette sensation d'étouffer. Méthodique, il dressa la liste des petites localités et de leurs charmes divers, et finit par limiter son choix à Peterborough et Algonquin Bay. Il était prêt à les visiter toutes deux mais, le jour de son arrivée à Algonquin Bay, il tomba sur une annonce d'emploi : on cherchait un vendeur à Troy Music. Ce fut décisif. Une semaine plus tard, il rencontra Edie au drugstore et se sentit soudain plus fort. Les premières étincelles de pure dévotion qui traversaient son regard lui donnaient enfin le sentiment que quelqu'un pouvait partager son destin, quel qu'il fût.

Mais Eric Fraser n'aimait pas ressasser le passé. Ces années d'étouffement à Toronto, la violence de Saint-Barthélemy, c'était comme d'avoir été la victime d'une erreur administrative : on lui avait attribué une existence minable destinée à un autre. Sa propre vie, sa vraie vie lui avait été volée.

Et cela aurait pu être évité, pensait-il en passant devant la vieille station CN, alors qu'il se rendait chez Edie. Il n'aurait pas vécu tout ce gâchis s'il avait été assez malin pour bâillonner proprement cette fichue Jane.

44

Lise Delorme n'était pas familière des surveillances, et elle découvrait en cette nuit de mercredi qu'elle n'était pas douée pour faire le guet au milieu de la nuit dans un local commercial sans chauffage jouxtant le restaurant New York. Heureusement, la remontée de la température, ajoutée à un radiateur électrique, rendait l'attente supportable.

Le New York était depuis longtemps, pour ne pas dire depuis toujours, le repaire préféré des truands d'Algonquin Bay. Personne n'en connaissait la raison ; on savait seulement que ce ne pouvait être la cuisine, qui aurait coupé l'appétit au plus endurci des anciens taulards. McLeod prétendait qu'ils attendrissaient les steaks aux asticots. Peut-être était-ce le nom de la grande ville qui lui donnait un certain prestige, du moins aux yeux des petits malfrats de province, bien que pas un seul d'entre eux n'eût rêvé d'aller exercer ses modestes talents dans une quelconque mégapole.

Musgrave pensait que c'étaient les deux entrées. Le New York était le seul établissement d'Algonquin Bay où l'on pouvait accéder par Main Street et ses lumières et sortir par la sombre et discrète Oak Street. Delorme inclinait pour les grands miroirs tapageurs qui, tapissant l'un des murs, faisaient paraître la salle deux fois plus grande ou bien les banquettes de vinyle rouge et or qui devaient dater des années cinquante. Delorme professait encore que les mauvais garçons étaient par bien des façons comme les enfants et partageaient avec ceux-ci le goût des objets brillants et colorés, auquel cas le New York, avec ses cartes à pompons dorés et ses lustres poussiéreux, était la crèche naturelle du voyou.

Bien entendu, le New York était ouvert jour et nuit, seul établissement de la ville à pouvoir annoncer à grands clignotements de néon rouge : *Le New York ne dort jamais*.

Quelle que fût la raison de sa popularité, le lieu présentait donc un grand intérêt pour les diverses forces de police. Les flics étaient encouragés à y manger, et le faisaient souvent, au beau milieu de gens qu'ils avaient parfois envoyés derrière les barreaux. Parfois ils bavardaient ensemble, parfois se contentaient d'un bref signe de tête, parfois échangeaient des regards glacés. Indiscutablement, c'était un lieu où un policier intelligent pouvait faire sa moisson de bons tuyaux.

« C'est le meilleur rendez-vous qu'on puisse choisir, fit remarquer Musgrave. Si on s'y fait repérer, il est facile d'expliquer que c'est un pur hasard si on se retrouve au bar en compagnie d'un Kyle Corbett. De toute façon, il n'y aura pas grand monde pour les voir à deux heures du mat', une nuit d'hiver. »

Le magasin dans lequel ils se tenaient était une blanchisserie fermée depuis six mois. La banque qui en était propriétaire avait joyeusement fourni une clé aux

Mounties qui avaient, pour dissimuler leur présence, obstrué la vitrine d'un panneau de contreplaqué annonçant en grandes lettres : FERMÉ POUR TRAVAUX. Les seules lumières provenaient de minuscules lampes à pinces éclairant le matériel de vidéo-surveillance. Delorme attendait dans la pénombre en compagnie de Musgrave et de deux hommes en bleu de travail qui — ils devaient en avoir reçu l'ordre — ne lui avaient pas dit un mot. L'équipe d'« ouvriers » était là depuis midi. Delorme était arrivée à neuf heures du soir par une entrée de service que la blanchisserie partageait avec un petit fabricant de bougies parfumées. D'agréables senteurs des bois flottaient dans l'air.

Delorme désigna l'image grand angle du bar que diffusait un écran vidéo noir et blanc. « La caméra est mobile ?

— Corbett a dit qu'il serait au bar. Cardinal aurait du mal à expliquer qu'il s'est assis à une table occupée par le faussaire numéro un du Canada. Au comptoir, on ne choisit pas ses voisins.

— D'accord, mais si…

— La caméra est montée sur un pivot que nous pouvons actionner d'ici. Ce n'est pas la première fois que nous faisons ça, vous savez. »

Connard susceptible, faillit lâcher Delorme. Elle s'approcha de la devanture pour observer la rue par le petit trou pratiqué dans le O de FERMÉ POUR TRAVAUX. Elle savait qu'il entrerait par-derrière, s'il venait, mais elle avait envie de regarder autre chose que l'image de ce bar vide et les dos inamicaux de ses collègues. On n'y voyait pas grand-chose par cet œilleton de fortune. Il devait y avoir dix bons centimètres de bouillasse sur la chaussée mais les trottoirs munis de bouches de chaleur, étaient presque secs. De l'autre côté de la rue, un centre artistique installé dans les murs d'un ancien cinéma annonçait une exposition d'aquarelles réalisées par de jeunes artistes canadiens sur le thème « le Vrai Nord » et une soirée mozartienne par l'orchestre symphonique d'Algonquin Bay. Le retour annoncé de la neige se signalait par un léger grésil.

Il n'y avait pas un seul passant, ce qui n'avait rien d'étonnant à deux heures dix du matin. Ne viens pas, pensait Delorme. Change d'avis, reste chez toi. Moins de trois heures plus tôt, le sergent Langois l'avait appelée de Floride, confirmant certains de ses pires soupçons. Tout policier véreux devait être confondu et sanctionné, mais il y avait un monde entre le principe et la réalité, quand il s'agissait de détruire la vie d'un homme avec lequel on travaillait chaque jour — un être en chair et en os, pas une proie abstraite. Même quand elle avait arrêté le maire — voilà un homme qui avait trahi la ville et méritait un séjour en prison —, Delorme avait songé aux victimes accidentelles de son enquête, la femme et la fille du maire. Dommages collatéraux. Je suis un véritable pilote en mission, exécutant les ordres quel qu'en soit le prix. J'aurais dû entrer dans l'aviation, j'aurais dû être américaine.

Une Eldorado blanc et rouge arriva dans la rue, chassa un peu dans la neige fondue et s'arrêta devant le restaurant. Des phares éclatants, une carrosserie étincelante, un beau jouet scintillant qu'on imaginait en modèle réduit suspendu au-dessus d'un berceau. Et voilà, se dit Delorme, il est trop tard pour les regrets. De toute façon, ce n'est rien qu'un peu de trac avant d'entrer en scène. La voiture s'était immobilisée trop loin pour qu'elle pût voir par l'œilleton qui en était descendu.

Une voix masculine grésilla dans une radio. « Elvis est là », ce que Musgrave accueillit d'un hochement de tête. Delorme ne s'était même pas rendu compte qu'ils avaient des hommes postés ailleurs. Elle souhaita qu'ils soient tout de même sous abri.

Elle rejoignit Musgrave devant l'écran. Kyle Corbett tendait son manteau à quelqu'un d'invisible puis s'asseyait au bar, en plein champ de la caméra. Corbett devait avoir quarante-cinq ans mais cultivait un look beaucoup plus jeune, genre rock-star. Les cheveux longs, coiffés en arrière, la barbiche artistiquement taillée, il était vêtu d'un pull ras du cou sous une veste en daim à larges revers. Il se pencha en avant sur son tabouret pour vérifier chevelure et moustache dans le miroir, et pivota pour saluer le barman avec un grand sourire. « Comment va, Rollie ?

— Bien, merci. Et vous-même, monsieur Corbett ?

— Comment je vais ? » Corbett leva les yeux au plafond d'un air songeur. « Je prospère. Ouais, je pense qu'on peut dire que je prospère.

— Pilsner, monsieur Corbett ?

— Trop froid. Donne-moi un irish coffee. Déca. J'ai envie de dormir un peu cette année.

— Irish déca. Tout de suite, monsieur Corbett.

— T'es un frère. »

Delorme essayait de comprendre pourquoi l'attitude de Corbett lui paraissait aussi familière : le grand sourire, cette apparente considération pour les questions les plus banales. Et puis elle réalisa que Corbett, ancien dealer de came devenu faux-monnayeur, avait adopté cette aimable condescendance propre aux gens célèbres. Delorme avait vu une fois, à l'aéroport de Toronto, Eric Clapton entouré par des fans auxquels il signait des autographes. Il bavardait avec eux avec cette même simplicité distante dont Corbett faisait montre.

Il avait tourné le dos à la caméra et étendu les bras le long du bar comme si l'établissement lui appartenait. « Il n'a pas l'air si dangereux, observa Delorme.

— Allez raconter ça à Nicky Bell, dit Musgrave. Qu'il repose en paix. » Il se tourna vers ses hommes. « Le son et l'image sont nickel. Bravo, les mecs. »

La radio grésilla de nouveau. « Taxi dans Oak.

— Dites-moi que c'est notre homme, répondit Musgrave.

— Il descend de voiture… Il a une capuche, impossible de voir sa gueule… Il va vers le bar. »

Il y eut un bruyant tintement de verres, et les deux hommes assis devant la console de vidéo tressaillirent.

« Merde, l'écran est blanc, grommela Musgrave.

— Ils ont posé quelque chose devant l'objectif, sûrement un de ces grands paniers à verres de machine à laver.

— Bon Dieu, et le joystick ? Vous pouvez pas contourner l'obstacle ?

— C'est ce que j'essaie de faire.

— Chut ! fit Delorme. Écoutons au moins ce qu'ils disent. »

Corbett accueillait quelqu'un avec effusion, clamant bien haut à l'intention du personnel tout l'étonnement que lui inspirait cette rencontre du flic et du truand. « Tu prendras bien un verre avec moi ? Un collègue insomniaque est toujours le bienvenu, même s'il joue dans l'équipe adverse. »

La réponse fut inintelligible. L'homme était hors de portée du micro, peut-être en train d'accrocher son manteau.

« Vous vous habillez toujours comme Nanouk l'Esquimau, les bourres, quand vous êtes pas de service ?

— Larry, dit Musgrave d'un ton glacé, arrange-moi cette caméra. On est en train de perdre l'essentiel. »

Dieu, qu'on en finisse, pensait Delorme. Qu'on en finisse.

« Tu bois quoi ? demandait maintenant l'arrivant. Shirley Temple ou autre chose ? »

Musgrave se tourna brusquement vers Delorme. « Mais c'est la voix d'Adonis Dyson ! Je croyais que c'était à Cardinal que vous aviez refilé ce tuyau. »

Delorme haussa les épaules. Un mélange de soulagement et de tristesse se répandit dans ses veines comme sous l'effet d'une piqûre. « J'ai donné une date à Cardinal et une autre à Dyson.

— Tu as pensé à moi ? » demandait maintenant Dyson.

Un bruit de papier lui répondit. « Place-le sagement, cette fois. Personnellement, j'aime bien les obligations d'État.

— J'ai un taxi qui attend, alors passons aux choses sérieuses.

— De quoi tu as peur ? Tu sais donc pas que je ne cours aucun risque ? Incroyable ce que peut accomplir une décision judiciaire. La loi, c'est tout de même quelque chose, quand ça marche.

— Il est tard, et le taxi attend.

— Assieds-toi, et te barre pas quand je t'invite à bavarder. Je t'ai dit que je voulais un rapport complet. Je te paie pas pour rien.

— Les Mounties vont te tomber dessus le 24 de ce mois. Et c'est sérieux. Tu n'as pas besoin d'en savoir plus.

— Et voilà, le tuyau qui tue, dit Delorme. Le 24, c'est la date que j'ai donnée à Dyson.

— Et ne fiche pas le camp sans rien laisser derrière toi, cette fois, reprit Dyson. Abandonne-leur quelque chose, et un type ou deux si possible. Tu as neuf vies, Kyle, mais tu cours sur la dixième dorénavant, et moi aussi, parce que s'ils t'épinglent, on va tous au tapis. »

Musgrave prit le micro. « On y va. Fermez les issues. » Puis se tournant vers Delorme : « Allons le cueillir, ma sœur. »

Musgrave passa par la porte de devant, Delorme par celle de derrière, chacun flanqué de deux Mounties. Musgrave prit Corbett, et Delorme, Dyson. « Vraiment, dirait-elle plus tard, ça s'est passé aussi calmement qu'une transaction financière. Corbett n'a pas cherché à résister, il a seulement crié quelques jurons. »

Peut-être Dyson s'attendait-il depuis longtemps à un tel dénouement. Il croisa les bras sur le comptoir et baissa la tête, tel un ivrogne mélancolique.

« Sergent-détective, voulez-vous, je vous prie, mettre vos mains dans le dos ? » Delorme n'avait nul besoin de dégainer son arme ; les Mounties derrière elle s'en chargeaient. « Sergent-détective Dyson, dit-elle à voix plus haute, je suis en devoir de vous menotter. »

Dyson se redressa, le visage blême, et plaça ses mains derrière son dos. « Si cela peut vouloir dire quelque chose, Lise, je suis désolé.

— Je vous arrête pour manquement aux devoirs de votre fonction, corruption et entrave à la justice. Moi aussi, je suis désolée. Le ministère public se réserve le droit d'aggraver vos chefs d'accusation. » Elle se comportait telle une femme policier parfaitement entraînée et sûre d'elle, mais elle ne pensait ni au ministère public ni même à Dyson. Pendant tout le temps de cette arrestation en règle de son chef, Lise Delorme revoyait cette fillette godiche devant la maison des Dyson, et la silhouette spectrale qui lui criait de rentrer.

45

Il était trois heures trente du matin, et Cardinal avait posé les photographies sur une étagère au-dessus de la stéréo qui jouait une suite de Bach. Il n'était pas un mordu de classique, à la différence de Catherine, dont Bach était le héros. Écouter la musique préférée de sa femme lui donnait l'impression de ne pas être seul dans la maison, comme s'il savait Catherine dans le salon, pelotonnée sur le canapé, plongée dans la lecture d'un de ses chers romans policiers.

Katie Pine, Billy LaBelle et Todd Curry fixaient Cardinal de leurs regards, tel un très jeune jury venant de le juger coupable. Keith London, peut-être encore en vie, s'abstenait, mais Cardinal pouvait presque entendre son appel au secours et sa muette accusation d'incompétence.

Il devait forcément exister un lien entre les quatre victimes. Cardinal ne pensait pas qu'un tueur en série s'en remette totalement au hasard pour choisir ses proies. Il y avait nécessairement un élément, fût-il minime, qui leur était commun, quelque chose qui lui paraîtrait tellement évident plus tard qu'il se maudirait de ne pas l'avoir décelé plus tôt. Et cet élément devait se trouver dans les dossiers, les clichés de la scène de crime, les rapports de la police scientifique, peut-être bien dans un propos dont le sens lui avait alors échappé.

Une voiture passa lentement dans Madonna Road, le bruit de son moteur étouffé par les congères. Un moment plus tard, il perçut un bruit de pas sous le porche.

« Que faites-vous ici ? »

Lise Delorme se tenait sur le seuil, les joues rosies par le froid, les cheveux constellés de flocons de neige. Sa voix vibrait d'excitation. « Je sais que c'est une heure impossible mais je passais par là en rentrant chez moi et j'ai vu de la lumière, et il fallait que je vous raconte ce qui est arrivé.

— Vous passiez par là en rentrant chez vous ? » Madonna Road était à plus de cinq kilomètres du chemin habituel de Lise. Cardinal s'effaça pour la laisser entrer.

« Vous n'allez pas le croire, Cardinal. Vous êtes au courant de l'affaire Corbett ? »

Perchée au bord du canapé, ses mains voletant au gré de son récit, Delorme raconta tout à Cardinal, depuis l'entrée en scène de Musgrave jusqu'au dénouement... Dyson penchant la tête au-dessus du comptoir du bar, tel un homme offrant sa nuque à la hache du bourreau.

Dans son fauteuil près du poêle, Cardinal, ballotté par des courants contraires de peur et de soulagement, écoutait Lise lui décrire les soupçons de Musgrave, l'ambivalence de Dyson, ses propres moments de doute après la découverte de l'appartement en Floride et de la facture du cabin-cruiser.

360

« Vous avez fouillé mon domicile sans mandat ? » demanda Cardinal, feignant un air dégagé.

Elle ignora la question, ses mains fines accentuant ses paroles, son accent français plus prononcé que jamais. « Pour moi, le moment le plus terrible… » Main sur le cœur, soulevant à son insu la rondeur parfaite d'un sein. «… a été de découvrir l'achat de ce bateau.

— De quel bateau parlez-vous ? » Cardinal posa sa question avec un calme qu'il était loin de ressentir. Culottée comme un rat d'hôtel, Delorme se leva et alla tout droit à l'armoire où Cardinal rangeait ses papiers. Elle s'agenouilla devant le tiroir ouvert, ouvrit une chemise, dont elle feuilleta rapidement les documents. Cardinal était suffisamment citoyen pour s'indigner d'une telle violation de son intimité, suffisamment flic pour ressentir de l'admiration, et suffisamment homme, enfin, pour trouver cette scène passablement érotique.

Delorme avait ce qu'elle cherchait : un cabin-cruiser de marque Chris-Craft acquis pour la somme de cinquante mille dollars. « Quand j'ai remarqué la date, mon cœur a fait comme le *Titanic. Boum*, et au fond de la mer.

— C'est en effet juste après qu'on a essayé de coincer Corbett, dit Cardinal en examinant le papier à la lueur du feu, cherchant… il ne savait trop quoi. En tout cas, je ne me savais pas propriétaire d'un bateau.

— Savez-vous ce qui vous a sauvé ? Les trois F. » Et de lui conter comment la migration des Canadiens français en Floride au mois de février lui avait permis, depuis Algonquin Bay, d'enquêter sur l'achat de ce cabin-cruiser.

« J'ai communiqué le numéro de la facture au sergent Langois, en vacances dans le coin. Alors il est allé voir la secrétaire qui tient le bureau de la marina. Là, il faut que je vous dise que Langois est un très beau mec, et charmant avec ça, et la fille était prête à tout pour l'aider dans ses recherches. »

La secrétaire éblouie retrouva donc le dossier et, dans le dossier, une photo d'identité de l'acheteur. « Langois m'a envoyé un fax, cet après-midi — pas au bureau, mais chez moi —, et la photo était celle du sergent-détective Adonis Dyson.

— Si j'ai bien compris, jusqu'à cet après-midi, vous me soupçonniez de travailler pour Corbett ?

— Non, John. Je ne savais que penser. C'est pourquoi j'ai proposé qu'on tende ce piège. Je voulais en finir et vous éliminer en tant que suspect. Je ne me doutais pas que ce serait Dyson. Bien entendu, je n'avais pas encore reçu ce fax, quand nous avons organisé cette souricière.

— Il aurait quand même dû se douter qu'on remonterait jusqu'à lui grâce à cette facture. Où est-ce qu'il avait la tête ?

— Il ignorait qu'ils avaient photocopié sa carte d'identité dans le bureau du fond. Il était coincé entre Musgrave et Corbett. Il avait peur et n'avait plus les pensées claires. Il a dû paniquer.

— Il se serait donc introduit chez moi pour glisser cette facture dans mes papiers ? Je n'arrive pas à croire qu'il ait essayé de me piéger. D'accord, nous n'étions pas amis, c'est le moins qu'on puisse dire, mais tout de même. » Il marqua une pause, l'air songeur. « Et l'appartement en Floride ? Ça ne jouait pas non plus en ma faveur, je suppose ?

— J'ai évité les conclusions hâtives. Je savais que votre femme est américaine et que ses parents devaient être à l'âge de la retraite. Un appart' en Floride n'avait rien d'extravagant. Je connaissais le nom de jeune fille de votre femme, et j'ai demandé à mon copain de vérifier. Le fait que votre épouse hérite un bien immobilier de ses parents ne fait pas de vous un ripou, que je sache. »

Cardinal avait le plus grand mal à maîtriser les diverses émotions qui l'assaillaient. « Est-ce que ça veut dire que je ne fais plus l'objet d'une enquête interne ?

— Oui, c'est fini. D'ailleurs, je ne fais plus partie du service, désormais. Quant à vous, vous êtes blanchi. »

Cardinal n'y croyait pas encore tout à fait. Certains aspects de cette affaire lui échappaient. « Pourquoi Dyson a pris des risques pareils ? Corbett était une planche pourrie. Une vraie calamité. Il était évident que l'un des nôtres le renseignait mais, pour moi, la fuite ne pouvait venir que d'un des hommes de Musgrave. Quand j'ai fait part de mes soupçons à Dyson, il s'est contenté de me dire : « Si vous envisagez de fouiner chez les Mounties, faites-le sur votre temps libre. » Sur ce, Katie Pine a disparu, et Corbett m'est sorti de la tête. Pourquoi Dyson a fait ça ? Je n'ai jamais aimé le bon-homme, mais de là à lui souhaiter pareille fin...

— Voilà quelques années, il constate que ses fonds de pension ne rapportent pas autant qu'il le souhaiterait. Alors, il place presque tout dans les mines. Mon prof d'économie disait toujours qu'une mine était « un trou dans la terre appartenant à un menteur ». En l'occur-rence, il avait raison.

— Dyson a mis son fric chez Bre-X ?

— Comme beaucoup, John. Mais pas une somme pareille.

— Bon Dieu. » Il observa un bref silence. « Vous avez donc fouillé chez moi. Je n'étais pas certain que vous le feriez.

— Désolée, John. Vous comprenez quelle était ma position : je devais le faire à votre insu ou demander un mandat au juge. Quand vous m'avez dit de rester, le soir où vous aviez cette réunion avec la presse, j'ai pensé que vous m'en donniez en quelque sorte la permission. Désolée si je me suis trompée. » Ces yeux bruns qui accrochaient la lueur du feu, impatients d'une réponse. « Me suis-je trompée ? »

Cardinal laissa passer un long silence avant de répondre. Il était plus de quatre heures, et soudain la fatigue lui tombait dessus telle une chape de plomb. Delorme était encore tout animée de sa victoire, et pas prête à redescendre de son nuage. « Peut-être était-ce une permission, dit-il enfin. En vérité, je n'en suis pas sûr. Mais cela ne signifie pas que vous deviez en tirer parti.

— D'accord, ce n'était pas très correct. De temps à autre, je me dis qu'un bon flic — comme d'ailleurs un bon avocat ou un bon médecin — n'est pas nécessairement quelqu'un d'aimable ni même de bonne compagnie. Aussi, nous ne sommes plus obligés de faire équipe, si vous ne voulez plus de moi. Vous pouvez me retirer de l'enquête Pine-Curry, et je comprendrai, même si je reste persuadée que nous devrions terminer ce travail ensemble. » Elle avait prononcé *ensainble*, et Cardinal était tellement las que cela le fit sourire.

« Pourquoi souriez-vous ? »

Cardinal se leva, les jambes raides, et tendit son manteau à Delorme. Elle se boutonna en le regardant dans les yeux. « Vous ne voulez pas me le dire, n'est-ce pas ?

— Soyez prudente, répondit-il d'une voix douce. Cette gadoue pourrait bien geler de nouveau. »

46

Eric tapait sur les nerfs d'Edie. Pendant plusieurs jours, il s'était montré serein et même joyeux. Et voilà qu'il n'arrêtait pas de la houspiller. Monsieur veut qu'elle lui fasse à dîner. Non, mais qu'est-ce qu'il lui prend ? D'habitude il ne supportait même pas qu'elle le regarde manger. Maintenant, il veut des saucisses et de la purée de pommes de terre, et il faut qu'elle coure au supermarché, à patauger dans une mer de bouillasse et à se tremper les pieds. Puis il s'en va bâfrer tout seul dans le salon, pendant que mémé et elle dînent dans la cuisine. Deux jours plus tôt, elle avait écrit dans son journal : *J'éprouve pour Eric une véritable passion, mais il ne me plaît pas. Il est mauvais et égoïste, cruel et brutal.*

Ils étaient descendus à la cave. Keith était sur cette chaise trouée avec le pot de chambre dessous. Et ce foutu pot, c'était bien sûr à elle de le vider. Elle détestait ça, c'était comme de changer la litière d'un chat. Jamais Eric ne le ferait, lui ; non, il ronchonnait jusqu'à ce qu'elle s'en charge. Et elle se sentait très mal en ce moment, toute vide à l'intérieur, comme chaque fois que ce maudit eczéma revenait. Cette saloperie rampait sur son visage en partant du menton, et sa peau se craquelait, rougissait, suintait. Un peu plus tôt, comme elle revenait du supermarché, des voyous qui passaient en voiture avaient baissé les vitres pour lui aboyer après.

Elle ressortit du minuscule cabinet de toilette alors qu'Eric expliquait sa vision des choses à Keith. Eric semblait toujours prendre plaisir à parler devant le prisonnier, et cela avait plutôt tendance à énerver Edie.

« Tu vois, prisonnier, on veut plus s'emmerder avec les taches de sang. Passé un certain stade, tu commences à te dire que c'est pas à toi de nettoyer la merde, tu comprends ? »

Keith, réduit à l'immobilité et au silence, ne répondait plus ; il avait même cessé de les implorer du regard.

« J'ai déniché le lieu idéal pour te tuer, prisonnier. C'est une ancienne station de pompage, un beau local barricadé de partout. Et sais-tu combien de fois les mecs des Eaux et Forêts y passent ? Une ou deux fois tous les cinq ans, et encore. » Eric approcha son visage du garçon, comme pour l'embrasser. « Je te parle, chéri. »

Les yeux rougis restèrent baissés, et Eric prit Keith par le menton, le forçant à le regarder.

« Eric, je croyais que tu voulais qu'on fasse la liste », intervint Edie en agitant le calepin qu'elle tenait à la main. Elle pensait, il va le tuer là, maintenant, si on remonte pas là-haut tout de suite.

« On a envisagé de retourner au puits de mine, hein, Edie ? Les flics ne s'attendraient jamais à ce qu'on se repointe là-bas.

— Tu ne me feras pas rouler sur cette glace, dit Edie. Ça fait trois jours maintenant que la température est remontée. » Elle ouvrit le calepin. « Que penses-tu d'une bassine ? Pour recueillir le sang ?

— Je vais pas me trimballer avec une putain de bassine, Edie. L'intérêt d'aller à la station de pompage, c'est qu'on n'aura pas à s'inquiéter des saletés. Une table, par contre, ça serait bien. Quelque chose d'assez haut, pour travailler plus à l'aise, hein, prisonnier ? Le prisonnier matricule triple zéro est d'accord. » Eric déplia *The Algonquin Lode* et l'étendit sur le lit de manière que Keith pût voir sa photo en première page et le sous-titre : « Toujours pas de trace du jeune disparu ».

« Peut-être un sac de chaux vive, hasarda Edie. Pour effacer ses traits après l'avoir tué. Peut-être même avant qu'on le tue.

— Edie, tu as vraiment une approche intéressante de ce genre de chose. T'apprécies pas cette capacité chez elle, prisonnier ? Le jeune disparu en convient, Edie : tu as une approche intéressante. »

47

Cierges, cire à bois, encens. Les odeurs de la cathédrale ne changeaient jamais. Cardinal prit place sur l'un des bancs dans le fond et laissa les souvenirs remonter : là-bas devant, l'autel où, enfant de chœur, il avait assisté le prêtre ; sur les bas-côtés, les confessionnaux où il avait conté ses premiers émois amoureux, pas tous, loin de là ; les fonts baptismaux où il avait tenu Kelly, poupée hurleuse dont les cris avaient incommodé tout le monde, à commencer par le jeune officiant qui l'avait ointe.

Cardinal avait vingt ans passés quand il avait perdu la foi, et celle-ci n'était jamais revenue. Il avait pratiqué avec assiduité jusqu'à ce que Kelly parvienne à l'adolescence, mais seulement parce que Catherine l'avait exigé. Au contraire de McLeod, qui n'avait que mépris pour Rome et ses pompes, Cardinal n'avait pas plus de rancœur que de sympathie à l'égard de la religion. Aussi ne savait-il pas trop pourquoi il était entré dans la cathédrale ce jeudi après-midi. Quelques minutes plus tôt, il finissait son sandwich jambon-gruyère chez D'Annunzio, et voici qu'il était là, sur ce banc, au fond de la nef.

Reconnaissance ? Certes, il était heureux que l'enquête de Delorme soit achevée. Quant à Dyson, il ne pouvait éprouver à son égard qu'une vive compassion. McLeod avait passé la matinée à couvrir d'opprobre leur patron déchu. « Bon débarras, aboyait-il à la ronde. Ça lui suffisait pas de la ramener sans cesse, il fallait qu'il joue les ripoux en plus ? Il y en a qui sauront jamais quand s'arrêter. » Mais Cardinal n'éprouvait aucune supériorité morale ; il aurait très bien pu connaître lui-même ce triste sort.

Un gigantesque médaillon au cadre doré représentant l'assomption de la Vierge était accroché au-dessus de l'autel. Enfant, Cardinal avait souvent prié la Madone de l'aider à avoir de meilleures notes en classe, à devenir un meilleur hockeyeur, à être meilleur qu'il n'était, mais nulle prière ne lui venait à l'esprit pour l'instant. Être assis sous l'immense nef parfumée d'encens suffisait à lui rappeler ce sentiment de plénitude qu'il avait connu, jeune homme, et aussi à quel moment exact il l'avait perdu. Le fait que Delorme eût bouclé son enquête ne signifiait pas pour lui que sa conscience lui accordait enfin le sursis.

« Excusez-moi. »

Un homme taillé comme une armoire vint s'asseoir à côté de lui, ce qui était plutôt curieux et désagréable, vu l'immensité des bancs vides. Mais les fidèles avaient leur place préférée, et Cardinal n'était après tout qu'un intrus, pas un habitué.

« Jolie petite église que vous avez là. »

Le bonhomme n'était qu'une masse de viande compacte, sans cou ni taille ni hanches. Un cube parfait. Il pointa un doigt épais en direction du portrait de la Vierge. « Chouette médaille, hein ? Moi, j'aime bien les églises, pas vous ? » Il tourna la tête vers Cardinal en souriant, si l'on pouvait appeler sourire ce bref scintillement sans gaieté de deux ou trois dents en or. Le visage, plat et rond comme celui d'un Inuit, était marqué de quatre profondes cicatrices blanches parfaitement symétriques et verticales, une au front, une au menton et une sur chaque joue. Le nez n'était qu'une patate informe, et l'homme dut tourner la tête à quatre-vingt-dix degrés pour regarder Cardinal, car il avait à l'œil gauche un bandeau de cuir noir, sur lequel un esprit fin avait gravé *Fermé*.

Était-ce quelqu'un que Cardinal avait envoyé en prison ? Si c'était le cas, il devrait se souvenir d'une créature moulée dans l'argile dont on fait les bandits.

« Chaud pour février. » L'homme ôta le bonnet de laine noire qui le coiffait, révélant un crâne parfaitement rasé. Puis, avec une délicatesse inattendue, enleva l'un après l'autre ses gants de cuir et posa ses mains sur ses genoux. Tatoués sur les phalanges en grandes lettres, on pouvait lire sur l'une, *fuck*, et sur l'autre, *you*.

« Kiki », dit Cardinal.

Les incisives en or scintillèrent à nouveau. « J'commençais à croire que t'avais perdu la mémoire. Ça fait un bail, pas vrai ?

— Désolé de pas être venu te voir à Kingston, mais tu sais ce que c'est. On est pris par…

— Occupé pendant dix ans, je sais. Moi aussi, j'ai été occupé.

— Je vois ça. Tu t'es un peu décoré les mains. J'aime bien le coup du bandeau.

— J'ai aussi travaillé mon corps. Sur le banc, j'peux soulever cent cinquante kilos, maintenant. Et toi ?

— Je sais pas trop. Quatre-vingt-dix, la dernière fois que j'ai essayé. » Il n'avait pu dépasser soixante-dix, mais il parlait à un Wisigoth, et le port de la sincérité n'était pas obligatoire.

« Ça te fout pas un peu les chocottes ?

— Pourquoi, ça devrait ? Sauf si c'est des menaces. Et j'espère que non, vu que tu es en liberté conditionnelle. »

Un sourire en or passa. Kiki Baldassaro, mieux connu de ses intimes sous le sobriquet de Kiki B. ou Kiki Babe. Son père était un mafioso de petite baronnie qui avait vaillamment défendu pendant des années l'industrie du bâtiment à Toronto contre les hordes syndicalistes. Il avait profité de sa position pour placer son fils comme soudeur chez un de ses protégés. Le travail de soudeur payait d'autant mieux que Kiki était dispensé de mettre les pieds sur un quelconque chantier.

Son pain quotidien avait beau être assuré, Kiki B. n'était pas du genre oisif. C'était en vérité un travailleur manuel-né, aussi était-il plus qu'heureux de mettre la main à la pâte sitôt qu'il fallait demander un effort à de malheureux endettés ou rafraîchir la mémoire d'un oublieux. Et Cardinal se souvenait maintenant que c'était dans des circonstances analogues que Kiki B. avait fait la connaissance de celui qui deviendrait son patron et mentor, Rick Bouchard. Lors d'une mission de routine pour le compte de Baldassaro père, il avait amoché un des compères de Bouchard. Celui-ci s'était rendu au domicile de Kiki et lui avait expliqué son point de vue à coups de démonte-pneu. Depuis, ils étaient devenus copains comme cochons.

« Il a dû falloir une grue pour accrocher ce machin là-haut. » Kiki avait reporté son attention sur la Vierge.

« Tu ne connais pas l'histoire ? » Cardinal déboutonna son manteau. Peut-être était-ce la peur ou bien le chauffage dans l'église, mais la sueur lui coulait soudain le long des reins. « La veille même où il doit hisser Notre-Dame à sa place, le grutier glisse sur du verglas à Burk's Falls et se pète le bras. C'était il y a trente ans de ça, et le lendemain on célébrait Pâques et l'évêque devait venir depuis le Soo pour dire la messe. Bref, l'événement était grand, et tous redoutaient que la pauvre Sainte Vierge ne reste dans sa caisse. On se précipita sur les téléphones pour trouver un grutier — ici, ce n'est pas une espèce qui pousse sur les arbres, comme à Toronto — mais on en dénicha tout de même un, qui promit d'être là le lendemain matin à cinq heures pour accrocher le médaillon.

— Et le gus s'est pointé à cinq plombes et a demandé cinq fois le prix de l'heure.

— Il est venu, Kiki, mais pour rien.

— Comment ça, pour rien ? Gratuit, tu veux dire ?

— Non. Le gars arrive comme prévu, à l'heure pile. Ses aides sont déjà sur place, et il les trouve tous agenouillés devant l'autel, et c'est pas des catholiques, non. Notre grutier lève alors les yeux et il comprend pourquoi ils sont tous gagas.

— Elle était déjà là-haut. »

Cardinal opina. « Oui, elle était déjà là-haut. Comment ? Quand ? Personne ne l'a jamais su. De toute évidence, plusieurs lois avaient été transgressées, à commencer par celle de la pesanteur.

— Quelqu'un est venu pendant la nuit et a accroché le bidule ?

— Oui, c'est ce que tout le monde s'est dit. Mais on n'a jamais pu savoir qui. Les portes de l'église sont fermées pendant la nuit. La grue était dehors, et seul le contremaître avait la clé du démarreur. L'affaire était plus que bizarre. Aussi personne n'est allé le chanter sur tous les toits, mais… peut-être que je ne devrais pas te le dire…

— Me dire quoi ? Vas-y, je t'écoute. Tu peux pas commencer une histoire et puis t'arrêter en chemin.

— Ça s'est passé il y a si longtemps que je peux bien te le raconter. Le Vatican a dépêché un de ses enquêteurs, un prêtre qui était aussi un scientifique. Je le sais, parce qu'ils en ont informé la police. Par pure courtoisie professionnelle.

— Le Vatican, hein ? Et il a résolu l'affaire, le curé ?

— Non. Il a conclu à un mystère. Et c'est pour ça que depuis on l'appelle Notre-Dame-des-Mystères.

— C'est vrai, j'avais oublié. C'est une bonne histoire, Cardinal, mais je crois bien que tu l'as inventée.

— Pourquoi ferais-je une chose pareille ? Je suis dans une église, je ne vais tout de même pas blasphémer. Qui sait ce qui pourrait arriver ?

— C'est une bonne histoire, je le redis, et tu devrais la conter à Peter Gzowski. Il sait écouter. C'est même ça qui en a fait une vedette de la radio.

— Son émission a disparu depuis longtemps, Kiki. Tu le saurais si tu n'avais pas été à l'ombre. Mais, dis-moi, tu n'as tout de même pas oublié que la loi punit les menaces ?

— Ça me fait mal que tu puisses seulement penser une chose pareille. Je t'ai jamais menacé, moi. Je t'ai toujours apprécié. En tout cas, jusqu'au jour où tu m'as passé les bracelets. Tout ce je veux dire, c'est qu'à ta place je serais un peu nerveux d'être assis à côté d'un mec capable de m'arracher les bras et les jambes et de les aligner devant moi.

— Tu oublies, Kiki, que je suis beaucoup moins bête que toi. »

Un air hostile flûta des narines aplaties, et le bon œil se fit meurtrier. « Rick Bouchard a écopé de quinze piges par tes soins, Cardinal. Dix ont passé. Il pourrait bien sortir à tout moment.

— Tu crois ça ? Je n'imagine pas Rick ramassant beaucoup de points pour bonne conduite.

— Je te le répète, il pourrait être dehors demain. Le problème, c'est qu'à sa sortie il va vouloir son fric. Faut se mettre à sa place. Il se fait serrer avec quelques kilos de coke et cinq cent mille dollars. Il perd la came et le fric, et quinze piges en prime. Eh bien, Rick dit que ça lui est égal, tout ça, figure-toi.

— Ouais, c'est bien connu, Bouchard est un mec très cool.

— Non, te gourre pas, Cardinal. Il te reproche pas d'avoir fait ton boulot. Ce qui le gêne, c'est qu'il avait sept cent mille dollars sur lui, pas cinq cent mille. Et tout ce qu'il veut, c'est la différence, soit les deux cent mille. C'est très raisonnable. Rick prétend que rafler ce pognon ne faisait pas partie de ton travail.

— Rick dit, Rick prétend. Ce que j'admire chez toi, Kiki, c'est ton esprit d'indépendance. Tu vas toujours ton propre chemin, sans jamais t'occuper de rien ni personne. Un vrai franc-tireur. »

Le bon œil, veiné de rouge, le regarda... tristement ? Difficile à dire, on a toujours plus de mal à lire dans un seul œil que dans deux. Kiki se frotta le nez avec la lettre F et renifla. « J'ai bien aimé ton histoire, alors à mon tour de t'en raconter une.

— Comment tu as perdu ton œil ?

— Non, c'est au sujet d'un type qui était au ballon avec moi. Ce type, il venait du bloc où était Rick. On l'avait transféré parce que... disons qu'il était un esprit indépendant. Un franc-tireur. Bref, il débarque dans

374

mon bloc à moi, et je suppose qu'il se croit chez lui parce qu'il veut tout de suite jouer dans la cour des grands. Ça se fait pas. Faut grimper les échelons. Tu vois, il serait venu à moi, il m'aurait demandé comment réparer les pots cassés avec Rick, j'aurais pu l'aider. C'était pas une grosse dette. Pas comme avec toi. Mais voilà, c'était un indépendant, un vrai franc-tireur, comme tu disais, et il est pas venu me voir. Alors, au lieu de faire la paix avec Rick, au lieu de tirer son temps peinard, devine comment il a fini ?

— Je ne sais pas, Kiki. À Banff[1] ?

— Banff ? Pourquoi, y a quoi, à Banff ?

— Rien, excuse-moi. Alors, comment il a fini ?

— M'est avis que sa conscience le travaillait, à ce malheureux. Parce qu'un soir il est allé se coucher et il a grillé vif sur sa paillasse. » L'œil aux veinules rouges regardait Cardinal, et c'était comme de se faire examiner par une huître. « Crois-moi, j'ai jamais entendu des hurlements pareils. Il y a beaucoup de métal en prison, tu sais, et l'insonorisation est vraiment pas terrible. Ça m'a foutu les jetons, des cris pareils. Et l'odeur, j'en parle même pas. Eh bien, voilà encore un mystère, comme la dame là-haut. Un miracle, peut-être. Le gus s'est enflammé d'un coup, et personne s'est jamais figuré comment. »

Cardinal leva les yeux vers la Vierge et, sans réfléchir, lui adressa une petite prière silencieuse : *aide-moi*.

« Alors, tu dis rien ? Qu'est-ce qu'il y a ? T'aimes pas mon histoire ?

— Non, non, c'est pas ça. » Cardinal se pencha vers le visage plat et rond, avec son œil unique. « Mais, vois-

---

1. Parc national canadien, situé au sud-ouest d'Alberta. (*N.d.T.*)

375

tu, Kiki, c'est une situation étrange pour moi. Figure-toi que c'est la première fois de ma vie que je parle avec un cyclope.

— Quoi ? » Le banc grinça sous le poids de Kiki.

Cardinal s'était déjà levé, le laissant à la contemplation de ses doigts, les « fuck » et les « you ». Il passait devant le bénitier quand Kiki lui cria : « Cyclope, hein ? J'vais en rigoler pendant longtemps, Cardinal. Dans deux ans au plus, tu seras mort. Et moi, je serai encore là, à me fendre la poire. T'es un vrai franc-tireur, toi. »

Cardinal poussa la porte en chêne massif et cligna des yeux sous la lumière liquide de l'hiver.

48

Delorme posa un sac en plastique renforcé au-dessus de l'écran de l'ordinateur devant lequel travaillait Cardinal. Un objet métallique se dessinait sous l'enveloppe.

« C'est quoi ? demanda Cardinal.

— Le bracelet de Katie Pine. Il était avec les vêtements que nous a renvoyés la Scientifique. Pas d'empreintes hormis les siennes. Vous nous rejoignez au musée des crimes impunis ? »

C'était ainsi que Delorme désignait la salle de conférences, dans laquelle ils avaient disposé tous les indices recueillis. Le bracelet côtoierait la cassette audio, les empreintes, le cheveu et le fragment de tissu, les rapports balistique et chimique : le catalogue grandissant de pistes qui ne menaient nulle part.

« Donnez-moi cinq minutes, dit Cardinal. Le temps de terminer ça.

— J'avais cru comprendre que vous rédigiez vos rapports le soir.

— Il ne s'agit pas d'un rapport. »

Delorme pouvait voir l'écran de l'ordinateur de l'endroit où elle se tenait, mais Cardinal était certain qu'elle ne pouvait lire ce qu'il était en train d'écrire. Elle le regarda d'un air de curiosité puis le laissa, et il relut ce qu'il venait de taper. *J'ai pris conscience qu'en raison du délit dont je me suis rendu coupable, ma présence dans l'enquête Pine-Curry pourrait compromettre l'issue d'un procès. En conséquence, j'ai le devoir de...*

En conséquence, il faut que je me taille de cette affaire, et de toutes les autres, car une preuve apportée par un voleur patenté ne vaut pas un clou. Je suis le maillon faible de la chaîne. Plus vite je pars, mieux ce sera.

Pour la centième fois de la journée, il se demanda comment il allait avouer sa faute à Catherine, l'imagina emplie d'un terrible chagrin, non pas pour elle mais pour lui.

Il avait commencé par décrire les faits dans sa lettre. C'était arrivé pendant sa dernière année à la police de Toronto. Ils avaient fait une descente au domicile d'un dealer — Rick Bouchard, qui fournissait tout le nord de l'Ontario — et, pendant que les autres leur lisaient leurs droits, à Bouchard et à Kiki Babe, Cardinal était tombé sur le fric dissimulé dans le compartiment secret d'un placard. À sa plus grande honte, il était parti avec près de deux cent mille dollars dans les poches ; les autres cinq cent mille avaient servi de preuve lors du procès. Les suspects avaient été condamnés.

Pour ma défense, je peux seulement plaider... Mais Cardinal n'avait rien à dire pour sa défense. Il prit le sac posé au-dessus de l'écran. Non, pas la moindre circonstance atténuante, se dit-il en palpant les breloques accrochées au bracelet, comme les grains d'un chapelet : une trompette miniature, une harpe, une contrebasse.

Pour ma défense, je peux seulement avancer que la maladie de ma femme m'avait tellement bouleversé que... Non, il ne se cacherait pas derrière les souffrances de celle dont il avait trompé la confiance. Il effaça la phrase et tapa à la place : *Je n'ai aucune excuse.*

Bon sang, s'interrogea-t-il, il n'y a donc rien qui plaide en ma faveur ? Rien pour adoucir l'image d'un gangster en tenue de policier qu'il se faisait de lui-même ? *Ce n'est pas pour moi que j'ai pris cet argent...* Il tapa, et effaça.

Cela s'était passé pendant la première hospitalisation de Catherine. Cardinal était encore un jeune détective à la brigade des stupéfiants à Toronto, et il venait de connaître le cauchemar de voir sa femme transformée par le désordre mental en une personne qu'il ne reconnaissait plus : sans vie, déprimée jusqu'à l'autisme. Ça l'avait terrifié. Terrifié parce qu'il ne se sentait pas la force de vivre avec ce zombie qui avait pris la place de la femme pleine de vie et de joie qu'il aimait. Terrifié parce qu'il ne savait alors rien de la maladie mentale, encore moins de la difficulté d'élever seul une fillette de dix ans.

Ses doigts palpaient à travers l'enveloppe de plastique les contours d'une minuscule guitare.

Catherine avait passé deux mois à la clinique Clarke. Deux mois en compagnie de gens tellement confus qu'ils étaient incapables d'écrire leur propre nom. Deux mois pendant lesquels les médecins essayèrent sur elle diverses médications qui n'avaient apparemment pas d'autre effet que d'aggraver son état. Au terme d'une longue et douloureuse interrogation, Cardinal emmena

Kelly voir sa mère, ce qui se révéla une erreur pour tous les trois. Catherine ne supporta pas la présence de sa fille, et il fallut du temps à Kelly pour s'en remettre.

Puis les parents de Catherine étaient venus rendre visite à leur fille depuis le Minnesota et ils avaient été horrifiés par la lugubre créature au regard vide qui s'avançait vers eux en traînant les pieds. Ils s'étaient montrés aimables envers Cardinal, mais celui-ci avait senti qu'ils le tenaient plus ou moins pour responsable de la dépression de leur fille. Ils avaient parlé de la qualité des soins qu'elle recevrait aux États-Unis, « la médecine la plus performante du monde, avec des psychiatres tellement brillants ». Qui, d'après lui, écrivait tous ces livres ? Leur message était clair : si Cardinal tenait vraiment à leur fille, il devait l'envoyer se faire soigner de l'autre côté de la frontière.

Cardinal avait cédé. Ce qui l'exaspérait, même encore aujourd'hui, c'était d'avoir su que les Américains ne feraient pas mieux, qu'ils lui administreraient les mêmes drogues, manifesteraient un semblable enthousiasme pour les électrochocs, et échoueraient pareillement. Mais il n'avait pu supporter que les parents de Catherine pensent qu'il ne faisait pas tout son possible pour leur enfant. « Ne vous inquiétez pas, John, nous savons que la facture sera corsée, mais nous vous aiderons. » Ils le firent, mais leurs moyens étaient limités, et les notes de la clinique Tamarind à Chicago se chiffrèrent rapidement à des milliers de dollars.

Au bout de quelques semaines, Cardinal avait compris qu'il ne pourrait continuer à payer ; Catherine et lui ne posséderaient jamais de maison, ne finiraient jamais de rembourser leurs dettes. Aussi, quand l'occasion s'était présentée, Cardinal avait pris l'argent. Il avait pu régler la clinique et il lui était resté de quoi offrir de coûteuses études à Kelly. Accessoirement, il avait enterré l'homme droit et honnête qu'il s'était toujours efforcé d'incarner.

Je n'ai pas d'excuse, écrivit-il. *Chaque dollar volé m'a servi à sauver les apparences aux yeux de mes beaux-parents et à acheter l'amour et la reconnaissance d'une fille que j'ai toujours bien trop gâtée. Pour le moment, le plus important est que l'affaire Pine-Curry puisse être menée à son terme sans que la crédibilité de la brigade puisse être remise en cause.*

Il écrivit encore qu'il était sincèrement désolé, essaya en vain de trouver une meilleure formule, puis imprima la lettre, la relut et la signa. Il adressa l'enveloppe au chef Kendall, mentionna « personnel » et la déposa dans la corbeille du courrier interne.

Il avait projeté de rejoindre Delorme à la salle de conférences, mais il ressentait soudain un profond abattement. Le bracelet de Katie Pine luisait doucement dans son cocon de plastique. Katie Pine, Katie Pine, comme il aimerait que justice lui soit rendue avant qu'il ne quitte la brigade. Les colifichets accrochés au bracelet lui semblaient étrangers à la fillette, du moins à l'idée qu'il se faisait d'elle, celle de Katie championne de maths. Ces instruments miniatures s'accordaient mieux avec Keith London. Karen Steen avait dit qu'il trimballait partout une guitare. Et Billy LaBelle avait pris des leçons au Troy Music Centre, ce dont Cardinal ne se serait peut-être pas souvenu si en vérité cette boutique n'avait été le lieu où Billy LaBelle avait été vu en vie pour la dernière fois.

« Et Todd Curry ? » Cardinal avait, sans le vouloir, parlé à voix haute.

« Qu'est-ce que tu dis ? » demanda Szelagy, levant la tête de son propre écran. Mais Cardinal ne répondit pas. Il venait de sortir le dossier Curry, et celui-ci lui paraissait bien mince.

« Billy LaBelle, Keith London et Katie Pine s'intéressaient tous à la musique. Todd Curry aussi ? »

Il se rappelait parfaitement la chambre du garçon dans cette maison de banlieue à Toronto, le père effondré sur le seuil. Il se souvenait des jeux vidéo, de la carte du monde sur le bureau mais… la musique ? Où avait-il été question de musique ? Oui, dans la conversation qu'ils avaient eue avec les parents : Todd était abonné à des revues musicales sur le net. Alt.hardrock et Alt.rapforum. C'est ça, et il s'était étonné qu'un gosse blanc soit fan de rap.

Puis quelque chose d'autre glissa de la chemise, quelques mots gribouillés qui accélérèrent soudain les battements de son cœur. Quelqu'un, il ne savait plus qui au juste, avait reçu un appel téléphonique d'un professeur du lycée d'Algonquin Bay. Un certain Jack Fehrenbach signalait le vol de sa carte de crédit. « Szelagy, c'est ton écriture ? » Cardinal lui montra la note. « Tu as pris l'appel de Jack Fehrenbach ?

— Ouais, et je te l'ai dit, tu ne t'en souviens pas ?

— Bon Dieu, Szelagy. Tu ne vois donc pas l'importance que ça peut avoir ?

— Excuse-moi, mais je te l'ai signalé, et je ne vois pas ce que je pouvais faire d'autre… »

Mais Cardinal ne l'écoutait pas : une somme débitée du compte de Fehrenbach venait de mobiliser toute son attention. Le 21 décembre, soit le lendemain de la rencontre du professeur et de Todd, quelqu'un avait, pour la somme de deux cent cinquante dollars, acheté une platine de grande marque au Music Troy Centre.

Cardinal courut à la salle de conférences, où Delorme était au téléphone, prenant des notes sur un bloc jaune.

« C'est la musique. » Cardinal claqua dans ses doigts. « Todd Curry aimait le rap, vous vous rappelez ? Il voulait devenir disc-jockey, nous a dit Fehrenbach.

— Que se passe-t-il, Cardinal. Vous avez un drôle d'air. »

Cardinal lui montra le sac dans lequel le bracelet de Katie flottait comme un embryon. « Ce petit objet va nous mener au tueur. »

49

« McLeod, où est ton rapport sur le Troy Music Centre ? Tu les as interrogés quand tu enquêtais sur LaBelle, n'est-ce pas ?

— Pourquoi me le demander ? Tout est dans le dossier.

— Justement, ça n'y est pas. Tu te souviens du nom des types qui travaillent là-bas ?

— Ouais, il y en a deux. Alan Troy, le patron, et un autre, un dingue de guitare qui est là-bas depuis toujours. C'est lui qui donnait des leçons à Billy LaBelle.

— Tu as son nom ?

— Merde, non.

— McLeod, c'est après un tueur qu'on court.

— Non, justement. C'était sur une disparition que je travaillais, pas un meurtre, et je remontais les pas de Billy. C'était rien qu'une enquête de routine, alors viens pas me dire que j'ai déconné dans mon boulot, d'accord ? Pour ça, adresse-toi à notre regretté Dyson dit Tête de Nœud. Le type dont tu parles s'appelle Cari Sutherland.

— Tu as l'initiale du second prénom ?

— Oui. F pour Foutre. Ouvre les yeux, Cardinal, c'est dans mon rapport. » Sur quoi, McLeod quitta la salle en grommelant.

Cardinal perdit une dizaine de minutes à feuilleter les dossiers datant de l'automne précédent. « Delorme, vous voulez bien passer les identités des gens de Troy Music au fichier central, histoire de voir ce qu'il en sort.

— C'est déjà fait. Il n'y a plus qu'à attendre. »

McLeod revint. « Cari A. Sutherland, dit-il en posant une feuille sur le bureau de Cardinal. Je ne sais quel enfoiré a rangé ça par erreur dans le dossier Corriveau. Peut-être que si les gens arrêtaient de déconner avec mes affaires, j'pourrais enfin me mettre au travail. »

Delorme complétait l'identité de Sutherland, quand l'imprimante délivra la première recherche. « Rien sur Alan Troy. Casier vierge, local et national. »

Cardinal lisait le rapport qu'avait fait McLeod de son passage au magasin de musique, six mois plus tôt. On y apprenait que Troy était le patron et Sutherland, l'employé ; que Troy avait tenu son commerce, toujours sous la même enseigne, Troy Music Centre, en divers endroits de la ville et ce depuis vingt-cinq ans. Il avait embauché Sutherland dix ans plus tôt, juste avant son installation dans le centre commercial.

Les deux hommes, rapportait McLeod, connaissaient Billy LaBelle et s'étaient émus de la disparition du garçon. C'était Sutherland qui lui donnait les leçons de guitare. Billy était venu comme chaque mercredi soir, avait joué en compagnie de Sutherland et puis il était reparti. Le lendemain dans la soirée, Billy LaBelle était vu pour la dernière fois sur le parking du centre commercial.

Cardinal jeta un regard par la fenêtre. Après quelques jours de réchauffement, les bancs de neige ressemblaient à des crassiers, et des flaques d'eau sale luisaient au soleil. Troy et Sutherland n'avaient pas été interrogés à propos de Katie Pine ; les affaires n'étaient pas encore liées à ce moment-là.

Delorme s'était levée de son bureau pour lui apporter ce que venait de délivrer l'imprimante. « Je ne sais pas ce que vous en déduirez, mais Cari Sutherland vient de prendre la première place à mon hit-parade. »

Cardinal prit la feuille. Carl Sutherland avait été arrêté deux ans auparavant à Toronto pour attentat à la pudeur.

Cette découverte donna à Cardinal l'impression de se mouvoir soudain au ralenti, comme dans un rêve. Et, sans pouvoir se l'expliquer, il avait maintenant la certitude que Katie Pine était passée par Troy Music et qu'elle y avait rencontré Carl Sutherland, et que la terre s'était ouverte sous ses pieds.

Ce fut Delorme qui formula à sa place ce qu'il pensait : « Il faut refermer le cercle et conclure que Katie est passée chez Troy. »

Sans même réfléchir, Cardinal avait déjà décroché le téléphone, et Delorme le regardait comme si elle aussi était prise dans le même songe.

« Madame Pine, ici John Cardinal. » Il avait toujours espéré que la prochaine fois qu'il appellerait la mère de Katie, ce serait pour lui annoncer que l'assassin de sa fille était en prison. « Vous vous rappelez m'avoir dit que Katie voulait faire partie de la fanfare de son école ? »

La voix, traînante et morne, était presque inaudible. « Oui. Je ne sais pas pourquoi elle en avait tellement envie. »

Le silence retomba, et Cardinal se demanda si elle était toujours en ligne. « Vous m'entendez ?

— Oui, je vous entends.

— Madame Pine, est-ce que Katie prenait des leçons de musique ?

— Non. » Elle avait déjà répondu à cette question, la première fois, et elle en avait fait autant avec McLeod. Mais Dorothy Pine n'était pas du genre à se plaindre.

« Jamais suivi un cours de guitare ou de piano ?

— Non.

— Mais elle voulait faire partie de la fanfare, n'est-ce pas ? Et elle avait dans sa chambre une photo de cette même fanfare, alors qu'elle ne jouait pas avec.

— Oui.

— Madame Pine, je ne comprends pas pourquoi Katie aimait tant la musique, alors qu'elle ne la pratiquait pas. Elle voulait jouer dans un orchestre, et elle avait un bracelet avec des breloques qui étaient toutes des instruments miniatures.

— Je sais. Elle les achetait dans un magasin de musique. »

Et voilà que l'étrange sensation de ralenti revenait, et Cardinal rêvait les mots qu'allait prononcer Dorothy Pine. Il les sentait courir le long de la ligne du téléphone, avant même qu'il lui pose la question. « Dans quel magasin ? Vous vous souvenez du nom ? C'est très important.

— Non, je ne vois pas. »

Le souvenir lui reviendrait. Dorothy Pine allait lui répondre. Elle allait lui dire le nom de l'endroit, et ce serait Troy Music Centre, et le filet se resserrerait sur le tueur. Cardinal sentait une brise dans le téléphone, comme cette bouffée de vent qui précède l'entrée d'un train en gare.

« Je ne connais pas le nom, disait Dorothy Pine, mais je sais que c'est dans le centre commercial.

— Lequel, madame ?

— Elle ne connaissait pas d'autre endroit où trouver ces breloques. Elle y allait tous les mois pour en acheter une. La dernière fois, c'était un tuba, juste deux jours avant… avant que…

— Quel centre commercial, madame ? » Dis-le-moi, maintenant, pensait-il. Le même rêve qui nous entraîne, Delorme et moi, t'entraîne aussi, Dorothy Pine, et il fera sortir le mot-clé de ta bouche. Il avait envie de hurler : *Lequel, madame Pine ? Lequel ?*

« Le grand sur Lakeshore. Celui où il y a Kmart et Pharma City.

— Le centre commercial d'Algonquin, vous voulez dire ?

— Oui.

— Merci, madame. Merci. »

Delorme lui passa son manteau. Elle avait déjà enfilé le sien.

« Trouvez-moi Collingwood. On va avoir besoin d'un technicien de la Scientifique. »

Même une petite ville comme Algonquin Bay a ses heures de pointe, et l'épaisse couche de neige fondue rendait la chaussée plus visqueuse que d'habitude. Il n'était pas six heures du soir, et ils durent faire donner la sirène sur le périph' et de nouveau dans Lakeshore. Assis à l'arrière, Collingwood sifflotait nerveusement.

Cardinal essaya bien de garder son flegme une fois qu'ils furent entrés dans la galerie marchande, mais là aussi il y avait affluence, et il ne put se retenir d'écarter sans ménagement les gens de son passage pour arriver au magasin de musique.

« Monsieur Troy, Cari Sutherland est ici ?

— Il est occupé avec un élève. Puis-je vous aider ? »
Cardinal se dirigeait déjà vers une série de portes, au-
delà du comptoir et du rayon des guitares.

« Attendez une minute, intervint M. Troy. Pourriez-
vous me dire ce qui se passe ?

— Collingwood, restez ici avec M. Troy. »
La première porte donnait sur une réserve. La
deuxième ouvrait sur une pièce où une femme, assise
devant un piano, comptait à haute voix la mesure
donnée par un métronome. Cardinal poussa la troisième. Carl Sutherland plaçait les doigts d'un jeune
garçon sur les cordes d'une guitare. Il leva la tête.

« Vous êtes Carl Sutherland ?

— Oui.

— Police. Voulez-vous venir avec nous ?

— Comment ça ? Vous voyez bien que je suis
occupé.

— Tu veux bien nous laisser, mon petit, dit Delorme
à l'élève. Nous avons à parler avec M. Sutherland. »
Le garçonnet parti, Cardinal ferma la porte. « Vous
avez donné des leçons à Billy LaBelle, n'est-ce pas ?

— Oui, et je l'ai déjà dit au policier qui…

— Et vous connaissiez aussi Katie Pine, n'est-ce
pas ?

— Katie Pine ? La fillette dont on a retrouvé le corps
à Windigo ? Non, je ne la connaissais pas. J'ai vu sa
photo dans le journal, mais je ne l'ai jamais rencontrée
de ma vie.

— Ce n'est pas ce qu'on nous a dit, intervint Delorme.
Katie est venue ici deux jours avant sa disparition.

— Si c'est le cas, je ne l'ai pas vue. Qu'est-ce que
vous me voulez ? C'est le plus grand centre commercial
de la ville, et tout le monde passe par ici.

— Tout le monde ne s'est pas fait ramasser pour attentat à la pudeur, monsieur Sutherland.

— Oh, merde.

— Tout le monde ne se donne pas en spectacle dans le fond d'un cinéma porno.

— C'est pas vrai, murmura Sutherland en vacillant légèrement sur son siège, le visage blanc comme cire. Je croyais cette histoire enterrée à jamais.

— Vous voulez venir avec nous au poste pour nous en parler ? Ou bien préférez-vous qu'on s'adresse à votre femme ?

— Vous n'avez pas le droit de me bousculer comme ça. J'ai obtenu la relaxe, au cas où vous ne le sauriez pas. » Sutherland était toujours blême, mais sa voix charriait une indignation véhémente. « Je ne suis pas fier de cette aventure, mais qu'est-ce qui vous donne le droit de me la rappeler de cette façon ? Un cinéma sombre comme un four n'est pas exactement une place publique, et le juge en a tenu compte. Par ailleurs, c'était une histoire entre adultes consentants, et cela ne vous regarde pas.

— Billy LaBelle nous regarde. Vous êtes la dernière personne à l'avoir vu en vie.

— Et quel rapport entre Billy LaBelle et moi, vous pouvez me le dire ?

— C'est à vous de le dire. Vous étiez son professeur de musique, répondit Delorme.

— Oui, et après ? J'ai déjà raconté tout ce que je savais à votre collègue. Billy venait chaque mercredi soir. Ce mercredi-là, il est parti à l'heure habituelle, et je ne l'ai jamais revu. C'est terriblement triste. Billy était un gosse vraiment très gentil. Mais je ne lui ai rien fait, si c'est à ça que vous pensez. Je le jure.

« — Et ce garçon, vous ne le connaissez pas non plus ? »

Cardinal lui montra la photo de Keith London jouant de la guitare.

« Non, jamais vu. Je ne connais pas tous les garçons qui jouent de la guitare. »

Sutherland n'avait pas cillé à la vue de la photo. Il avait peur, certes, il était secoué et aussi en colère, mais le visage de Keith London n'avait rien ajouté à son émoi. La certitude de Cardinal s'en trouva quelque peu ébranlée. Il sortit la photo de Katie Pine.

« C'est la fillette assassinée, dit Sutherland. Je vous l'ai dit, j'ai vu son portrait dans le journal, mais je ne l'ai jamais rencontrée.

— Elle est pourtant venue ici deux jours avant sa disparition. Elle a acheté une breloque pour son bracelet. Des instruments de musique miniatures, comme vous en avez en vitrine.

— Nous ne sommes pas les seuls à en vendre.

— Nous savons qu'elle l'a achetée ici.

— Peut-être, mais je ne l'ai pas vue. Regardez dans l'inventaire, si vous ne me croyez pas.

— L'inventaire ?

— Oui, nous consignons tous les achats sur ordinateur. Vous saurez qui lui a vendu ce colifichet. Nous n'en écoulons pas des centaines. Trois ou quatre par mois, je dirais. »

Alors qu'ils sortaient de la pièce, Alan Troy cria : « Qu'est-ce qu'il y a, Carl ? Que se passe-t-il ? » Mais Sutherland passa sans lui répondre et emmena Cardinal et Delorme dans un petit bureau encombré. Presque enseveli sous les papiers, l'écran d'un ordinateur affichait des colonnes de chiffres. Sutherland s'assit devant le clavier et appuya sur quelques touches. L'écran se vida. « Vous avez la date ? demanda-t-il sans les regarder. La date de la disparition de la fillette ?

— 12 septembre de l'an passé. Elle a acheté sa breloque deux jours avant.

— Bon, voyons le numéro de référence de l'article. » Il consulta un catalogue épais comme un annuaire, trouva ce qu'il cherchait et tapa les chiffres. « On va savoir combien on a vendu de breloques l'an passé. » Il tambourina des doigts en attendant que l'information apparaisse. « Voilà… sept. » Il exécuta une nouvelle recherche pour avoir le mois.

« C'est là, dit Delorme en pointant son index sur l'écran. 10 septembre. »

Sutherland cliqua. Une facture s'afficha. « Vous voyez le chiffre trois, là-haut dans le coin droit ? C'est celui du vendeur. Alan a le un, moi le deux, et Eric le trois.

— Eric qui ?

— Eric Fraser. Il travaille à mi-temps ici. Il s'occupe surtout du stock mais, quand il y a du monde — à l'heure du déjeuner ou le soir —, il tient aussi la caisse. Il y a même l'heure de la vente… seize heures trente. Et si on cherche maintenant dans l'emploi du temps, vous allez voir qu'à cette heure-là j'avais une leçon de guitare. C'est donc à Eric Fraser qu'il faut vous adresser, pas à moi.

— Monsieur Sutherland, y a-t-il quelque chose que M. Fraser ait touché récemment ? Avec ses mains, je précise. Quelque chose que personne d'autre n'aurait touché ? »

Sutherland réfléchit puis, se levant, leur fit signe de le suivre.

Alan Troy contourna Collingwood et demanda d'un ton ému ce qui se passait. « Alan, l'interrompit Sutherland, est-ce qu'Eric a nettoyé les Martin, hier ?

— Je vais appeler le chef de la police, dit Troy d'une voix tremblante. Je ne permettrai pas qu'on traite mon personnel de cette façon et je ne…

— Alan, pour l'amour du ciel, dis-moi si Eric a lustré les Martin.

— Les Martin ? » Le regard de Troy alla de Sutherland à Delorme et à Cardinal, avant de revenir sur son employé. « Tu veux savoir si Eric a lustré les Martin ? C'est pour savoir ça que la police est ici ? Oui, hier, Eric a lustré les Martin. »

Cardinal demanda si quelqu'un d'autre avait touché les guitares. Non. Les affaires allaient doucement, les Martin étaient de coûteux instruments, et personne ne les avait même effleurées des doigts.

Cardinal, qui n'avait pas ôté ses gants, décrocha l'une des guitares appuyées contre le mur. « Il doit les prendre par le fond pour les remettre en place sur l'étagère, n'est-ce pas ? »

Alan Troy, passant de la colère à la fascination, hocha la tête. Cardinal tendit la Martin à Collingwood.

Et Collingwood, silencieux comme toujours, saupoudra la caisse, souffla sur la poudre. Deux empreintes très nettes apparurent. Il sortit de sa poche le relevé des pouces effectué sur la gorge d'Arthur Wood.

« Parfaitement identiques, dit Collingwood. C'est clair comme le jour. »

50

Eric et Edie avaient eu raison : le chatterton était beaucoup plus efficace et leur donnait moins de mal que les drogues. En dépit de ses efforts, Keith London n'avait pu distendre le ruban, ne fût-ce que de quelques millimètres. Ses poignets et ses chevilles étaient fermement liés. Seul l'adhésif qui le bâillonnait s'était légèrement relâché sous l'action de la salive et il pouvait émettre des sons audibles, maintenant.

Mais c'était le siège lui-même qui commençait à fatiguer. En imprimant un mouvement de balancier latéral, il sentait les joints jouer.

Sitôt qu'Eric et Edie quittaient la maison, comme c'était présentement le cas, Keith se balançait, sentant les chevilles et les vis travailler dans le bois. Cela faisait deux jours maintenant qu'ils ne le nourrissaient plus, et la tâche l'épuisait. Il devait s'arrêter toutes les deux ou trois minutes pour reprendre son souffle.

Eric et Edie ne tarderaient plus maintenant à lui injecter un sédatif et à l'emmener dans quelque lieu isolé, où ils... Il s'efforçait de chasser de sa mémoire les images de la vidéo.

Il s'était balancé pendant plus d'une heure ce matin, en vérité depuis qu'il s'était réveillé. Poignets et chevilles étaient à vif, et sa blessure à la jambe le faisait atrocement souffrir. Mais le jeu entre les pieds et l'assise s'agrandissait petit à petit, et il parvenait maintenant à s'incliner de près de vingt degrés à chaque déplacement de son poids.

Il s'arrêta, tendant l'oreille. Martèlement de pas et raclement de chaises au-dessus de lui. Eric et Edie étaient rentrés. Keith reprit son manège en dépit de la peur qu'ils l'entendent. Non, se dit-il, le sol est en ciment, et le grincement trop faible pour être perçu là-haut.

Il se pencha de nouveau d'un côté et de l'autre, et oui, le siège se démantelait. Il pouvait maintenant se tourner légèrement de côté. S'il pouvait porter son effort et son poids sur le point le plus fragilisé, à l'intersection de l'assise et du dossier...

Dans la cuisine, Eric ouvrit le sac marin de Keith et le vida par terre. Nul sentiment de gêne en lui, alors qu'il s'accroupissait pour fouiller dans les affaires personnelles d'un autre : les paires de chaussettes bien pliées, les caleçons longs, des lunettes de soleil et de la crème protectrice — merde, le type projetait de faire du ski ? —, un guide de l'Ontario et un exemplaire écorné du *Jeu des perles de verre*.

Il se redressa. « Je lis la liste, et toi tu ranges les trucs dans le sac. » Il sortit une feuille de papier de la poche arrière de son jean, la déplia.

« Chatterton. »

Edie ouvrit le tiroir près du réfrigérateur, prit le rouleau d'adhésif et le rangea dans le sac.

« Corde. »

Edie fit de même avec les quelques mètres de filin achetés à Toronto.

« Tournevis à tête plate… Tournevis cruciforme…

— Bon sang, Eric, pourquoi autant de tournevis ? » Eric lui jeta un regard glacé. « Pinces…

— Pinces.

— Chalumeau…

— On ferait peut-être bien de voir s'il fonctionne avant de l'emporter. » Eric ouvrit la valve et, comme le gaz commençait à siffler, Edie craqua une allumette. Le butane s'enflamma avec un bruit feutré. Elle tourna la mollette du débit, et une langue bleue jaillit, qui manqua brûler la manche d'Eric. « Oh ! ça, c'est une trouvaille ! » s'écria-t-elle en refermant la mollette, et la flamme rentra dans la bouteille comme une langue.

« Démonte-pneu…

— Nous n'en avons pas.

— Je l'ai rapporté ici, après l'île. Il est en bas, à côté de l'escalier. »

Edie sortit de la cuisine pour descendre dans la cave.

« Profites-en pour jeter un coup d'œil sur le prisonnier. »

Il prit un couteau à découper dans son sac à dos, le sortit de sa gaine, tâta le tranchant de son pouce. Puis, se tournant vers le couloir, il cria : « Rapporte aussi une pierre à aiguiser, s'il y en a une ! »

Il tira de sa poche une boulette de papier contenant six pilules de PowerUp et les aligna sur la table. Il remplit un verre d'eau, s'assit à table et les glissa une par une dans sa bouche, secouant la tête chaque fois qu'il en avalait une. Un frisson lui parcourut l'échine.

« Edie ! appela-t-il de nouveau. Remonte une pierre à aiguiser ! » Il écouta pendant un instant, reposa lentement le verre d'eau, remit le couteau dans sa gaine et le glissa dans sa poche de devant. Puis, sortant de la

cuisine, il gagna l'escalier et appela sans élever la voix :
« Edie ?

— Viens la chercher, salaud ! »

Eric descendit sans bruit les marches. Il pourrait se
sortir de là. Sans problème. Il suffisait de maîtriser ses
émotions. Arrivé en bas, il ramassa le démonte-pneu et
le glissa sous son ceinturon, dans son dos.

Il respira un grand coup et entra dans la petite pièce.
Ça puait la merde et la peur. La chaise était en morceaux. Le prisonnier tenait Edie par-derrière, l'un des
barreaux pressé contre sa gorge.

« Couche-toi par terre ! lui cria Keith.

— Non. Lâche-la d'abord.

— Couche-toi ou je lui brise le cou. »

Il ne tuera personne, pensa Eric. S'il en avait eu la
force, il aurait obligé Edie à remonter avec lui. Cette
crétine était terrifiée et gémissait sous le ruban avec
lequel le prisonnier l'avait bâillonnée. Elle était d'une
laideur repoussante avec son visage congestionné et
cette peau toute craquelée et suintante. Le barreau de
chaise s'enfonça davantage dans sa gorge et elle vira
au pourpre.

« À plat ventre ! À plat ventre sinon je la tue. Tu crois
que j'hésiterais ? »

Reste calme, se dit Eric. Ce type tient à peine sur ses
quilles tant il est faible, et il est blessé à la jambe. Si
on se bat, je gagnerai. Reste calme. Réfléchis. « Le problème, Keith, c'est que si j'obéis, rien ne t'empêchera
de nous tuer tous les deux.

— Je répète, je la tue sur-le-champ si tu le fais pas.

— Calme-toi, Keith. Tu l'étrangles.

— Un peu que je l'étrangle. » Il se voulait dur mais
des larmes coulaient sur ses joues ; en fait, il sanglotait
tellement qu'il pouvait à peine parler. Étrange réaction,

pensait Eric. Les nerfs ? L'apitoiement sur lui-même ?
Mais quel que fût l'émoi du prisonnier, le barreau de
bois pressait cruellement sur la gorge d'Edie. Prisonnier, tu fais une terrible erreur, là, parce que tu vas
mourir en souffrant, crois-moi.

« Tu as un couteau dans ta poche. Je vois le manche.
Sors-le et jette-le. »

Eric fit ce qu'on lui demandait et balança couteau et
gaine hors de portée de Keith.

« Maintenant, à plat ventre ! »

Eric hésita, et le prisonnier se mit à hurler. « Tout de
suite ! Tout de suite ! » Et Eric commença de se baisser.

Il sentait la barre de fer peser dans son dos. Il savait
qu'il ne pouvait s'en servir sans blesser Edie. « Je me
couche, Keith, je me couche. Ne fais de mal à personne,
d'accord ? » Et lentement il s'agenouilla.

Ce qui se passa ensuite fut si rapide que Keith n'eut
pas le temps de réagir. Eric tendit la main derrière lui.
Keith hurla et tira Edie en arrière, s'en servant comme
bouclier, mais ce ne fut pas Keith qu'Eric frappa, ce fut
Edie.

Le coup l'atteignit à la tempe. Ses jambes ployèrent
sous elle, et elle tomba, sans que Keith puisse la retenir.
Instinctivement, il s'élança vers la porte. Il allait la franchir quand le démonte-pneu s'abattit juste derrière son
crâne près de la nuque, et il s'effondra comme un bœuf
sous le merlin.

51

675 Pratt Street East, telle était l'adresse qu'Eric Fraser avait déclarée à son employeur, M. Troy. C'était là qu'ils fonçaient maintenant, sans sirène. La météo avait annoncé une tempête de neige, mais la température était toujours aussi douce, et c'était de la pluie qui tambourinait sur le toit de la voiture. Les essuie-glaces couinaient sur le pare-brise. Cardinal avait déjà appelé des renforts, en tenue civile, mais il n'y avait pas une seule voiture en vue quand ils arrivèrent au coin de Pratt et de MacPherson.

« Je ne savais pas qu'il y avait des maisons au-delà du numéro 500 », dit Delorme.

Après le dernier pâté de petits immeubles, la voie ferrée traversait Pratt Street et, un peu plus loin, de petites baraques délabrées flanquaient un bout de route même pas goudronné.

La voix de Mary Flower grésilla dans la radio. « Vous allez devoir attendre… pour le soutien. Un semi-remorque s'est mis en travers du pont autoroutier, et il y a un bouchon de cinq kilomètres.

— Bien reçu, répondit Cardinal. Que dit le fichier central sur Fraser ?

— Absolument rien. Casier vierge en ce qui concerne la province d'Ontario. Nada.

— Ça ne me surprend pas, commenta Cardinal. Troy nous a dit que Fraser n'avait pas plus de vingt-sept ou vingt-huit ans.

— Et rien non plus sur le fichier national, reprit Flower. Innocent comme un nouveau-né.

— S'il a commis un délit, ce doit être comme mineur. Voyez ce que vous pouvez trouver de ce côté-là.

— Restez en ligne, je consulte. » Ils entendirent la douce Mary gueuler qu'on lui libère l'imprimante avant Noël prochain. « Vous avez vu juste. Il y a quelque chose. Prêt ?

— Je vous parie qu'il est tombé pour cruauté sur des animaux, dit Cardinal à Delorme. Je vous écoute, Mary.

— À treize ans, vol avec effraction. Quatorze ans, vol avec effraction. Quinze ans, cruauté envers des animaux.

— C'est bien lui », dit Delorme.

Cardinal sentit de l'électricité lui picoter les doigts. Ponctuer sa démission par l'arrestation d'un tueur en série était la plus belle sortie que l'on pût souhaiter.

McLeod venait de se poster au coin de MacPherson, essuie-glaces en marche. Cardinal avait ordonné à tout le monde de ne pas approcher de la maison tant qu'il ne serait pas lui-même à pied d'œuvre. Quand McLeod les vit, il sortit de la voiture et, tenant sa capuche d'une main, traversa au pas de course le carrefour pour s'engouffrer à côté de Collingwood en pestant : « Putain de mois de février, je vous jure. Vous avez déjà vu une pluie de mousson à cette époque ? Ça, c'est toute cette pollution que nous balance Sudbury, il n'y a pas de doute. »

La voix de Flower reprit : « Fraser s'est également fait remarquer à Saint-Barthélemy. Il y a deux ans moins un jour.

— Agression, je parie, dit Cardinal dans le micro.

— Agression aggravée, confirma Flower. Il a eu un petit désaccord sur un point technique avec son chef d'atelier.

— Et il a essayé sur lui la pointe d'un burin ?

— Non. Il lui a couru après avec un chalumeau. »

52

Keith London rêvait. Il nageait dans une onde verte au cœur d'une jungle, et des singes assis sur une branche basse se penchaient pour boire, écopant l'eau de leurs pattes. Hors les rides provoquées par la petite colonie d'assoiffés, la surface était lisse comme du jade.

Il rouvrit les yeux, perçut l'odeur de l'eau. La pluie tombait avec un bruit mat sur du bois. Il avait la sensation d'avoir le crâne fendu, et la douleur était si forte qu'il en avait la nausée. Il bougea légèrement la tête, et manqua vomir. Le lieu dans lequel il se trouvait était sombre et glacial, et très humide. Il était vêtu d'un blue-jean et d'un pull déchiré qui ne suffisaient pas à le protéger du froid ; il ne se souvenait pas de s'être habillé. Là-bas, trop loin pour qu'il en bénéficie, un radiateur à gaz rougeoyait. Eric Fraser était à quelques pas de lui, occupé à installer sa caméra sur un trépied.

Je suis sur une table. Quelque part dans une cave. Cette vague odeur de vase. Je suis près d'un lac. C'est une odeur d'humidité permanente. Et il pleut... la pluie bat contre les ouvertures obstruées par des planches.

D'énormes tuyaux traversent le plafond, disparaissant plus loin dans l'obscurité. Bien sûr. La station de pompage.

Il essaya de bouger, mais ses bras étaient solidement ligotés le long de son corps sur la table étroite. Eric continuait de mettre son matériel en place. *Essaie de le raisonner, de lui parler avant qu'il ne pète les plombs comme sur cette vidéo.*

« Écoute, Eric, dit-il en s'exhortant au calme, ma copine doit s'inquiéter, maintenant. Je lui ai dit dans ma lettre où et avec qui j'étais. »

Eric ne lui prêta pas la moindre attention. L'air satisfait de son installation, il chantonnait tout bas en sortant du sac de Keith des objets qu'il alignait sur une large planche en bois et que Keith s'efforça de ne pas regarder. « Eric, tu pourrais te faire de l'argent. Mes parents paieront. Ma famille et aussi celle de ma copine sont aisées. Ils n'hésiteront pas à payer une rançon. »

Mais il semblait qu'Eric fût devenu sourd. Il sortit du fourre-tout une paire de pinces coupantes et, s'approchant de Keith, le regarda de ses petits yeux brillants de furet en faisant claquer les mâchoires de l'outil sous le nez de Keith.

« On pourrait te verser l'argent sans que personne sache qui tu es. On pourrait même effectuer plusieurs versements. Pas de raison que ça ne continue pas un certain temps. Je t'en prie, Eric, écoute-moi. Tu pourrais te faire trente ou quarante mille dollars. Peut-être cinquante. Pense à tout ce que tu pourrais t'offrir avec ça. Pourquoi ne me laisses-tu pas les appeler, Eric ? »

Eric Fraser sortit un sac en papier qui contenait un sandwich. Une odeur de thon envahit soudain l'air. Il s'assit dans la pénombre, le dos à la chaleur du radiateur. Un os de sa mâchoire se mit à craquer quand il commença à mastiquer. « J'aimerais bien qu'Edie arrive avec les lumières, dit-il au bout d'un moment. » Il frappa le sol du talon de sa botte. « L'éclairage donnera bien, ici. C'est nul, quand on ne voit pas ce qu'on fait.

— Réfléchis à ce que je t'ai dit, Eric. Tu pourrais être à l'abri du besoin pendant longtemps. Tu ne serais pas obligé de travailler. Tu aurais les moyens de voyager, d'aller où tu veux. Quel est l'intérêt de me tuer ? Ça ne te mènera nulle part. Tu te feras prendre tôt ou tard. Pourquoi ne pas tirer profit de tout ça ? Ça vaudrait mieux pour toi que de me tuer, non ? »

Eric termina son sandwich et jeta le papier par terre. « J'aimerais bien qu'Edie arrive avec les lumières, dit-il de nouveau.

— Eric, je t'en supplie, d'accord ? Si tu veux que je me mette à genoux, je me mettrai à genoux. Dis-moi ce que je dois faire. Eric, tu m'entends ? Je te supplie de m'accorder la vie sauve. Je ferai tout ce que tu voudras. Tout. Mais laisse-moi la vie. »

Cette dernière prière n'obtint pas davantage de réponse.

« Eric, je te trouverai du fric, je te le jure. Je braquerai un magasin. Laisse-moi juste partir. »

Eric glissa de son tabouret et choisit une paire de ciseaux. Il s'approcha de Keith en faisant claquer les deux branches, comme font les coiffeurs. Puis, soulevant les cheveux de Keith au-dessus de l'oreille, il coupa une petite boucle et la tint un instant dans un rai de lumière. « J'aimerais bien qu'Edie arrive avec les éclairages. »

53

La vieille maison gîtait sous la tempête de l'autre côté de la voie ferrée. L'auvent ployait sous le poids de la glace fondante. Au coin du toit, un morceau de papier goudronné s'agitait dans le vent tel un oiseau blessé. On percevait le bruit de la circulation sur le pont qui, plus loin, enjambait le chemin de fer.

McLeod se souvenait de l'endroit, du temps où il était encore en uniforme. « On venait cogner à leur porte un samedi sur deux. Le vieux Stanley Markham — Cardinal, tu te souviens de Stanley ? — se bourrait la gueule et cassait tout en rentrant chez lui. Le salopard était costaud. Il m'a pété le bras en deux endroits, ce qui lui a valu de prendre trois ans. Quelques années plus tard, son foie a fini par le tuer et, bon sang, je l'ai pas regretté, l'enfoiré. Ça puait la pisse de chat dans leur baraque, que c'était pas respirable.

— Qui habite ici, maintenant ? » demanda Cardinal. Ils observaient la maison à travers le va-et-vient des essuie-glaces, comme s'ils redoutaient qu'une bourrasque ne l'arrache de ses fondations et l'emporte comme une vieille salopette rapiécée dans le ciel et la pluie glacée.

« Qui crèche ici ? reprit McLeod. Mais c'est la douce Céleste, la fidèle veuve du vieux bouc, une vraie troglodyte. Cent cinquante kilos, une voix éraillée comme un vieux 78 tours et balèze comme son mari. Si son QI était un poil plus bas, il faudrait lui donner la becquée.

— Fraser a une Ford Windstar, dit Delorme. Je ne la vois nulle part.

— Fraser a aussi un otage, dit Cardinal, et je ne vais pas attendre plus longtemps pour savoir s'il est chez lui ou pas.

— Minute, intervint McLeod. Un peu de soutien ne nous ferait pas de mal, tu ne crois pas ? On forme pas vraiment une brigade d'intervention, à nous quatre. »

Ce qu'il entendait par là, traduisit Delorme, c'est qu'avec une femme et un mec de la scène de crime, on était loin du poids.

Un fourgon marron d'UPS arriva en bringuebalant et s'arrêta à quelques mètres derrière eux dans un gémissement de vieux freins malmenés.

« Attendez-moi. » Cardinal sortit de la voiture, grimaçant sous la pluie givrée qui lui cinglait le visage. Il montra sa plaque au chauffeur et grimpa sur le siège du passager. Le type était un Indien du nom de Clyde. Sous la casquette brune, ses hautes pommettes lui donnaient l'air d'un soldat mongol.

« Clyde, j'ai besoin de votre aide. Pourriez-vous me prêter votre blouson ?

— Il vous faut un camouflage ? dit Clyde en regardant droit devant lui, comme s'il s'adressait à la pluie, aux monticules de neige fondante.

— Oui, juste pour une dizaine de minutes. Ça nous évitera de sortir nos flingues. On n'a pas envie d'une fusillade dans ce paisible quartier résidentiel en plein jour.

— Si on échangeait ? Mon uniforme contre votre plaque ? » Toujours sans tourner la tête.

« Non, Clyde, impossible. »

Le bonhomme le regarda enfin et son sourire dévoila la plus belle rangée de dents que Cardinal eût jamais vue. « Vous pouvez le prendre. Je déteste porter ce machin, de toute façon. »

Cardinal ôta son manteau et se contorsionna pour enfiler le blouson marron, qui le serrait un peu aux épaules.

« C'est quoi, votre pétard ?

— Beretta.

— Vous vous en servez beaucoup ?

— Jamais. Il est tout neuf. De quoi j'ai l'air ?

— D'un flic déguisé en livreur d'United Parcel. Prenez un ou deux colis avec vous. Ça vous aidera peut-être à entrer.

— Bonne idée, Clyde. Vous feriez un bon policier.

— Je peux pas les blairer, les flics, répliqua Clyde, s'adressant une fois de plus à la route et à la pluie. Bon, vous êtes prêt ? J'ai des trucs urgents, moi.

— J'ai aussi besoin de votre fourgon, Clyde. Pouvez-vous m'attendre quelque part, parce que deux types dans un véhicule d'UPS, ça ferait bizarre. Vous n'allez jamais par deux, n'est-ce pas ?

— C'est vrai. » Il prit le paquet de cigarettes posé sur le tableau de bord. « J'serai chez Toby, c'est le petit rade au coin de la rue. » L'Indien sauta à terre. « Attention, la seconde est une vraie saloperie. Faut embrayer à mort et emballer le moteur pour passer directement la troisième. Z'êtes sûr que vous voulez pas que je conduise ?

— Merci. Je me débrouillerai. »

Cardinal cala en plein milieu de la voie ferrée. Une réussite, pensa-t-il, fais-toi passer dessus par un train de marchandises avant l'arrivée des renforts. Il redémarra le moteur, fit comme avait dit Clyde, directement en troisième, et traversa un océan de bouillasse jusqu'à la voiture banalisée. Delorme abaissa la vitre.

« Je vais jusqu'à la maison, leur dit Cardinal. Donnez-moi trois minutes, une fois qu'elle aura ouvert la porte. Dès que je suis dedans, tu t'occupes d'elle, McLeod, et vous, Delorme, vous me suivez. D'accord ?

— Vous entrez, McLeod s'occupe de madame. Moi, je vous suis.

— Et Collingwood fonce dans la cave. »

McLeod se pencha vers lui. « Fais gaffe à la Céleste. Elle a toujours fait une allergie aux flics. »

Cardinal repartit et, deux minutes plus tard, il s'arrêtait devant la maison. Il choisit un colis juste assez gros pour dissimuler le Beretta. Il regrettait de ne pas avoir son 38 spécial et s'en voulait de ne pas s'être entraîné au tir. Il trouvait le canon trop long, la crosse peu maniable.

Céleste Markham ouvrit la porte, et une puissante odeur de pipi de chat assaillit Cardinal. Les yeux de la femme, deux trous noirs perdus dans les replis du visage boursouflé, émettaient deux rayons jumeaux d'hostilité et d'ennui. Sa robe crasseuse, à motif fleuri, s'ouvrait sur de gros seins effondrés. Un fin duvet blond lui moustachait la lèvre supérieure. « J'ai rien commandé, grognassa-t-elle. C'est pas ici.

— Madame Markham, je suis officier de police et je suis ici pour Eric Fraser. » Un escalier à droite, le salon à gauche. La porte de la cave devait être sous l'escalier.

« Il est pas là. Et vous entrez pas. » Elle voulut refermer la porte mais Cardinal la bloqua du pied. Et puis, comme Delorme et McLeod grimpaient la volée de marches du perron, il entra en force, son coude disparaissant dans les profondeurs humides du ventre que lui opposait Céleste.

Il entendit celle-ci hurler après McLeod, alors qu'il se précipitait quatre à quatre dans l'escalier. Il passa devant une chambre d'où montait la clameur d'un jeu télévisé. Il jeta un coup d'œil à l'intérieur et vit une douzaine de chats autour d'une bouteille de deux litres de Coca et d'un bol de Cheetos. Il y avait une salle de bains sordide au fond du couloir, ainsi qu'une autre porte fermée, fraîchement repeinte. « Police ! »

La porte était verrouillée. Cardinal donna un coup de pied à hauteur de la serrure, et Céleste beugla depuis le rez-de-chaussée : « Feriez mieux de rien casser ! »

Le battant était creux et le pied de Cardinal passa à travers. Il glissa la main dans le trou et ouvrit le verrou. Il entra, le Beretta à la main, Delorme derrière lui.

Après la puanteur et la saleté des autres pièces, cette chambre était étonnamment propre. Elle sentait le savon, au lieu du pipi de chat. Le lit était fait au carré. Les vitres anciennes de l'unique fenêtre, nettoyées avec un soin maniaque — certainement pas par Céleste —, offraient une vue nette de la passerelle. Cardinal avait souvent remarqué que les gens qui avaient fait de la prison, même les mineurs, tenaient leur logement avec un soin extrême, comme des marines.

Il y avait dans l'armoire, suspendus sur des cintres, quatre chemises et deux pantalons parfaitement repassés. Deux paires de bottes à talons de trois centimètres étaient rangées côte à côte ; le cuir était usé mais impeccablement ciré.

Il n'y avait rien sur le petit bureau. L'unique tiroir ne contenait qu'un stylo à bille et un carnet jaune aux pages vierges. Sous le bureau, une trentaine de livres de poche étaient soigneusement rangés dans un carton.

« Cette pièce est tellement vide qu'on la dirait inhabitée », dit Delorme.

Collingwood venait d'apparaître sur le seuil. « Rien dans la cave, rapporta-t-il. La grosse dit que Fraser n'occupe que cette chambre et qu'il ne met jamais les pieds dans le reste de la maison.

— Où prend-il ses repas ? s'étonna Cardinal. C'est à se demander si ce type a des besoins normaux.

— Il y a quelque chose là-dessous », dit la voix assourdie de Delorme, la tête passée sous le bord du sommier. Elle tira à elle un étui de guitare. En prenant garde de ne pas brouiller d'éventuelles empreintes, elle ouvrit les deux fermoirs. C'était une Ovation, en très bon état.

« Keith London joue de la guitare, et je suis sûr que Karen Steen a parlé d'une Ovation. Nous allons sceller cette chambre et Arsenault s'en occupera. »

Ils poursuivirent leurs recherches en silence pendant quelques minutes. La guitare était une preuve solide qui pourrait lier Fraser à Keith London, mais pour l'instant, elle ne menait nulle part. Cardinal était très frustré par l'ordre de cette cellule de moine. Il trouva un carton dans la penderie, mais il ne contenait que des factures, elles aussi bien rangées. Une petite boîte en fer livra des trombones et des élastiques. Mais il dénicha dans un coin une boîte à chaussures, maintenue fermée par un ruban de velours bleu. Cardinal s'attendait à y trouver des photos, peut-être un journal. Ce qu'il découvrit lui arracha un frisson qui lui rappela la découverte de Todd Curry.

« On dirait une chambre d'hôpital, disait Delorme. Je devrais employer ce type comme homme de ménage.

— Non, je ne pense pas que vous en auriez envie », dit Cardinal avec effort. Les trois souvenirs disposés en bon ordre dans la boîte lui coupaient les jambes. Delorme s'approcha de lui pour regarder, et le hoquet qu'elle étouffa fit écho à ce qu'il ressentait.

Il y avait là trois mèches de cheveux, chacune de couleur et de texture différentes. L'une était plate et noire, et devait appartenir à Katie Pine. Une autre — celle de Todd Curry, vraisemblablement — était bouclée et châtain foncé. La troisième, blonde, était à Billy LaBelle. Il n'y en avait pas de Woody, car ce meurtre avait été imprévu, presque accidentel, de même qu'il manquait celle de Keith London, qui avait les cheveux longs, plats et châtain clair.

En bas, Céleste Markham et McLeod se menaçaient l'un l'autre à tue-tête. S'il ne fichait pas le camp de là, elle allait lui casser son autre bras. Eh bien, vous allez répéter ça devant le juge, répliqua McLeod.

« Collingwood, dit enfin Cardinal, allez dire à McLeod de la fermer un peu pour qu'on puisse réfléchir. Qu'ils aillent se disputer dans la voiture. »

Cardinal ouvrit les tiroirs de la commode : chaussettes disposées comme des missiles, T-shirts repassés et pliés en carrés parfaits, pulls qui semblaient neufs. C'était bien leur veine d'être tombés sur un maniaque de l'ordre. Même la corbeille était vide. Cardinal reprit le calepin jaune, le feuilleta. Rien n'en tomba. Il plaça alors la première page contre la vitre. De faibles impressions prirent lentement forme sous ses yeux… une liste d'objets, semblait-il.

« S.P., dit-il. Qu'est-ce ça peut désigner, à votre avis ? demanda-t-il dans le silence enfin revenu et que seul troublait le miaulement d'un chat.

— S.P. ? Peut-être les initiales d'une victime que nous ne connaissons pas ?

— Non, il a écrit… Trout Lake S.P. Nous savons qu'il aime bouger, changer d'endroit : le puits de mine, la maison vide. Et il connaît les environs de Trout Lake, parce que c'est près de la marina qu'on a retrouvé le corps de Woody. Et il y a une liste de ce qu'il veut prendre avec lui : du chatterton, des pinces…

— Démonte-pneu, poursuivit Delorme qui s'appuyait sur lui pour déchiffrer elle aussi la page. Et ensuite, c'est quoi… ? Des piles, il me semble.

— Mais S.P. ? reprit Cardinal. À Trout Lake ? Qu'est-ce qu'il peut bien y avoir à Trout Lake qui commence par un S et se poursuit par un P ?

— South Porcupine ? Non, South Porcupine est beaucoup trop loin au nord. On peut toujours chercher dans l'annuaire, voir s'il y a un hameau, un endroit près de Trout Lake qui ait ces initiales.

— Nous n'avons pas le temps. Ce doit être quelque chose de simple, pourtant. Le Sporting Club ? Non, ça fait S. C. Qu'est-ce qu'il y a d'autre, à Trout Lake ? La marina, le réservoir.

— Oui, le réservoir. C'est un grand bâtiment, et plutôt isolé. »

Au cours des jours suivants, on discuterait beaucoup à la brigade pour savoir qui l'avait prononcé le premier. Certains penchaient pour Delorme, d'autres pour Cardinal. Collingwood changea d'avis plusieurs fois, et pourtant il était sur place. Mais Cardinal se souviendrait toujours du regard de Delorme, de ces beaux yeux marron qu'elle levait vers lui et dans lesquels brillait la certitude de savoir. À la fin, cela n'eut plus d'importance, que ce fût l'un ou l'autre qui avait dit le premier « station de pompage ». Cardinal, à sa grande honte, avait écarté l'idée. « Ça ne peut pas être la station de pompage, elle n'est pas à Trout Lake.

— Non, mais elle y était », fit observer Delorme.

54

Cardinal avait deux coups de fil à donner avant de passer à l'action. Il appela le quartier général pour qu'on envoie une voiture de patrouille marauder aux abords de l'ancienne station de pompage. Dyson n'étant plus là, ce fut chez le chef qu'il téléphona ensuite. « Nous savons qu'il a l'intention de tuer le jeune London. Il est probable qu'il soit déjà là-bas.

— Avec le garçon ?

— Sûrement. On pense que celui-ci est toujours vivant. J'ai besoin de huit hommes, avec fusils et gilets pare-balles.

— Vous voulez l'appui de la PPO ?

— Chef, nous n'avons pas le temps de les attendre.

— Alors, prenez tout ce dont vous avez besoin et allez-y. »

Delorme revenait de la voiture, des perles de pluie scintillant dans ses cheveux. « Flower dit que la patrouille est passée près de la station de pompage. Le Windstar de Fraser est garé dehors.

— Espérons qu'ils ont su se montrer discrets et n'ont pas alerté Fraser.

— Flower dit que non. Ils vont quand même rester dans le coin, au cas où il quitterait les lieux.

— On le tient, Lise. On tient ce salaud. »

Toutes sirènes hurlantes, ils ne mirent pas plus de sept minutes pour atteindre le lieu de rassemblement, la marina de Trout Lake. Ils n'eurent pas à attendre longtemps les autres voitures. Il y avait là McLeod, Szelagy, Collingwood, Burke et des policiers en tenue. La pluie avait cessé mais d'épais nuages gris fer aux franges teintées de pourpre tamisaient la lumière. Il était trois heures, mais on se serait cru le soir.

« On ne peut prendre le chemin menant à la station qu'en passant par les routes de Trout Lake ou de Mathiesson. Vous deux, dit Cardinal en s'adressant à deux des hommes en uniforme, allez barrer la route dans un sens comme dans l'autre. Il ne sort pas de là. Et personne n'y entre.

— Et le lac ?

— Faudrait être fou pour se risquer sur cette glace. Burke et Szelagy, vous restez à l'entrée du chemin menant à la station pour faire circuler les riverains trop curieux et choper le gars si jamais il tente de fuir par ce côté-là. McLeod, Collingwood et Delorme, vous venez avec moi. Pas de questions ? »

Il n'y avait pas de questions.

« Eric Fraser est armé. Eric Fraser est dangereux. Et Eric Fraser mérite la mort.

— Vous ne plaisantez pas, murmura quelqu'un — Szelagy ?

— Mais Eric Fraser détient un otage, un garçon de dix-huit ans, et nous ne voulons pas courir le risque

415

qu'il soit tué. Aussi, vous ne tirez que si votre propre vie est menacée. C'est clair ? »

C'était clair.

« Très bien, alors. » Cardinal ouvrit la portière de sa voiture. « On y va. »

Il entra en contact avec le véhicule de patrouille posté sur la route au-dessus de la station. Le Windstar n'avait pas bougé. Il ne se passait rien.

Cardinal prit soudain conscience de son tremblement en serrant le volant. Ce n'était pas de la peur mais de la pure adrénaline. Il respira plusieurs fois à fond pour se calmer. Il n'avait pas envie de trembler quand il sortirait le Beretta. Une fois de plus, il regretta de ne pas avoir vidé quelques chargeurs au stand de tir.

Les deux véhicules de tête fendirent la purée de neige fondue jusqu'à l'embranchement et tournèrent en direction de la station, tandis que Ken Szelagy et Larry Burke s'arrêtaient à l'entrée du chemin pour en barrer l'accès.

Burke et Szelagy avaient été les premiers dans la brigade à voir le corps de Katie Pine dans son cocon de glace à l'entrée du puits de mine de Windigo et, depuis, Burke avait trouvé frustrant d'observer de loin Delorme et Cardinal, sans pouvoir participer à l'action. Lui aussi voulait devenir détective de la Criminelle.

Une voiture ralentit à leur hauteur. L'homme au volant, un type d'une cinquantaine d'années en costume cravate, abaissa la vitre. « Que se passe-t-il ? Pourquoi tous ces policiers ? »

Larry Burke lui fit signe de poursuivre son chemin. « Circulez, monsieur, je vous prie. Nous devons dégager ce secteur.

— Mais que se passe-t-il donc ?

— Circulez, monsieur », répéta Burke, avec un geste de la main d'une autorité si éloquente que l'automobiliste redémarra sans insister.

Burke était reconnaissant à Cardinal d'avoir fait appel à Szelagy et lui pour participer au dénouement de cette enquête. L'affaire Pine-Curry resterait dans les annales du crime à Algonquin Bay. Et il y avait de quoi se réjouir d'être là, quand on savait que Cardinal n'avait eu que l'embarras du choix.

Une autre voiture venait de s'immobiliser à l'entrée du chemin. Une femme, et franchement moche, jugea Burke.

« Vous ne pouvez pas vous arrêter, madame.

— Qu'est-ce qu'elles font ici, toutes ces voitures ? demanda la conductrice, le regard rivé en direction de la station de pompage.

— Je vous demande de circuler, madame. »

Au grand mécontentement de Burke, la femme n'en fit rien. Elle se contenta de se ranger sur le bord de la route et fixa de nouveau le bas de la colline, comme si elle s'attendait à voir surgir le Christ en personne des profondeurs glacées de Trout Lake. Burke traversa la route, tapota à la vitre et, d'une main autoritaire, désigna la route. On enseignait à l'école de police qu'un simple geste, à la condition qu'il ait la fermeté requise, était aussi efficace qu'un ordre verbal. Ce ne fut pas vrai dans le cas présent.

« Circulez, dit Burke, élevant la voix. Cette route doit rester dégagée. »

Il ne pleuvait plus depuis un bon moment, mais la femme avait oublié d'arrêter ses essuie-glaces, tout au moins le seul qui restait, car il manquait celui du côté passager. Burke ne savait pas trop quelle maladie de peau elle avait, mais ce n'était pas beau à voir. En plus, elle portait un gros pansement sur l'oreille. Et puis qu'est-ce qu'elle pouvait bien regarder aussi fixement ? Elle n'avait pas levé une seule fois les yeux vers lui. Oh, il avait peut-être un rôle minuscule dans toute cette histoire, mais il n'allait pas se laisser faire. « Hé ! m'dame ! beugla-t-il. Vous êtes sourde ? »

Il tapa du poing sur le toit de la voiture. La femme sursauta, lui jeta un coup d'œil véritablement terrifié et, passant brutalement en prise, démarra en patinant. « Bon sang, dit Burke à Szelagy, j'espère qu'ils ont enfin barré la route en amont. Tu as vu ça ?

— Ouais, il y a des gens qui peuvent pas s'empêcher de fourrer leur nez partout où ça les regarde pas », dit Szelagy.

Burke regardait la voiture qui s'éloignait, son pot d'échappement lâchant une fumée noire. Trout Lake et ses environs étaient une zone résidentielle pour le moins classe. On était en droit de penser que ce laideron pouvait s'offrir quelque chose de mieux que cette Pinto pourrie.

55

La station de pompage n'était plus exploitée depuis cinq ans, et cela se voyait. C'était une bâtisse basse et carrée en pierre grise, aux ouvertures obstruées par des planches et au toit plat coiffé par la neige de tout un hiver, encore épaisse d'un bon mètre en dépit de la fonte de ces derniers jours. Des glaçons gros comme des tuyaux d'orgue pendaient à chaque coin du bâtiment, dont l'isolement avait manifestement séduit le tueur. La maison la plus proche était à six cents mètres de là, et encore cette distance était-elle couverte de taillis.

Cardinal effectua une rapide reconnaissance. Il ne vit pas de porte devant le lac, mais il y en avait une sur le côté, à laquelle on accédait par une volée de marches qui dessinait une diagonale parfaite sous la glace. Le Windstar de Fraser était garé au bord du lac. Des empreintes de pas et des traces plus allongées ponctuaient la neige.

Cardinal s'approcha sans bruit de la porte et essaya doucement la poignée ; celle-ci ne bougea pas. Il secoua la tête et adressa un signe aux autres.

McLeod ouvrit le coffre arrière de sa voiture et en sortit leur « bélier », une solide hampe en fer de trente kilos munie de poignées. Delorme et McLeod enfonceraient la porte, et Cardinal entrerait le premier, l'arme à la main. Ainsi en fut-il convenu par signes.

Ce qui se passa ensuite alimenterait pendant longtemps les récits héroïques, à la brigade. Cardinal, Delorme et McLeod avaient pris du recul, attendant le signal de Cardinal. Celui-ci venait de compter un de son pouce et allait lever la main pour le deux, quand la porte s'ouvrit soudain, et Eric Fraser sortit du bâtiment.

Il resta devant la porte en clignant les yeux dans la lumière.

Plus tard, on ergoterait abondamment sur ce qui l'avait poussé à aller dehors. Certains avanceraient le besoin de faire des courses, d'autres un besoin plus naturel. Quoi qu'il en soit, l'effet était le même.

Cheveux au vent, en jean et chemise noirs, silhouette d'encre se découpant sur la neige, il offrait l'image d'un homme inoffensif.

Comme Delorme le ferait par la suite observer, « ce type maigre, avec des petits bras maigrichons, jamais, non, jamais je ne l'aurais pris pour un tueur. Ce type avait l'air d'un gamin ».

Eric Fraser qui, à leur connaissance, avait tué quatre personnes, se tenait immobile, les bras ballants.

Cardinal lui demanda d'une voix qui lui parut fluette : « Vous êtes Eric Fraser ? »

Fraser tourna vivement la tête. Cardinal sortit son Beretta, mais Fraser s'engouffra dans le bâtiment avant même qu'il puisse l'ajuster.

Ian McLeod fut le premier à franchir la porte après lui, un morceau de bravoure qui lui valut trois mois de béquilles. La porte ouvrait en effet sur un escalier métallique des plus raides qui menait aux machineries. McLeod le dévala, atterrissant de tout son poids sur les chevilles.

Keith London se mit à hurler dans l'obscurité : « Ici ! Ici ! Il a un… » Ses cris furent brusquement interrompus. Cardinal et Delorme se tenaient en haut des marches, à l'écoute des grognements de McLeod. En dessous d'eux, la pompe n'était qu'un entrelacs de conduits et de vannes rouge minium, tel un gigantesque cœur. Deux passerelles partaient de chaque côté. Delorme prit celle de droite, tandis que Cardinal descendait l'escalier.

« Ça ira, dit McLeod. Chope ce salaud. »

Une lumière grise filtrait de la porte restée entrouverte. Cardinal distinguait la passerelle au-dessus de la machinerie et, en dessous, un autre escalier métallique en forme de zigzag. Cardinal allait s'élancer vers les marches quand une porte s'ouvrit au bout de la passerelle. Le canon d'un pistolet cracha une flamme bleu et blanc. Delorme vacilla sous l'impact, sans produire d'autre bruit que celui de son Beretta heurtant le sol. Elle parvint à atteindre la porte, à l'ouvrir de quelques centimètres encore, puis elle s'effondra à genoux, le teint gris.

Cardinal grimpa l'escalier aussi vite qu'il le put, s'attendant à tout moment à un coup de feu et à un trou de neuf millimètres dans la tête. Il arriva devant la porte, l'ouvrit d'un coup de pied et se plaqua le dos au mur, le Beretta tenu à deux mains à hauteur de la poitrine, comme s'il priait, avant de pivoter en position de tir. Rien ne bougea. Cardinal se trouvait dans une pièce assez grande, qui avait dû servir de cantine aux ouvriers. Il y avait une autre porte au fond. Keith London était attaché sur une table, la tête en sang. Cardinal pressa deux doigts sur le cou du jeune homme : le pouls était faible, la respiration hachée.

Un bruit de pas précipités brisa soudain le silence. Cardinal bondit vers la porte et l'ouvrit juste à temps pour voir la silhouette noire de Fraser courir vers l'issue donnant sur le lac. Il visa et fit feu. La balle ricocha sur un conduit avec un miaulement strident.

Cardinal s'élança sur la passerelle, sauta par-dessus Delorme et surgit dans la lumière. Il atteignit la camionnette de Fraser juste au moment où celui-ci démarrait. Il ouvrit la portière passager, alors que le Windstar commençait à descendre la pente vers le lac.

Fraser abattit son arme sur le visage de Cardinal, mais une roue heurta un rocher, et la violente secousse dévia le coup. Dans un pur réflexe, Cardinal se saisit du poignet de Fraser, alors qu'ils roulaient maintenant sur la glace. Fraser pressa la détente, et la flamme brûla Cardinal à la jambe. Fraser continua de tirer au hasard, ponctuant d'éclairs blancs les embardées du véhicule.

Cardinal avait saisi Fraser à la gorge de sa main libre. Fraser enfonça l'accélérateur. Cardinal eut l'impression d'être projeté en arrière mais parvint à immobiliser sous son genou l'avant-bras de Fraser, sur lequel il se mit à peser de tout son poids. Du poing droit, il frappa le tueur au visage et sentit une douleur lui vriller le bras.

Et puis tout parut s'arrêter. La camionnette s'était brusquement immobilisée. La seconde d'après, elle s'inclina en avant, projetant les deux hommes contre le tableau de bord. Cardinal traduisit spontanément ce qui se passait : la roue avant droite avait brisé la glace.

« La glace a cédé ! hurla Cardinal. Nous passons à travers. »

La résistance de Fraser se fit frénétique, tandis que le véhicule s'enfonçait un peu plus et qu'une eau noire venait clapoter contre le pare-brise.

Une secousse aggrava l'inclinaison, l'eau pénétra par les côtés et mordit Cardinal avec des dents de glace. Il relâcha Fraser et passa par-dessus son siège. Il tira la porte latérale, alors que la camionnette continuait à s'enfoncer. Eau noire. Écume blanche glacée. Cardinal parvint à grimper sur le flanc droit du véhicule, qui bascula avec une certaine grâce sur la gauche. Il perçut vaguement des silhouettes qui accouraient vers lui en criant et puis il sauta, les bras tendus en avant. Il sentit ses jambes s'enfoncer dans la glace, et le froid lui coupa le souffle.

Il ne put voir Fraser le visage pressé à la vitre, la bouche hurlant une abjecte terreur, tandis que la glace cédait sous la dernière roue et que le Windstar s'enfonçait lentement dans le trou noir.

56

La police d'Algonquin Bay n'avait jamais fait l'objet d'un tel intérêt médiatique. L'arrestation de Dyson venait à peine de faire la une du *Lode* qu'elle était rejointe par la mort du Tueur de Windigo dans les eaux glacées de Trout Lake, ainsi qu'en témoignait une photo du trou dans lequel le véhicule avait sombré.

Cardinal, Delorme et McLeod avaient atterri aux urgences. Mais des trois, c'était McLeod le plus touché, avec une fracture à une cheville et une entorse à l'autre. Les gilets pare-balles avaient sauvé Cardinal et Delorme. « Ce plongeon dans la glace aurait dû vous tuer, lui dit le médecin, mais le gilet a joué le rôle d'isolant, et vous avez eu du pot. » Quant à Delorme, la balle, déviée par le Kevlar, lui avait éraflé le bras gauche. Elle avait perdu du sang et était affaiblie, mais une transfusion ne s'imposait pas ; une fois pansée, elle avait pu rentrer chez elle.

Cardinal, lui, avait dû passer la nuit en observation. Il avait voulu appeler Catherine pour lui annoncer la nouvelle, mais, assommé par le Valium, il n'en avait pas trouvé la force. Il avait dormi seize heures d'affilée et s'était réveillé assoiffé mais en forme. Il attendait maintenant la permission de rendre visite à Keith London. Devant la salle d'attente du service de réanimation, les visiteurs en gros manteau faisaient les cent pas avec des patients au regard triste, en pyjama et robe de chambre.

Par la baie vitrée, il voyait les toits blanchis étinceler sous le soleil. Mais il pouvait déduire de la manière dont la fumée s'échappait des cheminées que la température avait de nouveau chuté bien au-dessous de zéro.

Ce fut bientôt l'heure du journal télévisé de Sudbury, et Cardinal ne fut pas surpris d'apprendre que Grace Legault avait quitté la station pour une grande chaîne nationale. L'affaire du Tueur de Windigo aurait fait au moins une heureuse en la personne de cette ambitieuse jeune femme. Le récit de l'enquête était illustré d'images de la station de pompage et du trou dans la glace. Cardinal tressaillit soudain en découvrant une jeune reporter campée devant sa maison dans Madonna Road. « Le détective John Cardinal n'est pas chez lui aujourd'hui, rapportait-elle. Il est en observation à l'hôpital, après avoir manqué se noyer dans le véhicule qui a emporté au fond du lac le Tueur de Windigo Eric Fraser... »

Formidable, grogna-t-il entre ses dents. Tous les salopards que j'ai pu envoyer en taule, et surtout Kiki Babe, savent maintenant où je crèche. On ne leur apprend donc pas la discrétion et le respect de la vie intime, à l'école de journalisme ?

Et puis ce fut au tour du chef Kendall d'intervenir sur les marches de la mairie. Il affirma que tous les policiers qui avaient participé à l'enquête Windigo étaient pour lui l'incarnation même du dévouement, du courage et de l'efficacité.

Tu risques de changer d'avis quand tu recevras ma lettre, pensa Cardinal, mais toute réflexion supplémentaire sur ce point lui fut épargnée par l'arrivée d'un médecin, une femme rousse, qui lui résuma hâtivement l'état de santé du jeune patient. Non, Keith London n'avait pas encore repris connaissance ; non, son état n'était plus critique. Oui, il souffrait d'un grave traumatisme crânien ; non, on ne pouvait pas se prononcer sur l'étendue des séquelles. Oui, il se pouvait qu'il souffre de troubles d'élocution. Non, elle ne pouvait être plus précise. Oui, Cardinal pouvait entrer quelques minutes et s'entretenir avec sa jeune amie.

La lumière était diffuse dans la salle des soins intensifs. La demi-douzaine de patients immobiles dans leur lit et le personnel qui veillait sur eux et les appareils enregistrant leurs fonctions vitales semblaient être prisonniers d'un éternel crépuscule. Keith London gisait au bout de la rangée sous la vigilante attention de Karen Steen.

« C'est bien aimable à vous, monsieur Cardinal, de venir nous rendre visite.

— Ma foi, j'espérais poser à Keith quelques questions mais ne vous inquiétez pas, le médecin m'a informé de son état.

— Keith n'a pas encore dit un mot, mais je suis sûre qu'il se remettra. J'aimerais toutefois qu'il reprenne conscience et retrouve l'usage de la parole avant l'arrivée de ses parents. J'ai enfin réussi à les joindre en Turquie. Ils devraient être ici dans deux jours.

— Il me paraît beaucoup mieux que la dernière fois que je l'ai vu. » Keith London avait la tête bandée, un tube à oxygène dans une narine, mais son teint était

426

coloré et sa respiration profonde et régulière. Une main blanche sortait de sous le drap, et Karen la serrait doucement tout en parlant. « Les médecins pensent qu'il va s'en tirer, ajouta Cardinal.

— Oui, et grâce à vous. Il ne serait plus en vie si vous ne l'aviez pas retrouvé. Je regrette qu'il n'existe pas de mots assez justes pour vous exprimer ma reconnaissance, monsieur Cardinal.

— Je regrette qu'on n'ait pas pu intervenir plus tôt. »

Elle le regardait de ses yeux bleus pleins d'ardeur. Catherine avait le même regard au début de leur rencontre... passionné, sincère. Et elle était encore capable de le retrouver, quand elle parlait des choses qui comptaient pour elle, quand elle était pleinement elle-même.

« Vous êtes un homme bon, n'est-ce pas, ajoutait Karen Steen. Oui, je vois bien que vous l'êtes. »

Cardinal se sentit rougir. Il n'était pas très doué pour recevoir des compliments. « C'en est presque insultant, cette manière que tu as de les éviter, lui disait souvent Catherine. Tu donnes aux gens qui te louent le sentiment qu'ils te verraient différemment, s'ils étaient un peu plus intelligents. C'est grossier, John. Et infantile. »

Karen Steen posa son regard sur la main de Keith et la porta à ses lèvres en prenant soin de ne pas bouger la perfusion. « Je ne suis pas pratiquante, détective, mais si je l'étais, je me souviendrais de vous dans mes prières.

— Savez-vous ce que je pense, mademoiselle ? »

De nouveau le franc regard d'azur se leva vers lui.

« Je pense que Keith London a bien de la chance de vous avoir. »

La température avait replongé dans les abysses du froid. Revenant chez lui en voiture, Cardinal dut gratter plusieurs fois le pare-brise et sa vitre. Il lui tardait de se verser une rasade de Black Velvet, avant de se mettre au lit. Après ce baptême de glace, il avait envie de chanter la chaleur. Arrêté à un carrefour, il se représenta un feu d'enfer dans son poêle à bois, le steak et les frites qu'il allait se préparer, et surtout le double whisky qu'il boirait au lit.

57

Remonter un lourd véhicule gisant par cent vingt mètres de fond demeure, même dans des conditions optimales, une opération délicate. Quand le thermomètre indique vingt degrés au-dessous de zéro, que la surface a gelé, fondu puis gelé de nouveau, la tâche est autrement plus difficile. Une fois que la glace fut jugée solide, les Eaux et Forêts installèrent sur la grève un engin de renflouement composé d'un treuil armé d'un filin d'acier de plusieurs centaines de mètres relié à un palan monté sur roues et positionné au-dessus du grand trou pratiqué à l'aplomb de l'épave.

Vingt degrés au-dessous de zéro n'est pas inhabituel en hiver à Algonquin Bay mais, après son récent plongeon dans le bac à glace, Cardinal supportait mal la froidure revenue. Il avait beau s'être couvert chaudement — caleçon long et manteau de duvet —, il frissonnait de la tête aux pieds sur le petit appontement près de la station de pompage. Delorme, qui avait le bras en écharpe, et Jerry Commanda, mains enfouies dans les poches, se tenaient devant lui, soufflant de petites plumes blanches dans la brise venue du lac.

L'équipe des Eaux et Forêts était rassemblée au bord du trou. Dans leurs combinaisons pressurisées, les plongeurs semblaient sortir d'un roman de Jules Verne… astronautes d'époque victorienne. Les lampes fixées à leurs casques luisaient faiblement dans la lumière blanche de l'après-midi. Ils testèrent leurs longes en tirant fortement dessus puis se glissèrent dans le trou. Les eaux noires se refermèrent sur eux comme de l'encre.

« Je préfère être à ma place qu'à la leur, marmonna Cardinal.

— C'était quand même sympa de ta part d'avoir tâté la température, avant qu'ils y aillent, dit Jerry Commanda. J'en connais pas beaucoup qui l'auraient fait. »

Un doux arôme de café et de donuts leur chatouilla soudain les narines, et ils se retournèrent tous les trois, tels des chiens entendant un bruit de gamelle. Un type des Eaux et Forêts leur criait de venir prendre quelque chose de chaud, et ils ne se le firent pas dire deux fois. Cardinal avala un beignet au chocolat et se brûla la langue avec son café, mais il s'en fichait pas mal, tellement il avait envie de chaleur.

Trois quarts d'heure plus tard, le ciel commençait à s'assombrir, et les collines s'estompaient lentement. Un cri monta vers eux, et l'arrière du Windstar d'Eric Fraser émergea du lac. Lentement, le reste du véhicule apparut, ruisselant d'eau et de boue. Sur les casques des plongeurs, les lampes éclairaient comme des phares et on les pria de les éteindre. L'équipe travaillait sous des projecteurs qui vacillaient sur de petits trépieds. Soudain l'une des attaches fixées par les plongeurs ripa, et le corps de Fraser glissa à moitié par la portière latérale, de l'eau coulant par une manche de sa chemise noire. « Merde, dit Jerry Commanda. On a failli le remettre à l'eau. » L'équipe s'empressa d'immobiliser la camionnette, tandis que le tambour du câble se remettait à tourner, halant maintenant le palan et sa charge sur la glace.

Cardinal se souvenait de cette première nuit, quand Delorme l'avait appelé et qu'ils étaient partis, tels des explorateurs, découvrir les restes gelés d'une fillette qui s'appelait Katie Pine. Cela avait commencé dans la glace, se disait-il, et cela finissait dans la glace.

Le corps fut sorti et déposé sur l'appontement, comme un poisson. La peau était grise, hormis aux endroits où les os saillaient... le front, les pommettes, les mâchoires, qui avaient pris une étrange blancheur. Un médecin légiste l'examinait. Pas le Dr Barnhouse, cette fois, mais un homme jeune que Cardinal ne connaissait pas, qui s'affairait avec calme et méthode, sans fanfaronner comme Barnhouse.

Cardinal avait toujours pensé que le cadavre d'Eric Fraser lui inspirerait certaines remarques, parce que c'était là une scène qu'il s'était souvent imaginée. Mais devant ce corps malingre, vaincu, il découvrait qu'il n'avait rien à dire. Certes, il pouvait penser que ce monstre s'en était tiré à bon compte, finalement. Qu'il avait échappé à la punition que les hommes et la loi lui réservaient ici-bas. Mais ce cadavre au teint blême, aux poignets étroits, était d'abord celui d'un homme, pas d'un monstre. Aussi Cardinal ressentait-il un mélange confus de pitié et d'horreur.

Personne ne dit mot pendant un long moment, puis Delorme résuma le sentiment général. « Mon Dieu, dit-elle d'une voix à peine audible. Mon Dieu, comme il est petit. »

Le médecin annonça enfin qu'on pouvait recouvrir le corps.

Cardinal se détourna et vit les premières lumières encerclant la baie. L'heure de pointe approchait. Dieu merci, ils avaient pu mener le renflouement en toute discrétion. Bien sûr, il y avait toujours quelques badauds, et comme il regagnait sa voiture, il ne fut pas étonné de voir une silhouette solitaire — une femme de petite taille, aux traits ingrats — debout au bord de la route, serrant un mouchoir dans sa main gantée de mitaines avec une expression de profond chagrin.

58

L'enquête Pine-Curry avait tellement accaparé Cardinal qu'il se découvrait incapable de penser à d'autres choses. Les heures s'écoulaient lentement. Imaginer ce qu'allait être son avenir immédiat l'angoissait et le déprimait. Il voulait en parler à Catherine mais cela lui faisait peur et, de toute façon, il devrait attendre qu'elle sorte de l'hôpital.

Il passa l'après-midi à remplacer une vitre fendue, dégivrer le réfrigérateur, faire la lessive et réparer une fuite sur la conduite d'eau chaude. Maintenant, il était dans le garage, décidé à boucher le trou par lequel entrait le raton laveur. Il avait découpé une planche de contreplaqué pour remplacer celle qui avait pourri.

L'inquiétude le rongeait. Le chef était en réunion à Toronto, mais il l'appellerait sans doute à son retour. Cardinal prenait conscience qu'il s'occupait ainsi à des tâches domestiques pour tromper sa peur et ne pas songer à l'avenir plus qu'incertain qui l'attendait.

Que devait-il faire du reste de l'argent, qui ne couvrirait jamais que le dernier semestre de Kelly ? Le rendre à Rick Bouchard ? Celui-ci n'était pas seulement un trafiquant de drogue, il avait derrière lui une longue série de méfaits : agressions, viols, vol à main armée et au moins une tentative d'homicide. « Rick Bouchard, disait son lieutenant à Toronto, est une brute épaisse, qui mérite une place spéciale en enfer. »

Cardinal s'apprêtait à clouer la planche de contre-plaqué quand il se dit qu'il ne pouvait pas faire ça aux ratons. Si sa poubelle était leur unique source de nourriture, obstruer ce trou serait les condamner à mort. Il entreprit donc de réduire les dimensions de sa planche et l'équipa de charnières, fabriquant ainsi une espèce de chatière qui permettrait aux animaux d'aller et venir. Il était très content de sa trouvaille. S'il était encore dans cette maison l'été venu, se dit-il, il condamnerait alors le trou.

S'il était encore ici. Il en doutait. Cela faisait dix ans qu'il était en poste à Algonquin Bay. Et le prochain travail qu'il trouverait, si toutefois il lui était permis d'en chercher, ne lui permettrait probablement pas de payer les traites, sans parler de la note de chauffage.

Il regagna la cuisine et se fit du café. Il était temps de laisser de côté ses ennuis personnels et de se consacrer à la recherche du corps de Billy LaBelle. Fraser mort, les chances de retrouver le cadavre de l'adolescent étaient minces. Les LaBelle avaient écrit au *Lode*, se plaignant que la police ait échoué à capturer l'assassin vivant. Comment pourraient-ils jamais faire le deuil de leur enfant et trouver la paix ?

Delorme et Cardinal s'étaient réparti le carton de livres et de papiers qu'ils avaient découverts dans la chambre de Fraser. Notes, cartes... ils avaient tout épluché dans l'espoir de trouver un indice les menant au corps de Billy LaBelle. Cardinal feuilleta une fois de plus les romans porno aux thèmes sadiques et aux couvertures criardes. Il y avait dans le lot deux ou trois ouvrages du marquis de Sade, dont Fraser avait souligné avec insistance quelques passages, ainsi que le catalogue des tortures et de leurs instruments, aux gravures nauséeuses. Il y avait enfin une édition universitaire des *Contes de Canterbury*, mais Cardinal imaginait mal une quelconque affinité entre le monde de Chaucer et celui d'Eric Fraser.

Le téléphone sonna et, après l'inévitable recherche de l'appareil sans fil, Cardinal décrocha et entendit Delorme qui criait à Arsenault de la fermer une minute. « Il y a de l'animation chez vous, dites donc.

— Que voulez-vous, quand le chat n'est pas là, les souris dansent, répondit Delorme. Il me tarde que le patron rentre de Toronto pour remettre un peu d'ordre et de discipline ici.

— J'étais en train de chercher où Fraser a bien pu enterrer le jeune Billy. Pourquoi ne passez-vous pas à la maison ? On pourrait en discuter ensemble.

— Oui, c'est une bonne idée. Et ça me changera d'Arsenault. Je vous le jure, ce type se shoote au relevé d'empreintes.

— Pourquoi ? Il a trouvé quelque chose ?

— C'est le moins qu'on puisse dire, et vous n'allez pas le croire. Vous êtes assis ?

— Que se passe-t-il, Lise ?

— Ils ont trouvé d'autres empreintes dans le véhicule de Fraser. Sur le siège du passager, le volant, à l'arrière. Il s'agit de quelqu'un qui est souvent monté dans la camionnette et l'a même conduite. Ils ont aussi trouvé le marteau avec lequel Todd Curry a été tué, et le manche porte les empreintes de Fraser et de cette autre personne.

— Mon Dieu, ça signifie que ce salaud ne travaillait pas seul.

— Oui, John, ils étaient deux. Deux. »

Cardinal était songeur. Il percevait le souffle de Delorme. « Et ces empreintes donnent quoi au fichier central ? demanda-t-il enfin.

— Rien. On ne sait donc pas qui était son complice. Ce pourrait être n'importe qui. J'ai déjà appelé Troy et Sutherland. Ils n'ont jamais vu Fraser en compagnie de qui que ce soit.

— Venez donc chez moi, qu'on réfléchisse à tout ça dans le calme. »

Delorme promit d'être là dans une dizaine de minutes.

Deux, ils étaient deux, se répétait Cardinal, se reprochant de ne pas y avoir pensé plus tôt. Mais pourquoi en aurait-il eu l'idée ? Comment pouvait-on imaginer qu'il y eût deux esprits frappés de la même folie ? Comment pouvait-il y avoir deux tueurs en maraude dans Algonquin Bay ? Voilà pourquoi le profil dressé par la police montée était tellement confus : il ne décrivait pas l'activité d'un seul individu, mais de deux. Il sortit le Chaucer du tas de bouquins. Deux. Il s'efforçait maintenant de se remémorer ce que contenait le dossier de l'enquête, afin d'y déceler quelque signe. Il n'y avait pas eu d'autres empreintes sur les lieux des crimes, pas d'autre cheveu.

Le Chaucer était curieusement léger dans sa main. Il feuilleta les pages. On avait grossièrement coupé au rasoir un rectangle de vingt centimètres sur douze, à l'intérieur duquel on avait inséré une cassette vidéo sans étiquette. L'extrayant avec précaution par les coins, Cardinal la glissa dans son magnétoscope et enclencha la touche « Lecture ».

Peut-être était-elle vierge, se dit-il, fixant l'écran scintillant de neige. Ou peut-être était-ce une cassette porno. Dans ce cas, pourquoi la dissimuler ainsi ? Les bras croisés, Cardinal attendit qu'une image apparaisse.

Pendant un moment, il n'y eut rien, et il crut que la bande s'était arrêtée d'elle-même, puis se dessina la forme vague d'un canapé et d'un tableau qu'il reconnut. C'était celui qui était dans le salon de la maison Cowart, où Todd Curry avait été assassiné.

Le garçon apparut et s'assit sur le canapé. « Tu me vois bien, là ? » demanda-t-il à quelqu'un hors champ.

Le son était encore plus mauvais que la lumière. Une voix inaudible lui répondit. Une forte lumière se fit soudain, et Todd Curry cligna des yeux. Il sirotait d'un air nerveux une canette de Heineken.

« Todd Curry », dit Cardinal à voix haute. Il fit un arrêt sur image, juste au moment où l'adolescent, sa bière levée, portait un toast. Le gamin avait l'air d'un lapin pris dans les phares d'une voiture au milieu d'une mer d'encre.

La même voix hors champ se fit de nouveau entendre. « Dis quelque chose. »

Le gosse lâcha un rot, rigola. « Qu'est-ce que tu penses de ça ? »

Cardinal voulut monter le volume, et fit tout le contraire, appuyant par mégarde sur le bouton d'arrêt du son. Au même instant, dans le silence revenu, il y eut un fracas de tôle froissée et un long coup de klaxon, comme si quelqu'un avait heurté le volant de la tête. Il gagna la fenêtre et vit une petite voiture qui était sortie de la route et avait heurté le tronc d'un bouleau. Le bruit avait été trompeur, car la voiture ne semblait pas avoir beaucoup souffert.

Il ne prit pas la peine d'enfiler son manteau. Il descendit les marches du perron et, le temps qu'il arrive sur la route, une femme s'était extraite de son siège, l'air hagarde. « Je vous en supplie, aidez-moi. Des hommes m'ont…

— Vous êtes blessée ? »

La femme porta la main à son front. Elle semblait en proie à la plus grande confusion. « Trois hommes m'ont agressée. Ils m'ont violée. Ils disaient qu'ils allaient me tuer. »

La prenant par les épaules, Cardinal l'aida à monter l'allée. « Venez, ne restons pas dans le froid. » L'air glacé traversait son pull-over de mille aiguilles d'acier. La femme avançait en pleurant, la tête basse. « Ils m'ont forcée. Oh, mon Dieu. Il faut appeler la police.

— Tout va bien. Je suis policier. » Il la fit entrer et l'installa dans un fauteuil à côté du poêle. Puis il décrocha le téléphone et appela le 911. Il leur en fallait du temps pour répondre. En attendant que police-secours décroche, Cardinal observait la femme : le manteau vert, cet hématome à la tempe, et cet eczéma purulent. Il s'étonnait toutefois que cet hématome soit déjà bleu, quelques secondes après le choc, et il se demanda si elle ne saignait pas sous la peau.

Enfin le 911 répondit. « Police d'Algonquin Bay ? Ici, le détective John Cardinal. J'ai besoin d'une ambulance au 425 Madonna Road. Une femme… vingt à trente ans… viol, traumatisme crânien, et je ne sais quoi d'autre. »

La standardiste le pria de rester en ligne.

« C'est vous, le héros, n'est-ce pas ? Dans l'affaire Windigo ? Je vous ai vu à la télé. » La femme se tenait le buste incliné en avant, comme si elle souffrait du ventre. Derrière elle, sur l'écran du téléviseur, une silhouette sombre bougeait en silence.

« Vous me redonnez l'adresse ? demandait le standard.

— 425, Madonna Road. Prenez par Trout Lake, c'est la deuxième à droite juste après Four Mile Road. Impossible de manquer la maison, il y a une voiture contre un arbre juste devant. » Cardinal couvrit le combiné de sa main. « C'est bien une Pinto que vous avez ?

— Quoi ? Oui, une Pinto.

— Une Pinto grise, dit Cardinal au téléphone. Facile à repérer. »

La femme parlait de nouveau en se balançant légèrement dans le fauteuil, comme si elle était soûle. Sur l'écran, la silhouette venait de s'asseoir à côté de Todd Curry. La lumière crue d'une torche électrique éclairait un visage blême couvert d'eczéma.

Cardinal essaya de maîtriser sa surprise. Elle ignore encore que je viens de découvrir qui elle est. Elle a dû boire quelques verres pour venir ici avec l'intention de me menacer mais...

« Qui appelez-vous encore ? » La brutalité du ton interrompit net les pensées de Cardinal.

« Ma brigade. Je voudrais que quelqu'un vienne enregistrer votre déclaration. Mais ne vous inquiétez pas, c'est une femme qui s'entretiendra avec vous. »

Cardinal commença à faire le numéro mais la femme sortit un revolver des plis de son manteau et, le braquant à deux mains sur Cardinal, lui dit : « Vous avez intérêt à raccrocher. »

Cardinal fit ce qu'elle lui demandait et leva les mains en l'air. « Écoutez, calmez-vous, je ne suis pas armé. »

Sur l'écran, Fraser venait d'entrer en scène et, prenant la femme par le poignet, la relevait sans ménagement du canapé, tandis que Todd Curry feignait la stupeur.

« Vous suiviez un scénario ? demanda Cardinal. Vous répétiez ? »

Elle se tourna pour suivre son regard. « C'est Eric, dit-elle d'une petite voix. C'est mon Eric. »

Cardinal fit un pas vers la porte du placard, derrière laquelle pendait le Beretta dans son holster.

« Bougez pas.

— Mais je ne bouge pas », répondit Cardinal avec le plus grand calme possible. Fraser avait maintenant le marteau à la main et criait quelque chose à Todd Curry.

Quand le premier coup tomba, le garçon ouvrit la bouche, et son visage parut s'affaisser. Fraser frappa encore et encore. La femme s'était déplacée derrière le canapé et, empoignant les cheveux du garçon, lui relevait la tête pour mieux l'exposer.

« Il n'était rien, dit-elle à Cardinal. Rien qu'une petite racaille des rues. » S'emparant de la télécommande, elle rembobina la bande.

Les images se mirent à défiler en arrière. Le garçon se redressait, la femme lâchait ses cheveux et passait de l'autre côté du canapé, tandis que le sang refluait dans les narines et le crâne de Todd Curry. Et voilà qu'il baissait les bras, la terreur cédant à la stupeur, le dernier coup effaçant toute douleur et ramenant le rire sur son visage.

Cardinal avait reculé d'un autre pas vers le placard. « Racontez-moi comment ça se passait. C'est Eric qui vous forçait à le faire ? »

La femme se leva. « Eric ne m'a jamais obligée à faire quelque chose que je ne voulais pas. Eric m'aimait, vous comprenez. Il m'aimait. Notre amour était particulier, plus beau que tout ce qu'on peut trouver dans les romans. Et il était vrai. Il transcendait le temps et l'espace, si vous pouvez comprendre ça... Non, je ne pense pas que vous puissiez.

— Eh bien, aidez-moi à comprendre. Dites-m'en plus. »

Elle venait de se mettre en position de tir, les jambes légèrement fléchies, la main gauche soutenant la droite, le canon fermement pointé vers lui.

Cardinal leva les mains en l'air tout en continuant de reculer insensiblement.

La femme abaissa légèrement la mire. Elle avait une expression distraite, comme si elle écoutait une voix ou avait sous les yeux, non pas cet homme qu'elle tenait en joue, mais quelque scène lointaine qui lui revenait en mémoire. Puis son regard prit une soudaine acuité, et elle fit feu.

La balle entra dans le ventre de Cardinal, juste en dessous du nombril. Il tomba sur un genou, comme en génuflexion. Un moment de grâce, juste avant que le feu prenne dans ses entrailles. Il se plia en deux et tomba sur le côté.

La femme fit deux pas vers lui. Elle ne souriait ni ne grimaçait. « Quel effet ça fait ? » demanda-t-elle doucement.

La porte du placard n'était plus qu'à un mètre, mais elle aurait pu aussi bien se trouver à vingt. La tueuse se tenait au-dessus de lui, le revolver toujours bien en main. Cardinal ne pensait qu'au Beretta accroché derrière la porte, mais il était incapable de se relever.

« Quel effet ça fait ? demanda-t-elle encore. C'est bon ? Dites-moi si vous aimez. »

Cardinal s'entendit pleurer, et il s'en étonna. Il lui revint le souvenir d'une collision sur le périphérique et de cet homme avec un morceau de tôle enfoncé dans le ventre qui l'empalait sur son siège et qui pleurait de douleur, comme lui-même maintenant.

Du sang chaud se répandait sur sa main crispée sur son ventre, alors qu'il s'efforçait de se mettre à genoux. La femme recula.

Deux petits pas, et il n'aurait qu'à tendre la main vers le Beretta. Il essaya de ramper mais ses bras le lâchèrent.

La femme se rapprocha de nouveau. Il avait l'impression qu'elle avait la tête en bas, une vision étrange que son cerveau aveuglé par la douleur était bien en peine d'expliquer. « C'est une blessure au ventre, disait-elle. On met très longtemps à mourir d'une blessure au ventre. Qu'est-ce que vous en pensez ? »

Elle le visait de nouveau… au ventre.

« Putain », marmonna Cardinal en levant une main dans un dérisoire geste de défense.

Il n'entendit même pas la détonation, cette fois. La balle lui traversa la main et lui déchira le ventre. La pièce se noya dans une blancheur éblouissante puis reprit ses contours, comme une photo dans une cuve à développement. Cardinal ne se souvenait plus de ce qu'il désirait si ardemment atteindre un instant plus tôt.

La femme lui parlait, mais la douleur noyait le bruit de sa voix. Quatre de plus ? Que disait-elle ? J'en ai quatre autres pour vous ? Il avait beau aligner les mots dans sa tête, cela n'avait aucun sens. Quatre autres… comme les deux précédentes. Cette fois, il avait compris. Il y avait encore quatre cartouches pour lui.

Il voyait vaguement le revolver au-dessus de lui. Il se recroquevilla en position fœtale, comme s'il pouvait dévier de sa cage thoracique la prochaine balle. Il y eut une puissante détonation, et un objet lourd et dur heurta la jambe de Cardinal. La femme avait lâché son arme.

Cardinal rouvrit les yeux et la vit porter une main à sa poitrine ruisselante de sang avec une expression de profonde irritation, comme si elle pensait à ce que ça allait lui coûter en frais de teinturerie.

Elle est morte, se dit Cardinal. Elle est morte, et elle ne le sait pas. La femme s'écroula soudain.

Et puis Delorme était là. Agenouillée à côté de lui, parlant avec cette douceur dont il avait lui-même usé avec les grands blessés de la route. Vous allez vous en sortir, tenez bon, ce n'est pas le moment de lâcher. Des paroles d'une futilité extrême. Mais Delorme tenait dans ses mains... une taie d'oreiller, à moins que ce ne fût l'écharpe qui soutenait son bras blessé ; en tout cas, c'était quelque chose de blanc qu'elle s'employait à déchirer en bandelettes.

59

Le règlement à l'unité de soins intensifs du grand hôpital de la ville, où était soigné Keith London, était moins rigoureux qu'à Saint-François, où Cardinal avait atterri. À Saint-François, c'était simple : pas de visiteurs hormis la famille.

Comment se faisait-il, alors, se demandait-il, encore abruti par les analgésiques, que Collingwood et Arsenault lui aient rendu visite. Collingwood et Arsenault, donc, mais aussi Delorme avec son bras de nouveau en écharpe.

Elle lui avait remis avec gravité et un air de conspiratrice une enveloppe cachetée. Sans doute était-ce là quelque chose d'important mais, ballotté sur sa mer d'antalgiques, il ne comprenait pas très bien de quoi il retournait. Il reconnaissait son écriture sur l'enveloppe, mais se demandait pourquoi il avait écrit au patron.

Et que faisait ici McLeod ? McLeod, qui était couché à quelques lits du sien et qui était venu le voir en clopinant sur deux béquilles, exposant la chaussette sale qui coiffait son plâtre, et qui avait choqué par la crudité de son langage les visiteurs de passage. L'infirmière en chef était même intervenue. Pas contente du tout, l'infirmière en chef.

Karen Steen aussi était passée. La douce et charmante Karen Steen, déversant tel un baume ses remerciements et son affectueuse attention. Elle lui avait offert un ours en peluche déguisé en agent de police, qui était imprégné de son parfum. Elle lui avait annoncé que Keith London était sorti de la salle de réanimation, officiellement déclaré en voie de guérison par les médecins. Il était conscient, articulait encore lentement, mais n'avait gardé aucun souvenir des événements qui avaient précédé sa perte de connaissance, et Karen espérait bien qu'il ne s'en souviendrait jamais.

Cette peluche, à propos, c'était la jeune Steen ou Delorme qui l'avait apportée ? Parfois, dans ses délires nourris au Demeral, il lui semblait que l'ours lui parlait. Non, non, seule Karen Steen pouvait avoir eu cette gentille attention. Delorme était bien trop analytique ; pas vraiment une adepte du sentimentalisme.

« Vous avez une grande famille, monsieur Cardinal. » C'était la jeune infirmière qui venait lui faire sa piqûre. Une gaillarde aux dents de devant écartées et au visage tacheté de rousseurs.

« Ma famille n'est pas si… Aïe !

— Désolée. Voilà, c'est fini. Si vous voulez bien rester sur le côté une minute, je vais arranger un peu ce lit. » Elle tira sur le drap, regonfla d'un coup de poing l'oreiller. « Bon sang, quelle grande gueule, ce rouquin, reprit-elle. Il a bien fait d'envoyer des fleurs à la chef, pour s'excuser. Il aura peut-être le droit de revenir la prochaine fois qu'il se cassera quelque chose. » Avec cette force joyeuse et insouciante de certains soignants, elle retourna Cardinal grimaçant de douleur, le souleva, le rallongea. « Tout de même, il ne vous ressemble pas beaucoup, votre frangin, physiquement, j'entends. »

La piqûre effaça sa douleur comme on souffle une bougie. Il s'endormit, rêva et se réveilla plutôt joyeux, bien que conscient d'une angoisse latente, d'une ombre prenant forme dans le brouillard. Il se rendormit. Il rêva de Catherine ; elle était sortie de l'hôpital et lui rendait visite. Elle le regardait dormir, tel son ange gardien. Quand il émergea au milieu de la nuit, il n'y avait personne, rien que les bruits des appareils, cet élancement dans son ventre et un rire qui provenait du couloir.

« Je n'aurais jamais pensé que ce pût être une femme, disait Delorme pour la énième fois. Dans ce métier, on sait tous qu'un jour ou l'autre on devra faire feu sur quelqu'un pour sauver une vie. Mais que disent les statistiques ? Combien de flics ont-ils été obligés de tirer sur une femme ? Je n'arrête pas de me dire que c'était une tueuse, mais j'en suis quand même malade. Je ne dors plus, je ne mange plus. »

Delorme continua de se plaindre ainsi pendant un moment, mais Cardinal était content qu'elle soit là. Elle lui raconta qui était cette femme et où elle habitait et comment ils avaient trouvé la grand-mère à moitié morte de faim et comment elle s'était alors rappelé avoir déjà rencontré Edie Soames, la fois où elle suivait la piste des CD empruntés à la bibliothèque. Enfin, au bord des larmes, elle dit combien elle regrettait de ne pas avoir eu alors l'intelligence d'interroger Edie Soames.

Même sonné par les calmants, Cardinal se rappelait combien cette piste était ténue. Mais Delorme était inconsolable : ils auraient pu sauver la vie de Woody, ce jeune père.

Il demanda à Delorme ce qu'avaient révélé les recherches dans la maison des Soames. « Ils ont tué Katie Pine alors que la vieille était dans sa chambre, à l'étage. C'est là qu'a été enregistrée la cassette audio. Savez-vous ce que j'ai entendu en entrant ? Le carillon de la pendule, exactement le même son que sur la cassette.

— Sans blague ? J'aurais bien aimé être là-bas, rien que pour ça. »

Elle lui décrivit ce qu'ils avaient découvert : un pistolet, une liste, et le journal d'Edie Soames.

« Un journal. Il faudra que je le lise.

— C'est étrange, dit Delorme. Ce qu'elle écrit semble banal, ordinaire. On croirait lire le récit d'une jeune femme un peu simplette, qui dit tout l'amour qu'elle éprouve pour son homme. Bien sûr, il n'y a pas que ça : elle parle de Billy LaBelle aussi. Lui aussi, ils l'ont tué.

— Est-ce qu'elle dit où ils ont enterré le corps ?

— Non, mais nous avons trouvé autre chose. Un appareil et des photos prises devant la maison où vous avez découvert le cadavre de Todd Curry. Et deux autres clichés, l'un avec l'île de Windigo dans le fond, et celui-ci, près du réservoir. » Elle le lui montra : Edie Soames faisant un bonhomme de neige.

Cardinal avait la vision quelque peu troublée.

« Ce n'est pas loin de l'endroit où ils ont déposé le corps de Woody. Disons, à six cents mètres. Près de la station de pompage.

— Et vous en déduisez quoi ?

— Que Billy LaBelle est enterré là.

— Qu'est-ce qui vous fait dire ça ?

— Vous voyez le pylône sur la photo ?

— Oui, on distingue vaguement un numéro dessus.

— C'est un numéro, et la compagnie d'électricité a pu nous indiquer l'emplacement. » Elle lui serra le bras. « Je crois que c'est au pied de ce pylône que se trouve Billy.

— Vous devriez y envoyer une équipe.

— Elle est déjà sur place. Je vais les rejoindre tout à l'heure.

— C'est vrai, dit Cardinal, luttant contre le sommeil. J'ai oublié que vous pensiez toujours à tout. » Il se tourna sur le côté et vit la peluche à la casquette de policier. « Et merci pour l'ours, Lise.

— Mais ce n'est pas moi qui vous l'ai offert. »

Delorme revint plus tard. Quand ? Cardinal n'aurait su le dire ; peut-être le même jour ou bien le lendemain. Elle avait l'air pâle et fatigué. Elle s'était rendue chez les parents de Billy, pour leur annoncer la découverte des restes de leur enfant. « C'était terrible. Après ça, je me demande vraiment si je suis faite pour la Criminelle.

— Vous l'êtes, dit Cardinal. Un autre flic n'aurait peut-être pas retrouvé le corps, et les LaBelle se seraient demandé le restant de leurs jours ce qui avait pu arriver à leur fils. Aussi horrible que ce soit, ils peuvent maintenant entreprendre leur travail de deuil. »

Delorme demeura silencieuse pendant quelques secondes. Puis elle se leva, alla à la porte, jeta un regard dans le couloir et revint. Elle sortit une enveloppe de son sac. « Je vous l'ai déjà donnée, mais je l'ai reprise, parce que vous étiez complètement dans les vapes et je ne voulais pas qu'elle traîne.

— Ma lettre à Randall ! Bon sang, Delorme, comment saviez-vous ?

— J'ai consulté votre ordinateur. Je suis désolée mais le jour où le bracelet de Katie Pine vous a lancé sur la piste de Fraser, vous tapiez une lettre et j'ai vu qu'elle était adressée au patron. Il n'a jamais pu en prendre connaissance, John. Il doit s'installer provisoirement dans le bureau de Dyson, et je suis arrivée la première pour trier son courrier. Je sais qu'il va venir vous voir. Il est inquiet pour votre état de santé.

— Vous n'auriez pas dû faire ça, Lise. Si jamais il y avait un procès...

— Il n'y en aura jamais.

— Lise, c'est votre propre carrière que vous jouez.

— Je ne veux pas qu'un bon flic perde son travail. Cette histoire vous est arrivée alors que vous vous trouviez dans une situation extrêmement difficile. Vous ne vous êtes jamais comporté en policier corrompu. J'ai beaucoup réfléchi à ça, John. Vous dénoncer fera plus de mal que de bien, et c'est évident. Et puis, Toronto ne fait pas partie de ma juridiction, vous vous en souvenez ? Personne ne m'a chargée d'une enquête concernant des événements survenus à Toronto.

— Je n'ai donc plus qu'à recommencer.

— Non, vous ne le ferez pas. N'y pensez même plus. »

Mais il savait qu'il le ferait, quand il serait sorti de l'hôpital, qu'il serait de retour chez lui et qu'il se réveillerait au milieu de la nuit. Quand il penserait à autre chose que son trou dans la main et ses trous dans la panse, il se souviendrait de ce délit commis il y a longtemps. Jamais cette tache ne partirait. Et puis le patron n'était pas la seule personne à qui il avait écrit.

Le lendemain matin, Cardinal découvrit en se réveillant qu'il était dans une nouvelle chambre. Le soleil entrait par la fenêtre, et il en sentit la chaleur avant même d'ouvrir les yeux. C'était bon. Il s'étira, et les points de suture sur son ventre le rappelèrent à la prudence. Il baignait dans une douce somnolence quand il prit conscience que quelqu'un lui tenait la main. Une petite main, douce et chaude.

« Comment va mon bel endormi ?

— Catherine ?

— Hélas, chéri, c'est bien moi. Ils m'ont laissée sortir. »

Catherine s'assit au bord du lit, un geste trop familier pour un ange gardien. Ses yeux n'exprimaient ni l'assurance ni la sérénité, mais plutôt la timidité et l'inquiétude. Il remarqua le léger affaissement de la paupière gauche, où les neuroleptiques refusaient de lâcher prise. Mais elle n'était plus la Catherine agitée de mouvements compulsifs, et ses mains emprisonnaient la sienne avec une tranquille fermeté.

« Officiellement, je n'ai plus le cerveau dérangé, mais je carbure au lithium comme le *Titanic* au gasoil. Oh, pardonne-moi, très mauvaise référence… le *Titanic*. »

Elle était coiffée du béret qu'il lui avait offert. Un petit geste, et cependant il ne pouvait trouver les mots pour lui dire combien cela l'émouvait. « Tu es drôlement en forme, dit-il, faute de mieux.

— Tu n'as pas l'air mal non plus, répliqua-t-elle. Pour quelqu'un qui a manqué se noyer dans un bac à glace et s'est fait trouer deux fois le ventre. »

Un silence tomba. Main dans la main, ils cherchaient les paroles qui renoueraient le lien interrompu.

« Nous avons reçu plein de fleurs et de cartes de vœux à la maison, dit-elle.

— Oui, les gens ont été formidables.

— Il y en a un qui s'est même déplacé, un type avec un bandeau de cuir sur un œil. Un costaud. Il semblait

450

s'inquiéter beaucoup de ton état. Je t'ai apporté son petit mot. » Elle sortit de son sac une carte d'un fleuriste du centre commercial, sur laquelle une main délicate avait tracé ce doux espoir : « À bientôt, Rick ».

« Un grand sensible, ce Rick », dit Cardinal. Il laissa passer quelques secondes, et reprit : « Je suppose que tu n'as pas encore reçu ma lettre.

— Je l'ai reçue, et Kelly a eu la sienne. Nous ne sommes pas obligés d'en parler maintenant.

— Comment Kelly a pris ça ?

— Tu le lui demanderas, elle est en route.

— Elle est encore en colère, non ?

— Elle est surtout inquiète à ton sujet mais, pour répondre à ta question, oui, elle est en colère.

— Je suis vraiment désolé, Catherine.

— Moi aussi, je le suis. » Elle détourna les yeux, réfléchissant à ce qu'elle allait lui dire. Dehors, des bandes de moineaux criblaient le ciel bleu de taches brunes. « Je suis triste que tu aies fait quelque chose de mal, John, et je suis encore plus triste de la douleur que cela te cause. Mais c'est étrange à dire, John… John ! si tu savais comme c'est bon d'être assise à côté de toi et de prononcer ton nom au lieu de l'avoir seulement dans ma tête ! En dehors de ce bonheur-là, je suis également heureuse que tu aies commis cette chose.

— Catherine, tu ne le penses pas. Qu'est-ce que tu racontes ?

— Tu n'as jamais deviné, n'est-ce pas ? Mais comment pouvais-tu comprendre ? C'était vraiment dur pour toi de devoir veiller sans cesse sur moi comme sur une enfant, de te demander dans quel état tu allais me trouver en rentrant, d'avoir toutes ces charges sur le dos… Mais, vois-tu, c'était encore plus difficile d'être la malade, d'être celle qui désespérait tout le monde autour d'elle…

— Oh, Catherine…

— Alors, le fait d'avoir commis toi-même une faute — et une grave, qui aurait pu nous coûter cher à tous — eh bien, c'est exactement ce dont j'avais besoin, parce que ça me donne enfin l'occasion d'être forte à mon tour, d'être celle sur qui tu peux t'appuyer… »

Le médecin qui s'occupait de Cardinal venait d'entrer, braillard et jovial. « Non, non, vous pouvez rester », lança-t-il à Catherine. Il braqua une lampe dans les pupilles de Cardinal, lui demanda de s'asseoir, puis de se lever, et même de faire quelques pas dans la chambre. Cardinal s'exécuta, traînant les pieds comme un petit vieux et grimaçant de douleur.

« Merde, docteur, je me recouche, si vous n'y voyez pas d'inconvénient.

— Oh, je voulais juste voir si ça vous faisait aussi mal que je le pensais, répliqua l'autre en griffonnant sur la feuille du patient. Vous allez vous en sortir plus vite et mieux que prévu. Comptez quand même six bonnes semaines pour que tout se remette en place. Ces deux balles ont fait pas mal de grabuge.

— Six semaines !

— Oui, et ça vous fera le plus grand bien, de vous reposer un peu. » Il se tourna vers Catherine. « Foutu héros, hein ? » dit-il avec un mouvement de tête vers Cardinal. Puis il laissa retomber la plaque métallique contre le lit et quitta la chambre aussi bruyamment qu'il y était entré.

« Il pourrait être flic avec ce genre d'humour, dit Cardinal, dont le front brillait de sueur.

— Je vais te laisser, tu es pâle comme un linge.

452

— Non, ne t'en va pas, Catherine. S'il te plaît. »
Catherine resta. Elle resta et le veilla, comme il en avait
rêvé.

Cardinal ferma les yeux. Il avait envie de lui
demander si elle resterait avec lui, en dépit de ce qu'il
avait fait, si elle pourrait vivre à ses côtés, être heureuse
en sa compagnie. Mais les calmants faisaient un doux
oreiller dans son crâne, et Cardinal sentit le sommeil se
poser doucement sur ses jambes, ses bras, son front. Il
ouvrit les yeux et vit Catherine à son chevet. Elle avait
chaussé ses lunettes et lisait le livre qu'elle avait
apporté pour passer le temps. Les murs vert pâle de la
chambre se métamorphosaient lentement en arbres du
même vert. Les voix dans le couloir devenaient les
appels d'invisibles bêtes, et la porte s'ouvrait sur un
torrent aux eaux claires.

Cardinal rêvait qu'ils voyageaient. Il rêvait que
Catherine et lui voyageaient sur une rivière ombragée,
une rivière du Sud qu'il ne connaissait pas. Catherine
pagayait devant dans le canoë, alors qu'il barrait mala-
droitement à l'arrière. Le soleil avait ce jaune
éblouissant des dessins d'enfants. Le canoë était vert
bouteille, et ils riaient.

Remerciements

À celles et ceux qui ont lu les premières versions de *Quarante mots* et m'ont aidé de leurs nombreux conseils : Bill Booth ; Anne Collins, mon éditrice à Random House, Canada ; mon épouse, Janna Eggebeen ; mon agent, Helen Heller ; Linda Sandler ; Sergent Rick Sapinski du département de police de North Bay ; et mon éditrice chez Putnam's, Marian Wood. À toutes et à tous, un grand merci.

Un oiseau de malheur

John Connolly

Tout ce qui meurt

Thriller

Il poursuit l'assassin de sa femme et de sa fille

(Pocket n° 11525)

Ce soir-là, Charlie Parker, flic new-yorkais aussi surnommé Bird, s'était disputé avec sa femme. Parti dans un bar pour se soûler, il était retourné chez lui tard dans la nuit. En entrant dans la cuisine, il était tombé sur les corps sans vie et affreusement mutilés de sa femme et de sa fille unique, Jennifer. Rongé par le remords, il décide de quitter la police et se lance à la poursuite du « Voyageur », fantôme énigmatique qui sème la mort sur son passage. Pour le retrouver, Bird est prêt à aller partout, jusqu'en enfer s'il le faut…

Il y a toujours un Pocket à découvrir

Quand se réveillent les démons du passé...

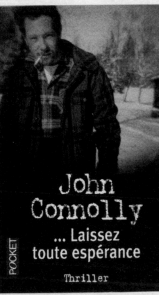

John Connolly
... Laissez toute espérance

Thriller

POCKET

(Pocket n° 11866)

Après des années, celui que l'on a surnommé « le boucher du Maine » semble de retour. Personne n'a oublié les cinq cadavres de jeunes filles retrouvés pendus à un arbre. Chargé de l'enquête après la découverte des cadavres mutilés de Rita Ferris et de son petit garçon, Charlie Parker sait que le retour du serial killer sur lequel avait enquêté son grand-père est synonyme de mort... mais il est encore loin du compte.

Il y a toujours un Pocket à découvrir

Kidnapping

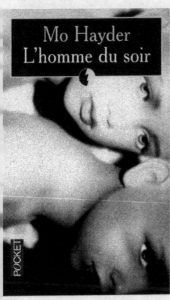

Mo Hayder
L'homme du soir

POCKET

(Pocket n° 11886)

À Brockwell Park,
quartier résidentiel du sud
de Londres, un enfant de
neuf ans est enlevé à son
domicile tandis que ses
parents sont ligotés.
La police, qui pense
qu'il s'agit d'un acte
pédophile, confie
l'affaire à l'inspecteur
Jack Caffery. Mais,
durant son enfance,
son petit frère Ewan a
mystérieusement
disparu, et l'enquête dont
il est chargé s'annonce
particulièrement
éprouvante pour lui.
Surtout quand de
troublantes similitudes
entre le passé et le présent
s'accumulent...

Il y a toujours un Pocket à découvrir

Impression réalisée sur Presse Offset par

BRODARD & TAUPIN

GROUPE CPI

28310 – La Flèche (Sarthe), le 23-02-2005

Imprimé en France sur Presse Offset par

BRODARD & TAUPIN

Dépôt légal : mars 2005

POCKET – 12, avenue d'Italie - 75627 Paris cedex 13
Tél. : 01.44.16.05.00

Imprimé en France